Spanish I

Teacher's Guide

CONTENTS

Managing Editor: Alan Christopherson, M.S.
Editors: Brenda Hrbek, B.S. Ed.
Christine E. Wilson, B.A., M.A.

Alpha Omega Publications®

804 N. 2nd Ave. E., Rock Rapids, IA 51246-1759
© MMX by Alpha Omega Publications, Inc.   All rights reserved.
LIFEPAC is a registered trademark of Alpha Omega Publications, Inc.

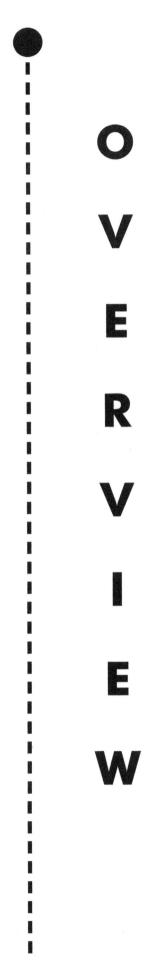

CURRICULUM

OVERVIEW

Spanish I (New Edition)

LIFEPAC 1
- Cognates
- Parts of speech
- Alphabet & pronunciation
- Syllables & accents
- Classroom phrases
- Familiar & formal *you*
- Greetings & responses
- Spanish-speaking countries
- Pan-American Highway

LIFEPAC 2
- Classroom objects
- Definite articles
- Number 1–10
- School subjects
- Subject pronouns
- Conjugation of *–AR* verbs
- Sentence structure
- Inversion & tag questions
- Geography of Mexico

LIFEPAC 3
- House vocabulary
- Articles & agreement
- Numbers 11–31
- Family vocabulary
- The verb *ser*
- Interrogatives
- Months, seasons, & days
- Telling time
- Conjugation of *–ER* & *–IR* verbs
- Mexican culture

LIFEPAC 4
- The verb *ir*
- Locations vocabulary
- Contractions
- Personal *a*
- Possession
- Professions vocabulary
- Numbers 30–100
- Adjective agreement/placement
- The verb *estar*
- Prepositions of location
- Negative/affirmative words
- Central America

LIFEPAC 5
- Clothing vocabulary
- Colors
- The verb *gustar*
- Possessive adjectives
- Irregular verbs
- Stem-changing verbs
- *Tener* expressions
- Sports vocabulary
- *Saber* & *conocer*
- Caribbean Islands

LIFEPAC 6
- Food & drinks vocabulary
- Irregular verbs
- Body parts vocabulary
- The verb *doler*
- Verb expressions
- Numbers 100–1,000,000
- South America

LIFEPAC 7
- Reflexive verbs
- Personal care vocabulary
- Weather & temperatures
- Adverbs with *–mente*
- Demonstrative adjectives
- Aztecs, Mayas, & Incas

LIFEPAC 8
- Transportation vocabulary
- Bargaining & currencies
- Travel & vacation vocabulary
- Present progressive
- Direct object pronouns
- Spain

LIFEPAC 9
- Neighborhood vocabulary
- Indirect object pronouns
- Double object pronouns
- Prepositional pronouns
- Expressions with prepositions
- Spanish culture

LIFEPAC 10
- Comparative
- Superlative
- Vocabulary & grammar review
- Listening, writing & reading practice
- Hispanic culture

LIFEPAC

MANAGEMENT

5

SPANISH RESOURCES

There are many resources easily available where you can find a wealth of information in Spanish or about Spanish-related topics. Major sites like Yahoo, CNN, and The Weather Channel are available in Spanish, as are Spanish-language newspapers and magazines. Paper copies of Spanish magazines are increasingly common in the United States, and some well-known American magazines such as *People* and *Reader's Digest* are also available in Spanish. Encourage students to explore and utilize these resources throughout their study of LIFEPAC Spanish I.

STRUCTURE OF THE LIFEPAC CURRICULUM

The LIFEPAC curriculum is conveniently structured to provide one teacher handbook containing teacher support material with answer keys and ten student worktexts for each subject at grade levels two through twelve. The worktext format of the LIFEPACs allows the student to read the textual information and complete workbook activities all in the same booklet.

Each LIFEPAC is divided into 3 to 5 sections and begins with an introduction or overview of the booklet as well as a series of specific learning objectives to give a purpose to the study of the LIFEPAC. The introduction and objectives are followed by a vocabulary section which may be found at the beginning of each section at the lower levels, at the beginning of the LIFEPAC in the middle grades, or in the glossary at the high school level. Vocabulary words are used to develop word recognition and should not be confused with the spelling words introduced later in the LIFEPAC.

Each activity or written assignment has a number for easy identification, such as 1.1. The first number corresponds to the LIFEPAC section and the number to the right of the decimal is the number of the activity.

Teacher checkpoints, which are essential to maintain quality learning, are found at various locations throughout the LIFEPAC. The teacher should check 1) neatness of work and penmanship, 2) quality of understanding (tested with a short oral quiz), 3) thoroughness of answers (complete sentences and paragraphs, correct spelling, etc.), 4) completion of activities (no blank spaces), and 5) accuracy of answers as compared to the answer key (all answers correct).

The self test questions are also number coded for easy reference. For example, 2.015 means that this is the 15th question in the self test of Section II. The first number corresponds to the LIFEPAC section, the zero indicates that it is a self test question, and the number to the right of the zero the question number.

The LIFEPAC test is packaged at the centerfold of each LIFEPAC. It should be removed and put aside before giving the booklet to the student for study.

Answer and test keys have the same numbering system as the LIFEPACs and appear at the back of this handbook. The student may be given access to the answer keys (not the test keys) under teacher supervision so that he can score his own work.

A thorough study of the Curriculum Overview by the teacher before instruction begins is essential to the success of the student. The teacher should become familiar with expected skill mastery and understand how these grade level skills fit into the overall skill development of the curriculum. The teacher should also preview the objectives that appear at the beginning of each LIFEPAC for additional preparation and planning.

TEST SCORING and GRADING

Answer keys and test keys give examples of correct answers. They convey the idea, but the student may often use more than one way to express a correct answer. In that case, the teacher should check for the essence of the answer, not for the exact wording. Many questions are high level and require thinking and creativity on the part of the student. Each answer should be scored based on whether or not the main idea written by the student matches the model example. "Any Order" or "Either Order" in a key indicates that no particular order is necessary to be correct.

Most self tests and LIFEPAC tests at the lower elementary levels are scored at 1 point per answer; however, the upper levels may have a point system awarding 2 to 5 points for various answers or questions. Further, the total test points will vary; they may not always equal 100 points. They may be 78, 85, 100, 105, etc.

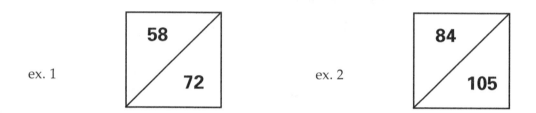

ex. 1   ex. 2

A score box similar to ex.1 above is located at the end of each self test and on the front of the LIFEPAC test. The bottom score, 72, represents the total number of points possible on the test. The upper score, 58, represents the number of points your student will need to receive an 80% or passing grade. If you wish to establish the exact percentage that your student has achieved, find the total points of his correct answers and divide it by the bottom number (in this case 72.) For example, if your student has a point total of 65, divide 65 by 72 for a grade of 90%. Referring to ex. 2, on a test with a total of 105 possible points, the student would have to receive a minimum of 84 correct points for an 80% or passing grade. If your student has received 93 points, simply divide the 93 by 105 for a percentage grade of 89%. Students who receive a score below 80% should review the LIFEPAC and retest using the appropriate Alternate Test found in the Teacher's Guide.

The following is a guideline to assign letter grades for completed LIFEPACs based on a maximum total score of 100 points.

LIFEPAC Test	=	60% of the Total Score (or percent grade)
Self Test	=	25% of the Total Score (average percent of self tests)
Reports	=	10% or 10* points per LIFEPAC
Oral Work	=	5% or 5* points per LIFEPAC

*Determined by the teacher's subjective evaluation of the student's daily work.

Example:

LIFEPAC Test Score	=	92%	92	x	.60	=	55 points
Self Test Average	=	90%	90	x	.25	=	23 points
Reports						=	8 points
Oral Work						=	4 points

TOTAL POINTS   =   90 points

Grade Scale based on point system:

100	–	94	=	A
93	–	86	=	B
85	–	77	=	C
76	–	70	=	D
Below		70	=	F

TEACHER HINTS and STUDYING TECHNIQUES

LIFEPAC activities are written to check the level of understanding of the preceding text. The student may look back to the text as necessary to complete these activities; however, a student should never attempt to do the activities without reading (studying) the text first. Self tests and LIFEPAC tests are never open book tests.

Writing complete answers (paragraphs) to some questions is an integral part of the LIFEPAC Curriculum in all subjects. This builds communication and organization skills, increases understanding and retention of ideas, and helps enforce good penmanship. Complete sentences should be encouraged for this type of activity. Obviously, single words or phrases do not meet the intent of the activity, since multiple lines are given for the response.

Review is essential to student success. Time invested in review where review is suggested will be time saved in correcting errors later. Self tests, unlike the section activities, are closed book. This procedure helps to identify weaknesses before they become too great to overcome. Certain objectives from self tests are cumulative and test previous sections; therefore, good preparation for a self test must include all material studied up to that testing point.

The following procedure checklist has been found to be successful in developing good study habits in the LIFEPAC curriculum.

1. Read the Introduction and Table of Contents.

2. Read the Objectives.

3. Recite and study the entire vocabulary (glossary) list.

4. Study each section as follows:

    a. Read all the text for the entire section, but answer none of the activities.

    b. Return to the beginning of the section and memorize each vocabulary word and definition.

    c. Reread the section, complete the activities, check the answers with the answer key, correct all errors, and have the teacher check.

    d. Read the self test but do not answer the questions.

e. Go to the beginning of the first section and reread the text and answers to the activities up to the self test you have not yet done.

f. Answer the questions to the self test without looking back.

g. Have the self test checked by the teacher.

h. Correct the self test and have the teacher check the corrections.

i. Repeat steps a–h for each section.

5. Use the SQ3R method to prepare for the LIFEPAC test.

> **S**can the whole LIFEPAC.
> **Q**uestion yourself on the objectives.
> **R**ead the whole LIFEPAC again.
> **R**ecite through an oral examination.
> **R**eview weak areas.

6. Take the LIFEPAC test as a closed book test.

7. LIFEPAC tests are administered and scored under direct teacher supervision. Students who receive scores below 80% should review the LIFEPAC using the SQ3R study method and take the Alternate Test located in the Teacher Handbook. The final test grade may be the grade on the Alternate Test or an average of the grades from the original LIFEPAC test and the Alternate Test.

GOAL SETTING and SCHEDULES

Basically, two factors need to be considered when assigning work to a student in the LIFEPAC curriculum.

The first factor is time. An average of 45 minutes should be devoted to each subject, each day. Remember, this is only an average. Because of extenuating circumstances a student may spend only 15 minutes on a subject one day and the next day spend 90 minutes on the same subject.

The second factor is the number of pages to be worked in each subject. A single LIFEPAC is designed to take 3 to 4 weeks to complete. Allowing about 3-4 days for LIFEPAC introduction, review, and tests, the student has approximately 15 days to complete the LIFEPAC pages. Simply take the number of pages in the LIFEPAC, divide it by 15 and you will have the number of pages that must be completed on a daily basis to keep the student on schedule. For example, a LIFEPAC containing 45 pages will require 3 completed pages per day. Again, this is only an average. While working a 45 page LIFEPAC, the student may complete only 1 page the first day if the text has a lot of activities or reports, but go on to complete 5 pages the next day.

FORMS

The sample weekly lesson plan and student grading sheet forms are included in this section as teacher support materials and may be duplicated at the convenience of the teacher.

The student grading sheet is provided for those who desire to follow the suggested guidelines for assignment of letter grades found on page LM-5 of this section. The student's self test scores should be posted as percentage grades. When the LIFEPAC is completed the teacher should average the self test grades, multiply the average by .25 and post the points in the box marked self test points. The LIFEPAC percentage grade should be multiplied by .60 and posted. Next, the teacher should award and post points for written reports and oral work. A report may be any type of written work assigned to the student whether it is a LIFEPAC or additional learning activity. Oral work includes the student's ability to respond orally to questions which may or may not be related to LIFEPAC activities or any type of oral report assigned by the teacher. The points may then be totaled and a final grade entered along with the date that the LIFEPAC was completed.

The Student Record Book, which was specifically designed for use with the Alpha Omega curriculum, provides space to record weekly progress for one student over a nine-week period as well as a place to post self test and LIFEPAC scores. The Student Record Books are available through the current Alpha Omega catalog; however, unlike the enclosed forms, these books are not for duplication and should be purchased in sets of four to cover a full academic year.

WEEKLY LESSON PLANNER			
			Week of:
Subject	Subject	Subject	Subject
Monday			
Subject	Subject	Subject	Subject
Tuesday			
Subject	Subject	Subject	Subject
Wednesday			
Subject	Subject	Subject	Subject
Thursday			
Subject	Subject	Subject	Subject
Friday			

WEEKLY LESSON PLANNER

	Week of:		
Subject	Subject	Subject	Subject

Monday

Subject	Subject	Subject	Subject

Tuesday

Subject	Subject	Subject	Subject

Wednesday

Subject	Subject	Subject	Subject

Thursday

Subject	Subject	Subject	Subject

Friday

Spanish I LIFEPAC Management

Student Name _____   Year _____

LP #	Self Test Scores by Sections 1	2	3	4	5	Self Test Points	LIFEPAC Test	Oral Points	Report Points	Final Grade	Date
01											
02											
03											
04											
05											
06											
07											
08											
09											
10											

LP #	Self Test Scores by Sections 1	2	3	4	5	Self Test Points	LIFEPAC Test	Oral Points	Report Points	Final Grade	Date
01											
02											
03											
04											
05											
06											
07											
08											
09											
10											

LP #	Self Test Scores by Sections 1	2	3	4	5	Self Test Points	LIFEPAC Test	Oral Points	Report Points	Final Grade	Date
01											
02											
03											
04											
05											
06											
07											
08											
09											
10											

AUDIO SCRIPTS

QUESTIONS & ANSWERS ABOUT
HOW TO USE THE LIFEPAC SPANISH CDS

What is contained in the CDs? Why do I need them?

There is more to learning Spanish than merely recognizing the written language. Students must learn to *speak* it correctly as well. The Spanish CDs are an integral part of the curriculum and provide an invaluable pronunciation guide for:

- the Spanish alphabet
- conversations in Spanish
- vocabulary lists featured in each of the LIFEPACs
- verb conjugations
- commonly-used phrases and expressions
- and much more!

The CDs are also necessary for the completion of some of the comprehension activities and quizzes where a question is asked in Spanish and the student must write the correct answer.

How do I use the CDs in conjunction with the LIFEPACs?

The CDs are divided into the same sections as the LIFEPACs and follow the exercises in each unit. Each LIFEPAC exercise with an audio portion will be marked with an icon ( ) to indicate that the student must use the audio CD in conjunction with the exercise. All conversations in a given unit are recorded for students to listen to and repeat. Vocabulary lists and verb conjugations are also recorded for the students to listen to and repeat. This aids in memorization and correct pronunciation. Finally, the vocabulary list at the back of each LIFEPAC is also recorded (without the English translations) so that teachers can use these lists as a tool for quizzing and/or review.

The following note appears at the beginning of each LIFEPAC:

Note to Students: Whenever you are prompted to listen to an audio portion of an exercise (indicated by the CD icon), a blank has been provided for you to record the audio CD track number. This will aid you in quickly locating the correct track number when you review.

When you assign activities that include listening exercises, you will be able to refer the students to the correct CD track number included in this Audio Script portion of the Teacher's Guide.

There are several listening activities that require the student to hear a paragraph recorded in Spanish and then answer questions. These paragraphs are given twice but may be repeated as many times as necessary for the student to answer the comprehension questions. Some section exercises and all LIFEPAC tests also require the CDs for completion. The exercise numbers are clearly identified on the CD, as are the LIFEPAC test question numbers.

Finally, the CDs are excellent review tools.

LIFEPAC ONE
SECTION II. THE SPANISH ALPHABET

Track # 1-1:   **Listen to the letter sounds and imitate the speaker. We will repeat the alphabet, then the examples. (* = no longer separate letters of the alphabet)**

Letter	Example
a	casa, palabra
b	Biblia, banco
c	campo, cama
	ciencias, centro
(ch*)	ocho, churro
d	dedo, día
e	serie, mes
f	fecha, falta
g	gente, gimnasio
	grande, ganar
h	hay, ahora
i	fin, inglés
j	joven, jardín
k	kilo
l	libro, linda
(ll*)	llamo, tortilla
m	mapa, amor
n	nada, nombre
ñ	año, niño
o	océano, otoño
p	papá, propina
q	quince, que
r	árbol, barato
(rr*)	tierra, perro
s	son, dos
t	tanto, otro
u	uva, mucha
v	vaca, ave
w	
x	extenso, experto
	éxito, examen
y	yo, ya
	y
z	zapato, lápiz

Repeat the vowel sounds one more time. In Spanish the vowels have only one distinct sound:

"a" is like the **a** in **father**
"e" sounds like the letter **e** in English **egg**
"i" sounds like the letter **e** in **me**
"o" is an abrupt **o**
"u" is like the **oo** in English **booth**

Track # 1-2:   **Listen to the following and repeat each one carefully.**

Diphthong	Examples	Diphthong	Examples
ai/ay	aire, hay, traigo	**au**	causa, auto, aumento
ei/ey	rey, seis, treinta	**eu**	Europa, deuda
oi/oy	hoy, estoy, oiga	**ou**	bou, estadounidense

Track # 1-3:   **Listen and repeat.**

Diphthong	Examples	Diphthong	Examples
ia	Bolivia, viajar	ua	cuánto, cualquier
ie	siete, serie	ue	escuela, puedo
io	estudio, nación	ui	ruido, fui
iu	ciudad, veintiuno	uo	continuo, cuota

Spanish-speaking people have some names that are similar to English and others that are very different.

Track # 1-4:   **Listen and repeat this list of common Spanish first names.**

CHICAS (Girls)			CHICOS (Boys)		
Alicia	Esperanza	Pilar	Alberto	Felipe	Pablo
Amalia	Eva	Raquel	Alejandro	Fernando	Pedro
Ana	Francisca	Rosalía	Alfonso	Gerardo	Ramón
Andrea	Gabriela	Rosario	Alfredo	Gregorio	Raúl
Bárbara	Gloria	Silvia	Andrés	Guillermo	Ricardo
Beatriz	Graciela	Susana	Antonio	Hugo	Roberto
Caridad	Inés	Teresa	Arturo	Javier	Simón
Carolina	Isabel	Verónica	Bernardo	Jesús	Teodoro
Carlota	Lucía	Victoria	Camilo	Joaquín	Tomás
Catalina	Luisa	Virginia	Carlos	Jorge	Vicente
Cecilia	Manuela	Yolanda	Cristóbal	José	Víctor
Cristina	Margarita		Daniel	Juan	
Daniela	María		David	Luis	
Diana	Mariana		Edmundo	Marcos	
Dorotea	Marta		Eduardo	Mario	
Elena	Micaela		Ernesto	Miguel	
Elisa	Mónica		Esteban	Nicolás	

Track # 1-5:   **Listen to the audio CD and spell the Spanish words you hear. Use only the actual letters, NOT the letter names (e.g., *h*, not *hache*; *j*, not *jota*). If a letter needs an accent mark, you will hear "con acento" (with an accent) after it; remember that only vowels can have a written accent mark. Each word will be repeated twice.**

2.4	a. ellos	c. joven	e. hacer	g. gorra
	b. cuál	d. último	f. ayuda	h. nariz

18

Track # 1-6:   Listen to the audio CD and write the words you hear. Be sure to "hear" the Spanish sounds and not the English sounds. For example: *con* is not spelled "cone" even though in English it would be.   There is no such thing as a "silent e" in Spanish.
Remember, the vowels make only one sound.

2.5

a. mucho	c. verdad	e. leche	g. calle	i. garaje
b. perro	d. animal	f. esquiar	h. anteojos	j. divertido

SECTION III. SYLLABICATION AND ACCENTUATION

Track # 1-7:   Using the CD, now go back and listen to and repeat all the sample words on this page. Be sure to practice correct pronunciation of each letter of each word and to stress the correct syllable of each word

3.1

palabra	reyes	isla	maestro	capital	día
señor	leche	donde	siempre	calidad	Raúl
pizarra	siglo	siento	explico	jugador	poesía
profesora	muchachos	cuando	cocina	presentar	país
nobles	calle	lección	dedicado	campeón	
bello	duermes	cuerpo	tocadiscos	lástima	
otros	usted	escribir	terminan	hispánico	

Track # 1-8:   Listen to the audio CD and try to write the words you hear, paying close attention to whether you need to add a written accent mark.

3.3

a. también	c. correo	e. éxito	g. amigo	i. setenta
b. simpático	d. tarjeta	f. pianista	h. música	j. próximo

SECTION IV.
HELPFUL PHRASES FOR CLASSROOM COMMANDS

The following are some basic directions in Spanish. Study them so that when your teacher says them, you will understand what you are to do. We will say them complete once, then break them into parts, if necessary.

Track # 1-9:   **Listen and repeat.**

Abran sus libros en la página _____ , por favor.
Escuchen, por favor.
Repitan, por favor.
Cierren sus libros, por favor.
Levanten la mano, por favor.
Escriban su nombre.
Saquen un lápiz, un papel, una pluma.
Vayan a la pizarra.
¿Entienden?
Levántense.
Siéntense.
Saquen la tarea.
Contesten.
Digan.
Miren.

Track # 1-10: **Listen and repeat. Some basic student responses to the above statements are:**

> Sí, señor; Sí, señora; Sí, señorita.
> No, señora.
> No sé.
> Repita, por favor.
> ¿Cómo se dice _____ en español (inglés)?
> ¿Qué quiere decir _____ ?
> No entiendo.
> Explique, por favor.
> Gracias.
> De nada.
> ¿Cómo?

Track # 1-11: **Using the CD, write the letter of the correct translation for each classroom expression. Do not use any letter more than once; two letters will not be used. You will hear each expression twice.**

4.5

1. Saquen la tarea.
2. Abran sus libros.
3. Levanten la mano.
4. Escriban su nombre.
5. Saquen un lápiz.

6. ¿Entienden?
7. Vayan a la pizarra.
8. Siéntense.
9. Cierren sus libros.
10. Contesten.

SECTION V. THE SPANISH "YOU"

Track # 1-12: **In English we have one word, "you," that can be used to address one person or more than one person. In Spanish there are four ways to say "you."**

| tú | usted | vosotros | ustedes |

Track # 1-13: **Listen and repeat these common forms of address for adults.**

| señor | señora | señorita |

SECTION VI. BASIC GREETINGS

Track # 1-14: **Listen and repeat this conversation between two friends.**

> **Arturo:** ¡Hola, Miguel! ¿Cómo estás?
> **Miguel:** Muy bien, gracias. ¿Y tú?
> **Arturo:** Regular.

Track # 1-15: **Here are some other common responses. Listen and repeat.**

> Así, así.
> Estoy enfermo.
> Bien.
> Mal.
> No me siento bien.
> ¡Fantástico!

Track # 1-16: **Now listen and repeat this conversation between Mr. Chavez and Mr. Sanchez.**

Sr. Chávez: ¡Hola, Sr. Sánchez! ¿Cómo está usted?
Sr. Sanchez: Bien, gracias. ¿Y usted?
Sr. Chávez: Así, así.

Track # 1-17: **Here are some other greetings for you to listen to and repeat.**

Hola.	Hasta mañana.
Bienvenidos.	¿Qué tal?
Buenos días.	¿Qué hay de nuevo?
Buenas tardes.	Nada en particular.
Buenas noches.	¿Cómo te llamas?
Adiós.	¿Cómo se llama usted?
Chao.	Me llamo _____ .
Hasta pronto.	Mucho gusto.
Hasta luego./Hasta la vista.	El gusto es mío.

Track # 1-18: **Listen and repeat this conversation.**

6.1   **Luisa:** ¡Hola!
Ana: ¡Buenas tardes! ¿Cómo te llamas?
Luisa: Me llamo Luisa. ¿Y tú?
Ana: Me llamo Ana. ¿Cómo estás?
Luisa: Muy bien, gracias. ¿Y tú?
Ana: Regular. Adiós.
Luisa: Hasta la vista.

SECTION VII. CONVERSATIONS IN SPANISH

Track # 1-19: **Listen and repeat this conversation.**

Paco: ¡Hola, Luis! ¡Hola, Teresa! ¿Cómo están ustedes?
Luis: Bien, gracias.
Teresa: Muy bien, ¿y tú?
Paco: Regular.

Track # 1-20: **Listen and repeat this conversation between Pilar, Rafaela, and a new student, Linda.**

Pilar: ¡Hola, Rafaela! Quiero presentarte a mi amiga, Linda.
Rafaela: Mucho gusto. ¿De dónde eres?
Linda: Soy de Madrid, España.
Rafaela: Ah sí, soy de Barcelona.
Pilar: Vamos a la clase.

Track # 1-21: Listen and repeat this conversation. The same conversation between two people who are not familiar with each other works like the one below. Practice it with your learning partner to say for your class and teacher.

Sr. García:	¡Buenos días, Sr. Chávez! Quiero presentarle al Sr. Cervantes.
Sr. Chávez:	Mucho gusto.
Sr. Cervantes:	El gusto es mío.
Sr. Chávez:	¿De dónde es usted?
Sr. Cervantes:	Soy de Buenos Aires, Argentina. ¿Y usted?
Sr. Chávez:	Soy de Santiago, Chile. Y Sr. García, ¿de dónde es usted?
Sr. García:	Soy de La Paz, Bolivia.

Track # 1-22: Using the CD, write the letter of the correct translation for each expression. Be careful about familiar, formal, and plural forms. Do not use any letter more than once; two letters will not be used. You will hear each expression twice.

7.6

1. ¿De dónde es usted?
2. ¿Cómo te llamas?
3. ¿Y ustedes?
4. ¿De dónde eres?
5. ¿Cómo está usted?

6. ¿Cómo estás?
7. ¿Y usted?
8. Quiero presentarte a mi amiga.
9. ¿Cómo se llama usted?
10. ¿Cómo están ustedes?

SECTION IX. REVIEW ACTIVITIES

Track # 1-23: Listen to the CD and spell the Spanish words you hear. Use only the actual letters, NOT the letter names (e.g., *h*, not *hache*; *j*, not *jota*). If a letter needs an accent mark, you will hear "con acento" (with an accent) after it. Each word will be repeated twice.

9.1

a. enojado
b. abogada
c. huevo

d. azúcar
e. rodilla
f. bañar

Track # 1-24: You will hear twelve statements or questions in Spanish. If the given response is logical, circle *sí*. If it's not logical, circle *no*. You'll hear each one twice.

9.2

a. ¿Cómo estás?
b. ¿De dónde es usted?
c. Vayan a la pizarra.
d. ¿Entienden?
e. ¿Cómo te llamas?
f. Saquen la tarea.

g. Hasta luego.
h. Mucho gusto.
i. ¿Qué tal?
j. Quiero presentarte a mi amigo.
k. Gracias.
l. ¿Qué hay de nuevo?

LIFEPAC ONE: VOCABULARY LIST

Track # 1-25:

Helpful words and phrases:

Abran sus libros en la página _____ .

Cierren sus libros.

¿Cómo?

¿Cómo se dice en español (inglés)?

Contesten.

Digan _____ .

¿Entienden?

Escriban su nombre.

Escuchen.

Explique.

Gracias.

Levanten la mano.

Levántense.

Miren.

No.

No entiendo.

No sé.

¿Qué quiere decir _____ ?

Por favor.

Repitan.

Saquen un lápiz, un papel, una pluma.

Saquen la tarea.

señor

señora

señorita

Sí.

Siéntense.

Vayan a la pizarra.

Basic greetings and responses:

Adiós.

Bienvenidos.

Buenos días.

Buenas tardes.

Buenas noches.

Chao.

Hasta pronto.

Hasta luego. / Hasta la vista.

Hasta mañana.

¿Cómo estás? / ¿Cómo está usted? /
  ¿Cómo están ustedes?

¿Cómo te llamas? / ¿Cómo se llama usted?

¿De dónde eres? / ¿De dónde es usted?

Hola.

¿Qué hay de nuevo?

¿Qué tal?

¿Y tú? / ¿Y usted? / ¿Y ustedes?

Así, así.

Bien.

Estoy enfermo (enferma).

Fantástico.

Mal.

Me llamo _____ .

Mucho gusto.

El gusto es mío.

Muy bien.

Nada en particular.

No me sieto bien.

Quiero presentarte a _____ .

Regular.

Soy de _____ .

UNIT 1 LIFEPAC TEST AUDIO

Unit 1 Test; Section 1; Testing CD Track 1

Listen carefully to the CD and write the letter of the one most logical response to each phrase or question you hear. Read through all the choices before listening to the CD. You may briefly pause the CD after each question, but do not play it more than once. You will hear each phrase or question two times. (1 pt. each)

1.
1. Mucho gusto.
2. ¿Qué tal?
3. Hasta luego.
4. ¿Cómo están ustedes?
5. ¿Entienden?
6. ¿De dónde es usted?

Unit 1 Test; Section 2; Testing CD Track 2

Listen to the CD and spell the Spanish words you hear; they will not be words you've studied. Use only the actual letters, NOT the letter names. Each word will be repeated twice. Do not pause the CD or play it more than once. (1 pt. each)

2.
a. playa
b. viajar
c. gasto
d. calle
e. nariz

UNIT 1 ALTERNATE LIFEPAC TEST AUDIO

Unit 1 Alternate Test; Section 1; Testing CD Track 3

Listen carefully to the CD and write the letter of the one most logical response to each phrase or question you hear. Read through all the choices before listening to the CD. You will hear each phrase or question two times. You may briefly pause the CD after each question, but do not play it more than once. (1 pt. each)

1.
1. ¿Qué hay de nuevo?
2. Quiero presentarle al Sr. García.
3. Chao.
4. Buenos días.
5. Mucho gusto.
6. ¿Cómo te llamas?

Unit 1 Alternate Test; Section 2; Testing CD Track 4

Listen to the CD and spell the Spanish words you hear; they will not be words you've studied. Use only the actual letters, NOT the letter names. Each word will be repeated twice. Do not pause the CD or play it more than once. (1 pt. each)

2.
a. hombro
b. feliz
c. joven
d. soñar
e. llena

LIFEPAC TWO
SECTION I. CLASSROOM OBJECTS AND NUMBERS

Track # 1-26: **Listen and repeat these classroom objects.**

la bandera	el mapa
el bolígrafo	la mesa
el borrador	la mochila
el cartel	el papel
la cinta	la pluma
la computadora	el profesor
el cuaderno	la profesora
el diccionario	la pizarra
el escritorio	el pupitre
el estudiante	la regla
la estudiante	el sacapuntas
la goma	la silla
el lápiz	la tiza
el libro	

Track # 1-27: **Listen and repeat the following numbers.**

cero	seis
uno/una	siete
dos	ocho
tres	nueve
cuatro	diez
cinco	

Track # 1-28: **Listen carefully to the CD, and in English write the number and object you hear; use digits for the numbers. For example, if you hear *Hay dos mapas*, you'd write "2 maps." You will hear each sentence two times.**

1.10

a. Hay cuatro reglas.
b. Hay diez sillas.
c. Hay un sacapuntas.
d. Hay seis mochilas.
e. Hay dos pizarras.
f. Hay ocho cuadernos.
g. Hay cinco lápices.
h. Hay nueve mesas.
i. Hay tres borradores.
j. Hay siete banderas.

SECTION II. EN LA CLASE DE ESPAÑOL

Track # 1-29: **Listen and repeat this conversation.**

Alicia:	¡Hola, Daniel! ¿Cómo estás?
Daniel:	Bien, gracias. ¿Y tú?
Alicia:	Así, así. ¿Estudias para el examen de español?
Daniel:	Sí. Siempre estudio mucho. Necesito una buena nota.
Alicia:	Yo también. ¿Deseas practicar conmigo?
Daniel:	¡Claro! Vamos a estudiar juntos.

Track # 1-30: Listen and repeat the following school-related words.

el arte	la geometría
la Biblia	el grado
la biología	la historia
el chico	el inglés
la chica	la lección
las ciencias	la literatura
la clase	las matemáticas
la contabilidad	la música
la educación física	la nota
la escuela	la pregunta
el español	la programación de computadoras
el examen	la química
la física	la religión
el francés	la tarea
la geografía	

SECTION III. SUBJECT PRONOUNS

Track # 1-31: Listen and repeat these subject pronouns.

yo	nosotros, nosotras
tú	vosotros, vosotras
él	ellos
ella	ellas
usted	ustedes

SECTION IV. VERB CONJUGATION

Track # 1-32: Listen and repeat the conjugation of the verb *hablar* (to speak, to talk).

yo	hablo	*nosotros*	hablamos
tú	hablas	*nosotras*	hablamos
él/ella	habla	*vosotros*	habláis
usted	habla	*vosotras*	habláis
		ellos/ellas/ustedes	hablan

Track # 1-33: Now listen and repeat the conjugations of the verbs in Activities 4.1 & 4.2. When you're done, practice the conjugations of the verbs in Activities 4.3 & 4.4 with a learning partner.

4.5

yo bailo	yo llego
tú bailas	tú llegas
él baila	él llega
ella baila	ella llega
usted baila	usted llega
nosotros bailamos	nosotros llegamos
vosotros bailáis	vosotros llegáis
ellos bailan	ellos llegan
ellas bailan	ellas llegan
ustedes bailan	ustedes llegan

Track # 1-34: **Listen and repeat these common -ar verbs.**

ayudar	llevar
bajar	necesitar
caminar	pagar
cantar	pasar
comprar	preguntar
contestar	preparar
cortar	regresar
desear	sacar (fotos)
enseñar	terminar
entrar	tomar
escuchar	trabajar
estudiar	viajar
explicar	visitar

Track # 1-35: **Listen carefully to the CD, and then translate each sentence into English. Be sure to include both the subject pronoun and the verb; use the simple present for all verbs. You will hear each sentence twice.**

4.12
- a. Yo canto.
- b. Nosotros bailamos.
- c. Ella ayuda.
- d. Ellos escuchan.
- e. Tú caminas.
- f. Ustedes contestan.
- g. Nosotras preguntamos.
- h. Él enseña.
- i. Yo compro.
- j. Usted regresa.
- k. Ellas trabajan.
- l. Tú llegas.

SECTION V. BASIC SENTENCE STRUCTURE

Track # 1-36: **Listen and repeat this conversation.**

5.1

Alicia: Daniel, yo necesito un lápiz. Yo contesto las preguntas de matemáticas.

Daniel: Tengo dos lápices. Tú tomas uno.

Alicia: Gracias. ¿Estudias tú la historia?

Daniel: No, yo no estudio la historia. Yo miro la lección de inglés.

Alicia: Yo estudio las matemáticas y entonces yo preparo la lección de química.

Track # 1-37: **Using the CD, answer each question affirmatively with a complete sentence in Spanish; be careful about verb forms. You will hear each question two times.**

5.11
- a. ¿Estudias tú química?
- b. ¿Cantas tú bien?
- c. ¿Hablan ustedes español?
- d. ¿Explica ella la lección?

Track # 1-38: **Using the CD, answer each question negatively with a complete sentence in Spanish; be careful about verb forms. You will hear each question two times.**

5.12
- a. ¿Viaja usted mucho?
- b. ¿Necesitas tú el libro?
- c. ¿Caminan ellos mucho?
- d. ¿Bailan ustedes bien?

SECTION VI. SPEAKING, WRITING, AND READING PRACTICE

Track # 1-39: **Practice the double-trilled *r* by listening to and repeating these words.**

Raquel	carro	aburrido
Rosalía	perro	gorra
Ramón	corre	ropa

Track # 1-40: **After the consonants *l*, *n*, or *s*, the single *r* is also trilled. Listen and repeat these words.**

honra	Israel	alrededor

Track # 1-41: **Listen carefully and try to imitate the sounds.**

caro	carro
pero	perro

Track # 1-42: **Listen to these four words and write which one you hear.**

6.2   a. carro   b. pero   c. perro   d. caro

Track # 1-43: **Listen to these words. Next to the letter write "1" if you hear one *r* or "2" if you hear the double-trilled *r*. (You may wish to write the word you hear on the blank.)**

6.3
a. primo	f. rico
b. tierra	g. coro
c. rollo	h. pizarra
d. naranja	i. perrito
e. secreto	j. puerta

Track # 1-44: **Listen to each question, pause the CD, and answer it affirmatively.**

6.4
a. ¿Estudias español?
b. ¿Habla Luis francés?
c. ¿Cortan los chicos el papel?
d. ¿Cantan Uds. bien?
e. ¿Desea Ud. enseñar inglés?

Track # 1-45: **Listen and repeat these vocabulary words.**

sacan	con interés
un párrafo	se preparan
la palabra	finalmente
semejante	solamente
de hoy	un poco
entonces	

SECTION VIII. REVIEW EXERCISES

Track # 1-46: **Listen and repeat this conversation.**

8.8   **Alicia:**   ¡Hola, Daniel! ¿Cómo estás?

              Daniel: ¡Hola, Alicia! Muy bien, ¿y tú?

              Alicia: ¡Fantástica! ¿Qué estudias?

              Daniel: Estudio la geografía de México.

              Alicia: Yo también. Estudiamos juntos.

              Daniel: Está bien. ¿Cómo se llaman las montañas?

              Alicia: Sierra Madre, hay tres: Oriental, Occidental y del Sur.

              Daniel: Muy bien.

LIFEPAC 2: VOCABULARY LIST

Track # 1-47:

Los verbos:
- ayudar
- bailar
- bajar
- buscar
- caminar (a)
- cantar
- comprar
- contestar
- cortar
- desear
- enseñar
- entrar (en)
- escuchar
- estudiar
- explicar
- hablar
- llegar
- llevar
- mirar
- montar (en/a)
- necesitar
- pagar
- pasar
- practicar
- preguntar
- preparar
- regresar
- sacar (fotos)
- sacar (una buena nota)
- terminar
- tomar
- trabajar
- viajar
- usar
- visitar

Other words:
- conmigo
- hay
- juntos
- también
- claro
- mucho
- bien
- vamos a
- entonces
- siempre

Los sustantivos (nouns)
School words:
- el arte
- la Biblia
- la biología
- el chico
- la chica
- las ciencias
- la clase
- la contabilidad
- la educación física
- la escuela

el español

el examen

la física

el francés

la geografía

la geometría

el grado

la historia

el inglés

la lección

la literatura

las matemáticas

la música

la nota

la pregunta

la programación de computadoras

la química

la religión

la tarea

el profesor

la profesora

el estudiante

la estudiante

Classroom objects:

la bandera

el bolígrafo

el borrador

el cartel

la cinta

la computadora

el cuaderno

el diccionario

el escritorio

la goma

el lápiz

el libro

el mapa

la mesa

la mochila

el papel

la pluma

la pizarra

el pupitre

la regla

el sacapuntas

la silla

la tiza

UNIT 2 LIFEPAC TEST AUDIO

Unit 2 Test; Section 1; Testing CD Track 5

Using the CD, listen carefully to the following questions and answer each one affirmatively with a complete sentence in Spanish. You will hear each question two times. While you may <u>briefly</u> pause the CD between questions if necessary, do not play it more than once. (2 pts. each)

1.   a. ¿Estudias tú el español?
         b. ¿Caminan Uds. a la escuela?
         c. ¿Desea Ud. entrar en la clase?
         d. ¿Practican los estudiantes el francés?
         e. ¿Necesitas tú el lápiz?

Unit 2 Test; Section 2; Testing CD Track 6

Using the CD, listen carefully to the following questions and answer each one negatively with a complete sentence in Spanish. You will hear each question two times. While you may <u>briefly</u> pause the CD between questions if necessary, do not play it more than once. (2 pts. each)

2.   a. ¿Ayudas tú a la profesora?
         b. ¿Contestan los estudiantes las preguntas?
         c. ¿Cantan Uds. en español?
         d. ¿Saca Ud. fotos?
         e. ¿Explica la profesora las matemáticas?

UNIT 2 ALTERNATE LIFEPAC TEST AUDIO

Unit 2 Alternate Test; Section 1; Testing CD Track 7

Using the CD, listen carefully to the following questions and answer each one affirmatively with a complete sentence in Spanish. You will hear each question two times. While you may <u>briefly</u> pause the CD between questions if necessary, do not play it more than once. (2 pts. each)

1.   a. ¿Bailas tú bien?
         b. ¿Hablas tú inglés?
         c. ¿Preparan ustedes la lección?
         d. ¿Terminan los estudiantes la tarea?
         e. ¿Trabaja usted mucho?

Unit 2 Alternate Test; Section 2; Testing CD Track 8

Using the CD, listen carefully to the following questions and answer each one negatively with a complete sentence in Spanish. You will hear each question two times. While you may <u>briefly</u> pause the CD between questions if necessary, do not play it more than once. (2 pts. each)

2.   a. ¿Buscas tú el cuaderno?
         b. ¿Miran ustedes la televisión?
         c. ¿Necesita usted la pluma?
         d. ¿Enseña el profesor español?
         e. ¿Compras tú el libro?

LIFEPAC THREE
SECTION I. HOUSE VOCABULARY

Track # 1-48: Listen and repeat this house-related vocabulary.

La casa:

la sala

la cocina

el comedor

el dormitorio/la alcoba/la recámara

el patio

el sótano

el baño/el cuarto de baño

el garaje

el cuarto/la habitación

Track # 1-49: Listen and repeat.

En la sala:

el sofá

el sillón

la mesita

la lámpara

el tapete

el televisor

el librero

En la cocina:

la estufa

el refrigerador

el microondas

el fregadero

el lavaplatos

En el comedor:

la mesa

la silla

En el dormitorio:

la cama

la cómoda

el espejo

el armario/el ropero

la mesa de noche

En el cuarto de baño:

la bañera

el inodoro

el lavabo

En el garaje:

el coche/el carro/el auto

las herramientas

la bicicleta

La casa:

la ventana

la puerta

la flor

el árbol

Track # 1-50: Using the CD, listen carefully to the following sentences about house vocabulary. If the sentence is logical, write *L* in the blank. If it's illogical, write *I* in the blank.

1.8

a. Hay una cama en la cocina.

b. Hay árboles en el sótano.

c. Hay un espejo en el baño.

d. Hay un fregadero en la recámara.

e. Hay flores en el inodoro.

f. Hay una bañera en el garaje.

g. Hay un sillón en la sala.

h. Hay una mesa en el comedor.

i. Hay herramientas en el refrigerador.

j. Hay un carro en el garaje.

k. Hay un lavabo en el ropero.

l. Hay una cómoda en la alcoba.

SECTION II. ARTICLES AND NUMBERS

Track # 1-51: **Listen and repeat these indefinite articles.**

un   una   unos   unas

Track # 1-52: **Listen and repeat the numbers 11–31.**

once	dieciocho	veinticinco
doce	diecinueve	veintiséis
trece	veinte	veintisiete
catorce	veintiuno	veintiocho
quince	veintidós	veintinueve
dieciséis	veintitrés	treinta
diecisiete	veinticuatro	treinta y uno

Track # 1-53: **Listen carefully to the CD, and in English write the number and object you hear; use digits for the numbers. For example, if you hear "Hay cinco mesas," you'd write "5 tables." You will hear each sentence two times.**

2.4

a. Hay catorce árboles.
b. Hay dos tapetes.
c. Hay doce ventanas.
d. Hay veintitrés casas.
e. Hay dieciséis mesitas.
f. Hay quince libreros.
g. Hay treinta sillones.
h. Hay once camas.
i. Hay siete bicicletas.
j. Hay trece puertas.

SECTION III. FAMILY TREE, CONJUGATION OF *SER*, INTERROGATIVES

Track # 1-54: **Listen and repeat these family vocabulary words.**

La familia:

el abuelo	el hermano
la abuela	la hermana
el abuelito	el hermanito
la abuelita	la hermanita
el padre	el tío
la madre	la tía
el papá	el primo
la mamá	la prima
el esposo	el sobrino
la esposa	la sobrina
el hijo	el nieto
la hija	la nieta

Track # 1-55: **Listen and repeat these examples.**

el amigo	el niño
la amiga	la niña
los amigos	los niños
las amigas	las niñas
el chico; el muchacho	el pariente
la chica; la muchacha	la pariente
los chicos; los muchachos	los parientes
las chicas; las muchachas	las parientes

Track # 1-56: **Listen and repeat the conjugation of the verb *ser* (to be).**

yo	soy	*nosotros*	somos
tú	eres	*vosotros*	sois
él	es	*ellos*	son
ella	es	*ellas*	son
Ud.	es	*Uds.*	son

Track # 2-1: **Listen and repeat these interrogatives.**

¿Dónde?	¿Por qué?
¿Cuál? / Cuáles?	¿De dónde?
¿Cuánto? / ¿Cuánta?	¿Adónde?
¿Cuándo?	¿Cómo?
¿Qué?	¿Cuántos? / ¿Cuántas?
¿Quién? / ¿Quiénes?	

Track # 2-2: **Listen to these examples on the CD and repeat them carefully.**

¿**Dónde** estudias?	¿**Quiénes** estudian juntos?
¿**Cuál** es la fecha?	¿**Por qué** no contestas la pregunta?
¿**Cuáles** son los mejores?	¿**De dónde** es usted?
¿**Cuánto** dinero hay?	¿**Adónde** viajan ellos?
¿**Cuánta** tarea hay?	¿**Cómo** estás?
¿**Cuándo** trabaja Marcos?	¿**Cuántos** escritorios hay?
¿**Qué** enseña la Sra. Pacheco?	¿**Cuántas** sillas hay?
¿**Quién** enseña francés?	

SECTION IV. MONTHS, SEASONS, DAYS OF THE WEEK, TIME

Track # 2-3: **Los meses del año son:**

enero	julio
febrero	agosto
marzo	septiembre
abril	octubre
mayo	noviembre
junio	diciembre

Track # 2-4: **Las estaciones del año son:**

el verano   el invierno
el otoño   la primavera

Track # 2-5: **Los días de la semana son:**

lunes   viernes
martes   sábado
miércoles   domingo
jueves

Track # 2-6: **Listen to the CD, and write the English translation of the day and date you hear in each sentence; use digits for the numbers. You will hear each sentence two times.**

4.4   a. Es martes, el dos de julio.   e. Es lunes, el primero de marzo.
           b. Es viernes, el diecisiete de octubre. f. Es miércoles, el trece de diciembre.
           c. Es domingo, el seis de enero.   g. Es sábado, el treinta de junio.
           d. Es jueves, el veintiocho de abril.   h. Es jueves, el diecinueve de noviembre.

Track # 2-7: **Listen and repeat.**

de la madrugada   de la tarde
de la mañana   de la noche

Track # 2-8: **Listen and repeat.**

Son las dos de la madrugada.   Es la una de la tarde.
Son las ocho de la mañana.   Son las diez de la noche.

Track # 2-9: **Listen and repeat.**

Son las tres menos veinte.   Es la una menos cinco.
Son las seis menos diez.   Son las nueve menos cuarto.

Track # 2-10: **To express at what time something happens, study the following examples. Listen to them and repeat each one.**

a la una   a las nueve menos cuarto / quince
a las dos   al mediodía
a las seis y diez   a la medianoche
a las siete y media de la mañana

Track # 2-11: **Listen and repeat.**

¿A qué hora trabajas?   ¿A qué hora es la fiesta?
Trabajo a las ocho.   Es a las nueve y media.

¿A qué hora regresa Juan?   ¿A qué hora deseas salir?
Regresa a la una.   Deseo salir a las siete.

Track # 2-12: **Listen and repeat.**

Es la una.   Son las cinco y media.   Es medianoche.
Son las dos.   Son las ocho menos cuarto.   Son las siete menos diez.
Son las tres y cuarto. Es mediodía.   Son las once y veinte.

Track # 2-13: **Listen carefully to the following sentences. Using digits, write the time you hear in each one. If necessary, include a.m. or p.m. You will hear each sentence twice.**

4.12
a. Son las tres.
b. Son las cinco y veinte.
c. Es la una y media de la tarde.
d. Son las ocho y cuarto de la mañana.
e. Son las diez menos diez.
f. Son las seis menos cinco de la tarde.
g. Son las doce y media.
h. Es la una menos veinte.
i. Son las diez menos cuarto de la noche.
j. Es medianoche.
k. Son las cuatro y veinticinco.
l. Son las cuatro menos veinticinco de la madrugada.

SECTION V. CONJUGATION OF –*ER* AND –*IR* VERBS

Track # 2-14: **Listen and repeat the conjugation of the verb *comer* (to eat).**

yo	como	*nosotros*	comemos
tú	comes	*vosotros*	coméis
él	come	*ellos*	comen
ella	come	*ellas*	comen
Ud.	come	*Uds.*	comen

Track # 2-15: **Listen and repeat the conjugation of the verb *vivir* (to live).**

yo	vivo	*nosotros*	vivimos
tú	vives	*vosotros*	vivís
él	vive	*ellos*	viven
ella	vive	*ellas*	viven
Ud.	vive	*Uds.*	viven

Track # 2-16: **Listen and repeat these common -*er* verbs.**

aprender	correr	leer	romper
beber	coser	prometer	vender
comer	creer	responder	
comprender	deber		

Track # 2-17: **Listen and repeat these common -*ir* verbs.**

abrir	describir	escribir	salir
asistir (a)	descubrir	omitir	subir
cubrir	dividir	recibir	vivir

Track # 2-18: **Listen and repeat these vocabulary words.**

nueva	generalmente
un barrio	después de
bonito	conmigo / contigo
un parque	bueno
millas	Calle Colón

Track # 2-19: Listen and repeat this conversation.

5.8	**Luisa:**	Yo vivo en una casa nueva.
	Ana:	¿Dónde vives?
	Luisa:	La Calle Colón, número 24.
	Ana:	Es un barrio muy bonito.
	Luisa:	Sí, hay un parque donde corro.
	Ana:	¿Cuánta distancia cubres cuando corres?
	Luisa:	Corro cinco millas.
	Ana:	¿Cuándo corres generalmente?
	Luisa:	Corro después de las clases. ¿Corres tú?
	Ana:	Sí, corro mucho.
	Luisa:	¿Deseas correr conmigo?
	Ana:	Sí, deseo correr contigo.
	Luisa:	Bueno, mañana después de las clases.

SECTION VI. CONVERSATION, PRONUNCIATION, AND COMPREHENSION

Track # 2-20: Listen and repeat.

yerba	llamo	llave
ya	calle	valle
yo	llego	millón

Track # 2-21: Listen and repeat.

año	mañana	baño	señor	niño
cabaña	cuñado	español	montaña	otoño

Track # 2-22: **Listen to the CD. Then complete the statements below by putting the letter of the correct answer in the blank. You will hear the passage twice. Do not try to answer the questions while listening.**

6.4   Hoy es lunes, el 12 de julio. No hay clases hoy porque es verano. Hoy nadamos en casa de mi amiga, Luisa. Ella vive en la Calle Primero, número quince. Su casa es muy grande. Muchos amigos nadan también.

6.5   Ana vive en una casa grande. Vive con su familia – su padre, su madre, dos hermanas, Pilar y Elisa, y dos hermanos, Ricardo y Luis. Hay cuatro dormitorios, una cocina, un comedor, dos salas y dos baños. Comen en el comedor a las siete. Su padre trabaja hasta las seis. Sus abuelos visitan los domingos.

Track # 2-23: **Listen to the questions on the CD and write an appropriate response.**

6.6   a. ¿Quiénes asisten a la escuela?

b. ¿Dónde vives?

c. ¿Cuándo comen Uds.?

d. ¿Por qué asisten los estudiantes a las clases?

e. ¿A qué hora sales para el concierto?

LIFEPAC 3: VOCABULARY LIST

Track # 2-24:

House

la casa
el cuarto/la habitación
la sala
la cocina
el comedor
el dormitorio/la alcoba/la recámara
el (cuarto de) baño
el garaje
el patio
el sótano
el sofá
el sillón
la mesita
la lámpara
el tapete
el televisor
el librero
la estufa
el refrigerador
el microondas
el fregadero
el lavaplatos
la mesa
la silla
la cama
la cómoda
la mesa de noche
el espejo
el armario/el ropero
la bañera
el inodoro
el lavabo
el coche/el carro/el auto
las herramientas
la bicicleta
la ventana
la puerta
la flor
el árbol

Numbers 11 – 31

once
doce
trece
catorce
quince
dieciséis
diecisiete
dieciocho
diecinueve
veinte
veintiuno
veintidós
veintitrés
veinticuatro
veinticinco
veintiséis
veintisiete
veintiocho
veintinueve
treinta
treinta y uno

Days, Months, & Seasons

lunes
martes
miércoles
jueves
viernes
sábado
domingo
enero
febrero
marzo
abril
mayo
junio
julio
agosto
septiembre
octubre
noviembre
diciembre

Days, Months, & Seasons (cont.)

la primavera
el verano
el otoño
el invierno
el día
la semana
el mes
el año
la estación
la fecha
el cumpleaños
hoy
mañana

Family

la familia
el/la pariente
el abuelo
la abuela
el abuelito
la abuelita
el padre
la madre
el papá
la mamá
el esposo
la esposa
el hijo
la hija
el hermano
la hermana
el hermanito
la hermanita
el tío
la tía
el primo
la prima
el sobrino
la sobrina
el nieto
la nieta

Interrogatives

¿Dónde?
¿Cuál?/¿Cuáles?
¿Cuánto?/¿Cuánta?
¿Cuándo?
¿Qué?
¿Quién?/¿Quiénes?
¿Por qué?
¿De dónde?
¿Adónde?
¿Cómo?
¿Cuántos?/¿Cuántas?

Telling Time

¿Qué hora es?
Es la una.
Son las dos.
Es mediodía.
Es medianoche.
¿A qué hora?
de la madrugada
de la mañana
de la tarde
de la noche
temprano
a tiempo
tarde
en punto

-ER Verbs

aprender
beber
comer
comprender
correr
coser
creer
deber
leer
prometer
responder
romper
vender

-IR Verbs

abrir
asistir (a)
cubrir
describir
descubrir
dividir
escribir
omitir
recibir
salir
subir
vivir

Miscellaneous

ahora
porque
mucho
poco
más
menos
demasiado
muchos/muchas
bien
mal
mi, mis
tu, tus
su, sus
el amigo
la amiga
el chico, el muchacho
la chica, la muchacha
el niño
la niña
el hombre
la mujer
la carta
el concierto
la fiesta
el regalo

UNIT 3 LIFEPAC TEST AUDIO

<u>Unit 3 Test; Section 1; Testing CD Track 9</u>

Using the CD, listen carefully to the following sentences and using digits, write the time you hear in each one. You will hear each sentence two times. While you may <u>briefly</u> pause the CD if necessary, do not play it more than once. (1 pt. each)

1.
    a. Son las seis.
    b. Son las ocho y media.
    c. Son las nueve y cuarto.
    d. Son las cuatro menos veinte.
    e. Son las dos menos diez.
    f. Son las once y cinco.

<u>Unit 3 Test; Section 2; Testing CD Track 10</u>

Using the CD, listen carefully to the following questions and then answer each one with a complete sentence in Spanish. You will hear each question two times. You may <u>briefly</u> pause the CD between questions, but do not play it more than once. (2 pts. each)

2.
    a. ¿Lees mucho o poco?
    b. ¿Cuál es la fecha de hoy?
    c. ¿Dónde vives?
    d. ¿Escribes bien o mal?
    e. ¿De dónde eres?

UNIT 3 ALTERNATE LIFEPAC TEST AUDIO

<u>Unit 3 Alternate Test; Section 1; Testing CD Track 11</u>

Using the CD, listen carefully to the following sentences and using digits, write the time you hear in each one. You will hear each sentence two times. While you may <u>briefly</u> pause the CD if necessary, do not play it more than once. (1 pt. each)

1.
    a. Son las cinco y diez.
    b. Son las siete y media.
    c. Son las doce.
    d. Son las diez menos cinco.
    e. Son las cuatro y cuarto.
    f. Son las once menos veinticinco.

<u>Unit 3 Alternate Test; Section 2; Testing CD Track 12</u>

Using the CD, listen carefully to the following questions and then answer each one with a complete sentence in Spanish. You will hear each question two times. While you may <u>briefly</u> pause the CD between questions, do not play it more than once. (2 pts. each)

2.
    a. ¿Bailas bien o mal?
    b. ¿Cómo te llamas?
    c. ¿Estudias mucho o poco?
    d. ¿Qué día es hoy?
    e. ¿Dónde vives?

LIFEPAC FOUR
SECTION I. CONVERSATION: LA FIESTA

Track # 2-25: **Listen and repeat this conversation.**

Luis:	¡Hola, Miguel! ¿Qué tal?
Miguel:	Bien. ¿Y tú?
Luis:	Bien. Voy a la fiesta de Ana. ¿Vas también?
Miguel:	Sí, voy. ¿Qué vas a llevar allí?
Luis:	Voy a llevar las enchiladas que mi mamá prepara.
Miguel:	¡Qué bueno! Tu madre prepara las enchiladas deliciosas. Voy a llevar un pastel del supermercado.
Luis:	Chocolate, espero.
Miguel:	¡Por supuesto! ¿A qué hora vas a la fiesta?
Luis:	Voy a las siete. ¿Deseas ir conmigo?
Miguel:	¡Buena idea! Vamos juntos.

Track # 2-26: **Listen and repeat the conjugation of the verb *ir* (to go).**

yo	voy	*nosotros*	vamos
tú	vas	*vosotros*	vais
él	va	*ellos*	van
ella	va	*ellas*	van
Ud.	va	*Uds.*	van

Track #2-27: **Listen and repeat.**

Locations:

el aeropuerto	el centro	el hotel	la plaza
el ayuntamiento	el cine	la iglesia	el pueblo
el banco	la ciudad	el mercado	el restaurante
la biblioteca	el correo	el museo	el supermercado
el café	la escuela	la oficina	el teatro
la calle	el estadio	el parque	la terminal
el campo	la farmacia	la piscina	la tienda
la casa	el hospital	la playa	la universidad

Other vocabulary:

ahorrar	el dinero
el arte	famoso
el avión	el fútbol
la comida	la película
descansar	el teléfono

Track # 2-28: **Listen carefully to the CD and write the English translation of the location you hear in each sentence. You will hear each sentence twice.**

1.10

a. Vamos a la playa.	g. Necesito ir al correo.
b. ¿Quiénes van al cine?	h. ¿Cuándo vas al mercado?
c. Carlota va a la tienda.	i. Papá va al ayuntamiento.
d. Voy al centro ahora.	j. Vamos a casa.
e. ¿Va Ramón a la biblioteca?	k. Mis tíos van a ir a la ciudad.
f. Ustedes van a la iglesia, ¿verdad?	l. ¿Deseas ir al museo conmigo?

SECTION II. VOCABULARY: OCCUPATIONS, NUMBERS 30–100

Track # 2-29: **Las profesiones. Listen and repeat.**

el abogado, la abogada

el actor, la actriz

el arquitecto, la arquitecta

el hombre (la mujer) de negocios

el enfermero, la enfermera

el ingeniero, la ingeniera

el jefe, la jefa

el profesor, la profesora

el maestro, la maestra

el policía, la mujer policía

el programador (la programadora)
    de computadoras

el secretario, la secretaria

el farmacéutico, la farmacéutica

el veterinario, la veterinaria

el escritor, la escritora

el historiador, la historiadora

el fotógrafo, la fotógrafa

el/la dentista

el/la pianista

el/la periodista

el/la artista

el/la gerente

el/la comerciante

el médico, la médica;
    el doctor, la doctora

el piloto, la pilota

el músico, la música

Track # 2-30: **Listen and repeat this conversation.**

Juan:	Mi padre es abogado.
Luis:	¿Ah, sí? ¿Dónde trabaja?
Juan:	Trabaja en una oficina en el centro.
Luis:	Mi padre es médico.
Juan:	¿Trabaja en el hospital?
Luis:	Sí, y en una oficina también.
Juan:	Deseo ser farmacéutico. Voy a trabajar en una farmacia.
Luis:	Deseo ser historiador y trabajar en un museo.

Track # 2-31: **Listen carefully to the CD and write the English translation for each profession. You will hear each sentence two times.**

2.5

a. Jesús es gerente.

b. Mi tía es mujer de negocios.

c. Deseo ser periodista.

d. ¿Cómo se llama la secretaria?

e. Voy a hablar con el comerciante.

f. Ricardo desea ser piloto.

g. La jefa se llama Sra. Moreno.

h. Mariana desea ser arquitecta.

i. Deseo ser artista.

j. Mi primo es escritor.

k. El Sr. Reyes es farmacéutico.

l. ¿Cómo se llama la enfermera?

Track # 2-32: **Listen and repeat these numbers.**

treinta

treinta y uno

cuarenta

cuarenta y dos

cincuenta

cincuenta y tres

sesenta

sesenta y cuatro

setenta

setenta y cinco

ochenta

ochenta y seis

noventa

noventa y siete

cien, ciento

Track # 2-33: **Listen carefully to the CD and using digits, write the number you hear; the numbers will range from 1–100. You will hear each sentence two times.**

2.8

a. Hay quince pupitres.
b. Hay once cuartos.
c. Hay setenta y cinco libros.
d. Necesito diez dólares.
e. Hay ochenta y seis bolígrafos.
f. Hay veinte ventanas.
g. Hay noventa y cuatro diccionarios.
h. Hay cien estudiantes.
i. Necesitas cuarenta y ocho dólares.
j. Voy a comprar trece plumas.
k. Hay cincuenta y dos sillas.
l. Hay sesenta y siete lápices.

SECTION III. ADJECTIVES: AGREEMENT AND PLACEMENT

Track # 2-34: **Listen and repeat these adjectives that end in -o.**

alto
bajo
bueno
malo
simpático
antipático
bonito
feo
guapo
rubio
moreno
delicioso
rico
famoso
divertido
aburrido
pequeño
perezoso
delgado

gordo
nuevo
viejo
tonto
serio
caro
barato
amarillo
rojo
blanco
negro
anaranjado
morado
castaño
rosado
mexicano
americano
italiano
chino

Track # 2-35: **Listen and repeat.**

agradable
excelente
importante
inteligente
elegante
diferente
paciente
grande
fuerte
café

emocionante
formidable
independiente
interesante
pobre
responsable
impaciente
enorme
amigable
verde

Track # 2-36: **Listen and repeat.**

egoísta
bromista

optimista
deportista

realista
pesimista

43

Track # 2-37: **Listen and repeat.**

joven / jóvenes	fácil	débil	difícil
gris	popular	azul	

Track # 2-38: **Listen and repeat.**

español/española	inglés/inglesa
francés/francesa	alemán/alemana
portugués/portuguesa	japonés/japonesa
trabajador/trabajadora	hablador/habladora
encantador/encantadora	preguntón/preguntona

Track # 2-39: **Listen carefully to the CD and write the English translation of the adjective in each sentence. You will hear each sentence twice.**

3.6

a. Ellos son rubios.
b. Él es bajo.
c. La clase es divertida.
d. La tarea es fácil.
e. El baño es pequeño.
f. Ellas son chinas.
g. Paco es moreno.

h. María es muy simpática.
i. Ella es amigable.
j. Roberto es egoísta.
k. Él es débil.
l. La película es muy emocionante.
m. Ellos son alemanes.
n. Ella es joven.

Track # 2-40: **Listen and repeat.**

muy	bastante	demasiado	un poco

Track # 2-41: **Listen and repeat.**

un/una	unos/unas
algún/alguna	algunos/algunas
mucho/mucha	muchos/muchas
poco/poca	pocos/pocas
cada	todos los/todas las
todo el/toda la	varios/varias

Algún día voy a España.	Algunos maestros son serios.
Hay mucha tarea.	Tengo muchos primos.
Caminamos cada día.	Hay pocas computadoras.
Voy a viajar todo el verano.	Viajo todos los veranos.
	Hay varias sillas.

Track # 2-42: **Listen and repeat this conversation.**

Ana: ¿Cómo es tu padre, Elisa?
Elisa: Es alto, moreno y delgado.
Ana: ¿Cuál es su profesión?
Elisa: Es un abogado inteligente. ¿Y tu padre? ¿Cómo es?
Ana: Es alto, rubio, y un poco gordo.
Elisa: ¿Y su profesión?
Ana: Es un arquitecto formidable en el centro.

SECTION IV. VERB CONJUGATION: *ESTAR*

Track # 2-43: **Listen and repeat the conjugation of the verb** *estar* **(to be).**

yo	estoy	*nosotros*	estamos
tú	estás	*vosotros*	estáis (Spain only)
él	está	*ellos*	están
ella	está	*ellas*	están
Ud.	está	*Uds.*	están

Track # 2-44: **Listen and repeat these common adjectives of health and emotions.**

contento	triste
encantado	alegre
cansado	asustado
emocionado	aburrido
celoso	confundido
enfermo	preocupado
frustrado	decepcionado
sorprendido	deprimido
enojado	nervioso

Track # 2-45: ***Estar* is also used to express the location of items.**
Listen and repeat these common prepositions which tell location.

a	de
en	por
cerca de	detrás de
lejos de	encima de
al lado de	debajo de
frente a	dentro de
enfrente de	delante de
sobre	a través de
entre	

Track # 2-46: **Listen and repeat.**

La iglesia está cerca del museo.
El correo está al lado de la tienda.
Tu pluma está debajo del escritorio.
El aeropuerto está bastante lejos de la ciudad.
La piscina está detrás del hotel.
Ellos están delante de la biblioteca.
El ayuntamiento está frente a la plaza.

Track # 2-47: **Listen and repeat this conversation.**

Ana:	¿Cómo estás?
Pilar:	Estoy triste.
Ana:	¿Por qué estás triste?
Pilar:	Voy al médico.
Ana:	¿Estás enferma?

Pilar:	Sí. ¿Dónde está la oficina del médico?
Ana:	Está cerca de la biblioteca. Voy a la biblioteca. Caminamos juntas.
Pilar:	Gracias.

Track # 2-48: **Listen carefully to the CD and write the English translation of the adjective in each sentence. You will hear each sentence twice.**

4.6

a. Jesús está enojado.

b. Maribel está nerviosa.

c. Clara está alegre.

d. Mateo está deprimido.

e. Jaime está enfermo.

f. Soledad está confundida.

g. Laura está cansada.

h. Beto está decepcionado.

i. Nuria está celosa.

j. Esteban está asustado.

SECTION V. "STATE OF BEING" VERBS

Track # 2-49: **Listen and repeat this conversation.**

Timo:	¡Hola, Daniel! ¿Cómo estás?
Daniel:	Estoy bien. ¿Y tú?
Timo:	Estoy contento ahora porque voy al cine con Isabel.
Daniel:	¿Isabel? Es una chica bonita y simpática.
Timo:	Eres muy inteligente, amigo.
Daniel:	¿Dónde está la película?
Timo:	En el Cine Colón.
Daniel:	¿A qué hora es la película?
Timo:	Es a las siete y media.
Daniel:	Alicia y yo vamos a las siete y media también.
Timo:	Vamos juntos.

Track # 2-50: **Here are some common adjectives of "condition." Listen to them on the CD and repeat each one.**

abierto	frío	sentado
ausente	limpio	sucio
caliente	lleno	vacío
cerrado	ocupado	

SECTION VI. NEGATIVE WORDS

Track # 2-51: **Listen and repeat this conversation.**

Paco no está contento ahora y su amigo Luis desea ayudar a Paco.

Luis:	¿Deseas ir al cine esta noche, Paco?
Paco:	No, no deseo ver ninguna película esta noche.
Luis:	¿Deseas visitar a un amigo?
Paco:	No, no deseo visitar a nadie ahora.
Luis:	¿Deseas comer en un café?
Paco:	No, no como nunca en un café.
Luis:	¿Qué deseas?
Paco:	No deseo nada. Voy a casa.

Track # 2-52: **Listen and repeat.**

Common Negative Words	Common Affirmative Words
no	sí
nada	algo
nadie	alguien
nunca	siempre
ninguno	alguno

SECTION VII. SPEAKING, WRITING, AND READING PRACTICE

Track # 2-53: **Listen and repeat the first sound, soft *b*.**

la bolsa	algunas veces
probablemente	caballo
la verdad	

Track # 2-54: **Listen and repeat the second sound, similar to the *b* in *bat*.**

bueno	enviar
venir	barco
conversación	vaca
embajada	

Track # 2-55: **Listen to the following series of paragraphs and then answer the questions after each paragraph. Each paragraph will be read twice.**

7.3   Mariana nunca va al estadio. No desea ver los deportes como fútbol o béisbol. Desea ir al teatro. Las comedias musicales son muy divertidas. También asiste a los conciertos de todos tipos de música. El tres de noviembre va al concierto de Luis Miguel. Es excelente.

7.4   Mi profesor de matemáticas se llama Sr. Chávez. Es alto y muy simpático. Enseña mucho en las clases. Algunas veces sus lecciones son muy difíciles. Pero él ayuda a los estudiantes y es muy paciente. Es el profesor favorito de muchos estudiantes.

7.5   Mi pueblo no es muy grande. Hay una iglesia vieja. Hay tres tiendas pequeñas. El correo está al lado del restaurante italiano. La biblioteca está detrás del supermercado. Y hay solamente un supermercado y dos pequeños mercados. Cerca de la escuela hay un estadio bastante grande. Hay una plaza donde muchas personas caminan. Mi pueblo es pequeño y bonito. Hay muchas personas simpáticas en mi pueblo.

LIFEPAC 4: VOCABULARY LIST

Track # 3-1:

Locations:
el aeropuerto
el ayuntamiento
el banco
la biblioteca
el café
la calle
el campo
la casa
el centro
el cine
la ciudad
el correo
la escuela
el estadio
la farmacia
el hospital
el hotel
la iglesia
el mercado
el museo
la oficina
el parque
la piscina
la playa
la plaza
el pueblo
el restaurante
el supermercado
el teatro
la terminal
la tienda
la universidad

Las profesiones:
el abogado/la abogada
el actor/la actriz
el arquitecto/la arquitecta
el hombre (la mujer) de
    negocios
el enfermero/la enfermera
el ingeniero/la ingeniera
el jefe/la jefa
el profesor/la profesora
el maestro/la maestra

el policía/la mujer policía
el programador
    (la programadora)
    de computadoras
el secretario/la secretaria
el farmacéutico/
    la farmacéutica
el veterinario/la veterinaria
el escritor/la escritora
el historiador/
    la historiadora
el fotógrafo/la fotógrafa
el/la dentista
el/la pianista
el/la periodista
el/la artista
el/la gerente
el/la comerciante
el médico/la médica
el doctor/la doctora
el piloto/la pilota
el músico/la música

Numbers 30–100:
30	treinta
40	cuarenta
50	cincuenta
60	sesenta
70	setenta
80	ochenta
90	noventa
100	cien, ciento

Ser Adjectives:
alto
bajo
bueno
malo
simpático
antipático
bonito
feo
guapo
rubio
moreno

delicioso
rico
pobre
fácil
difícil
fuerte
débil
famoso
divertido
aburrido
grande
pequeño
trabajador/trabajadora
perezoso
nuevo
joven
viejo
delgado
gordo
tonto
serio
caro
barato
azul
amarillo
anaranjado
blanco
castaño/café
gris
morado
negro
rojo
rosado
verde
español/española
alemán/alemana
americano
chino
estadounidense
francés/francesa
inglés/inglesa
italiano
japonés/japonesa
mexicano

48

portugués/portuguesa
agradable
amigable
diferente
elegante
emocionante
encantador/encantadora
enorme
excelente
formidable
hablador/habladora
impaciente
importante
independiente
inteligente
interesante
paciente
popular
preguntón/preguntona
responsable

Adjectives of quantity:

algún/alguna
algunos/algunas
cada
mucho/mucha
muchos/muchas
poco/poca
pocos/pocas
todo el/toda la
todos los/todas las
varios/varias
un/una
unos/unas

Estar adjectives:

abierto
aburrido
alegre
asustado
ausente
caliente
cerrado
contento
cansado
celoso
confundido
decepcionado

deprimido
emocionado
encantado
enfermo
enojado
frustrado
preocupado
frío
limpio
lleno
nervioso
ocupado
sentado
sorprendido
sucio
triste
vacío

Prepositions of location:

a
en
cerca de
lejos de
al lado de
frente a
enfrente de
sobre
entre
de
por
detrás de
encima de
debajo de
dentro de
delante de
a través de

Negative & affirmative words:

no
nada
nadie
nunca
ninguno
sí
algo
alguien
siempre
alguno

Miscellaneous:

y/e
o/u
ni
muy
bastante
demasiado
un poco
allí
aquí
como
nuestro
ir
estar
ahorrar
descansar
ver
el arte
el avión
la comida
la compañía
el dinero
el fútbol
el país
la película
el periódico
el teléfono
esta noche
algunas veces, a veces

UNIT 4 LIFEPAC TEST AUDIO

Unit 4 Test; Section 1; Testing CD Track 13

Listen carefully to the CD and write the English translation of the location in each sentence. You will hear each sentence twice. Do not pause the CD or play it more than once. (1 pt. each)

1.　　　a. Vamos a la piscina hoy.
　　　　b. Voy a la tienda ahora.
　　　　c. ¿Dónde está la biblioteca?
　　　　d. Él trabaja en el correo.
　　　　e. ¿Deseas ir al cine conmigo?
　　　　f. ¿A qué hora vas a la iglesia?

Unit 4 Test; Section 2; Testing CD Track 14

Listen carefully to the CD and write the English translation of the adjective in each sentence. You will hear each question twice. Do not pause the CD or play it more than once. (1 pt. each)

2.　　　a. Carlos es muy perezoso.
　　　　b. Mis hermanas son bajas.
　　　　c. El libro es barato.
　　　　d. El Sr. García no es pobre.
　　　　e. La tarea es fácil.
　　　　f. Teresa es joven.

UNIT 4 ALTERNATE LIFEPAC TEST AUDIO

Unit 4 Alternate Test; Section 1; Testing CD Track 15

Listen carefully to the CD and write the English translation of the location in each sentence. You will hear each sentence twice. Do not pause the CD or play it more than once. (1 pt. each)

1.　　　a. Mañana voy al mercado.
　　　　b. ¿Dónde está el ayuntamiento?
　　　　c. Siempre vamos a la playa en el verano.
　　　　d. Manuel vive en la ciudad.
　　　　e. ¿Cuándo vas al centro?
　　　　f. Vas al pueblo, ¿no?

Unit 4 Alternate Test; Section 2; Testing CD Track 16

Listen carefully to the CD and write the English translation of the profession in each sentence. You will hear each sentence twice. Do not pause the CD or play it more than once. (1 pt. each)

2.　　　a. Víctor es jefe.
　　　　b. Pedro es enfermero.
　　　　c. Mi tío es abogado.
　　　　d. ¿Cómo se llama el periodista?
　　　　e. ¿Dónde está el gerente?
　　　　f. Eduardo es comerciante.

LIFEPAC FIVE
SECTION I. VOCABULARY: CLOTHING, COLORS, VERB *GUSTAR*

Track # 3-2:   **Listen and repeat this conversation.**

Ana:	Voy de compras hoy. ¿Te gustaría ir también?
Teresa:	¡Sí, por supuesto! Me gusta mucho ir de compras.
Ana:	Necesito un nuevo par de zapatos negros.
Teresa:	Hay una gran selección en la zapatería.
Ana:	¡Fantástico! Me gustaría mirar los pantalones y las camisas.
Teresa:	Está bien. Necesito una chaqueta para la primavera.
Ana:	¿Qué color te gusta?
Teresa:	Me gustan el azul y el verde.
Ana:	¿A qué hora te gustaría salir?
Teresa:	Vamos a salir a eso de la una.
Ana:	Está bien. Y no vamos a olvidar ir a la pastelería para algo delicioso.
Teresa:	¡Eso es muy importante!

Track # 3-3:   **Listen and repeat these vocabulary words.**

la ropa	los guantes
el abrigo	el impermeable
los anteojos (de sol)	las medias
la blusa	los pantalones
las botas	los pantalones cortos
los jeans	las sandalias
los calcetines (el calcetín)	el sombrero
la camisa	el suéter
la camiseta	el traje
la corbata	el traje de baño
la chaqueta	el vestido
la falda	los zapatos
la gorra	los zapatos de tenis

Track # 3-4:   **Listen and repeat these colors.**

amarillo	rojo
anaranjado	verde
azul	de color café, castaño
blanco	rosado
gris	morado
negro	

Track # 3-5:   **Listen and repeat this conjugation of the verb *llevar* (to wear or carry).**
It is conjugated as a regular -*ar* verb.

yo	llevo	*nosotros*	llevamos
tú	llevas	*vosotros*	lleváis
él	lleva	*ellos*	llevan
ella	lleva	*ellas*	llevan
Ud.	lleva	*Uds.*	llevan

Track # 3-6:   **Listen carefully to the CD, and in English write the clothing item and its color. You will hear each sentence two times.**

1.8

a. Voy a comprar los calcetines blancos.

b. ¿Te gusta el traje negro?

c. No me gustan los zapatos rojos.

d. Marta lleva un vestido amarillo.

e. ¿Vas a comprar los pantalones grises?

f. La blusa rosada es muy bonita.

g. ¿Cuánto cuesta la corbata verde?

h. Me gustan los guantes de color café.

i. Rita lleva una camisa anaranjada.

j. ¿Te gusta la falda morada?

Track # 3-7:   **Listen and repeat this conversation.**

Alicia: ¿Te gustaría ir de compras?

Pilar: ¡Por supuesto!

Alicia: Me gusta mirar los pantalones cortos.

Pilar: Busco unos anteojos de sol porque vamos a la playa.

Alicia: ¡Qué bueno! ¿Necesitas un traje de baño nuevo?

Pilar: No, pero necesito sandalias.

Alicia: Yo también. Me gustan las sandalias de color café en la zapatería.

Pilar: ¿Hay sandalias negras también?

Alicia: Hay muchos colores.

Pilar: ¡Vamos!

SECTION II. POSSESSIVE ADJECTIVES, IRREGULAR VERBS: "YO-GO"

Track # 3-8:   **Listen and repeat this conversation.**

Jorge: Necesito mi mochila. No sé donde está.

Mario: Tu mochila está detrás de la silla.

Jorge: Gracias. Ahora, ¿dónde están mis bolígrafos?

Mario: Tus bolígrafos están sobre la mesa.

Jorge: Busco los libros de Raúl.

Mario: Sus libros están encima de la cama.

Jorge: Nuestra clase es en media hora. ¡Vamos!

Track # 3-9:   **Listen and repeat these possessive adjectives.**

mi, mis

tu, tus

su, sus

nuestro, nuestra, nuestros, nuestras

vuestro, vuestra, vuestros, vuestras

su, sus

Track # 3-10:   **Listen and repeat this conjugation of the irregular verb *hacer* (to make, to do).**

yo	hago	*nosotros*	hacemos
tú	haces	*vosotros*	hacéis
él	hace	*ellos*	hacen
ella	hace	*ellas*	hacen
Ud.	hace	*Uds.*	hacen

Paco hace las lecciones.

Nosotros hacemos la comida.

Track # 3-11: **Listen and repeat the conjugation of the irregular verb *traer* (to bring).**

yo	traigo	*nosotros*	traemos
tú	traes	*vosotros*	traéis
él	trae	*ellos*	traen
ella	trae	*ellas*	traen
Ud.	trae	*Uds.*	traen

Yo traigo las botas.
Uds. traen los guantes.

Track # 3-12: **Listen and repeat the conjugation of the irregular verb *caer* (to fall).**

yo	caigo	*nosotros*	caemos
tú	caes	*vosotros*	caéis
él	cae	*ellos*	caen
ella	cae	*ellas*	caen
Ud.	cae	*Uds.*	caen

Los papeles caen.
La hoja cae.

Track # 3-13: **Listen and repeat the conjugation of the irregular verb *salir* (to leave, to go out).**

yo	salgo	*nosotros*	salimos
tú	sales	*vosotros*	salís
él	sale	*ellos*	salen
ella	sale	*ellas*	salen
Ud.	sale	*Uds.*	salen

Tú sales con Luis.
Yo salgo a las dos.

Track # 3-14: **Listen and repeat the conjugation of the irregular verb *poner* (to put, to place, to set).**

yo	pongo	*nosotros*	ponemos
tú	pones	*vosotros*	ponéis
él	pone	*ellos*	ponen
ella	pone	*ellas*	ponen
Ud.	pone	*Uds.*	ponen

Yo pongo los anteojos sobre la mesa.
Nosotros ponemos el coche en el garaje.

Track # 3-15: **Listen carefully to the CD and circle the correct translation for each verb or phrase you hear. You will hear each one twice.**

2.7

a. él hace
b. caigo
c. traemos
d. sales

e. ellos ponen
f. salimos
g. Uds. hacen
h. pongo

SECTION III. STEM-CHANGING VERBS: *E* TO *IE*, IRREGULAR VERBS: *TENER* AND *VENIR*

Track # 3-16: **Listen and repeat this conversation.**

Susana and Elisa are deciding what they want to do.

Susana:	Hola, Elisa. ¿Cómo estás?
Elisa:	Estoy bien. ¿Y tú?
Susana:	Estoy aburrida. ¿Quieres hacer algo?
Elisa:	Sí. ¿Quieres ir al cine?
Susana:	Buena idea. ¿Qué prefieres ver, una comedia, un horror o un drama?
Elisa:	Prefiero una comedia.
Susana:	Hay una en el Cine Colón.
Elisa:	Está bien. ¿A qué hora comienza?
Susana:	Comienza a las dos y media.
Elisa:	¿A qué hora piensas que necesitamos salir?
Susana:	A la una. Prefiero llegar temprano.
Elisa:	Está bien.

Track # 3-17: **Listen and repeat the conjugation of the stem-changing verb *pensar* (to think).**

yo	pienso	*nosotros*	pensamos
tú	piensas	*vosotros*	pensáis
él	piensa	*ellos*	piensan
ella	piensa	*ellas*	piensan
Ud.	piensa	*Uds.*	piensan

Track # 3-18: **Listen and repeat the conjugation of the stem-changing verb *cerrar* (to close).**

yo	cierro	*nosotros*	cerramos
tú	cierras	*vosotros*	cerráis
él	cierra	*ellos*	cierran
ella	cierra	*ellas*	cierran
Ud.	cierra	*Uds.*	cierran

Track # 3-19 : **Listen and repeat these common stem-changing verbs.**

cerrar	pensar
comenzar	perder
confesar	preferir
defender	querer
empezar	referir
entender	sentir
gobernar	

Track # 3-20 : **Listen carefully to the CD and circle the correct translation for each verb you hear. You will hear each verb twice.**

3.9

a. entendemos	e. empiezas
b. cierran	f. quiere
c. pienso	g. preferimos
d. gobierna	h. siento

Track # 3-21: **Listen and repeat the conjugation of the verb *tener* (to have).**

yo	tengo	nosotros	tenemos
tú	tienes	vosotros	tenéis
él	tiene	ellos	tienen
ella	tiene	ellas	tienen
Ud.	tiene	Uds.	tienen

Track # 3-22: **Listen and repeat the conjugation of the verb *venir* (to come).**

yo	vengo	nosotros	venimos
tú	vienes	vosotros	venís
él	viene	ellos	vienen
ella	viene	ellas	vienen
Ud.	viene	Uds.	vienen

Track # 3-23: **Listen and repeat the following *tener* expressions.**

tener __#__ años	tener razón
¿Cuántos años tienes?	no tener razón
tener frío	tener éxito
tener calor	tener miedo
tener sed	tener que (+ infinitive)
tener hambre	tener ganas de (+ infinitive)
tener sueño	

Track # 3-24: **Listen and repeat.**

¿Cuántos años tiene tu papá?	No tenemos razón.
Tiene cuarenta y seis años.	El Sr. Ayala tiene mucho éxito.
Necesito un suéter porque tengo frío.	¿De qué tienes miedo?
Tenemos mucho calor.	Tengo miedo de las serpientes.
¿Tienes sed?	Tengo que ayudar a mi mamá hoy.
No tengo hambre ahora.	¿Qué tienes ganas de hacer?
Ellos tienen mucho sueño.	Tengo ganas de ir al cine.
Tienes razón.	

SECTION IV. STEM-CHANGING VERBS: *O* TO *UE*

Track # 3-25: **Listen and repeat this conversation.**

Ricardo: Hola, Timoteo. ¿Puedes jugar fútbol con nosotros?

Timoteo: Por supuesto. Juego muy bien.

Ricardo: Vamos a almorzar ahora. Nos encontramos a la una.

Timoteo: Está bien. Vuelvo aquí a la una.

Ricardo: Muestro a todo el mundo las fotos del partido de Real Madrid.

Timoteo: ¡Qué magnífico! Recuerdo el partido, pero no tengo fotos.

Ricardo: ¿Quieres copias?

Timoteo: ¿Cuánto cuestan las copias?

Ricardo: No sé. Puedo investigar.

Timoteo: Puedes decirme más tarde.

Ricardo: ¡Buena idea! Hasta luego.

Timoteo: Chao.

Track # 3-26: **Listen and repeat the conjugation of the stem-changing verb** *volver* **(to return).**

yo	vuelvo	*nosotros*	volvemos
tú	vuelves	*vosotros*	volvéis
él	vuelve	*ellos*	vuelven
ella	vuelve	*ellas*	vuelven
Ud.	vuelve	*Uds.*	vuelven

Track # 3-27: **The following verbs follow this pattern. Listen and repeat.**

almorzar	mostrar
contar	mover
costar	poder
devolver	resolver
dormir	sonar
encontrar	soñar
jugar	volar
morir	volver

Track # 3-28: **Listen carefully to the CD and circle the correct translation for each verb you hear. You will hear each verb twice.**

4.9

a. mueve	e. encuentras
b. podemos	f. duerme
c. sueño	g. vuelven
d. cuestan	h. resuelves

Track # 3-29: **Sports vocabulary – Listen and repeat.**

el deporte	la gimnasia
el esquí	la natación
el tenis	el equipo
el básquetbol, el baloncesto	el partido
el béisbol	el jugador, la jugadora
el volibol	el aficionado, la aficionada
el fútbol	el/la atleta
el fútbol americano	practicar
el atletismo	participar en
el golf	ser aficionado a

SECTION V. STEM-CHANGING VERBS: *E* TO *I*; IRREGULAR VERBS: *SABER* vs. *CONOCER*

Track # 3-30: **Listen and repeat this conversation.**

Ana:	Hola, Sara. ¿Qué haces?
Sara:	Escribo una carta a mi abuela. Pido una blusa nueva para mi cumpleaños.
Ana:	¡Qué bueno! ¿Qué color pides?
Sara:	Pido una blusa blanca que puedo llevar con pantalones negros.
Ana:	¿No tienes una blusa blanca?
Sara:	Si, pero es muy vieja y sucia. Necesito una nueva.
Ana:	¿Sabe tu abuela lo que te gusta?
Sara:	Sé que ella va a comprar una blusa bonita.
Ana:	¡Qué agradable! Mi abuela repite los mismos regalos cada año — calcetines blancos.
Sara:	¿Pides algo diferente?
Ana:	¡Por supuesto! Pero ella no recuerda.

Track # 3-31: **Listen and repeat the conjugation of the stem-changing verb *pedir* (to ask for).**

yo	pido	*nosotros*	pedimos
tú	pides	*vosotros*	pedís
él	pide	*ellos*	piden
ella	pide	*ellas*	piden
Ud.	pide	*Uds.*	piden

Track # 3-32: **Listen and repeat the verbs that follow this pattern.**

medir	repetir	servir

Track # 3-33: **Listen and repeat the conjugation of the verb *decir* (to say, to tell).**

yo	digo	*nosotros*	decimos
tú	dices	*vosotros*	decís
él	dice	*ellos*	dicen
ella	dice	*ellas*	dicen
Ud.	dice	*Uds.*	dicen

Track # 3-34: **Listen and repeat the conjugation of the verb *saber* (to know facts and information, how to do something).**

yo	sé	*nosotros*	sabemos
tú	sabes	*vosotros*	sabéis
él	sabe	*ellos*	saben
ella	sabe	*ellas*	saben
Ud.	sabe	*Uds.*	saben

Track # 3-35: **Listen and repeat.**

Sé que Madrid es la capital de España.	Ellos no saben nadar.
¿Sabes a qué hora empieza el partido?	Sabemos hablar español.
José no sabe la respuesta.	

Track # 3-36: **Listen and repeat the conjugation of the verb *conocer* (to know — be familiar with or acquainted with — someone or something).**

yo	conozco	nosotros	conocemos
tú	conoces	vosotros	conocéis
él	conoce	ellos	conocen
ella	conoce	ellas	conocen
Ud.	conoce	Uds.	conocen

Track # 3-.37: **Listen and repeat.**

No conozco a Marta.   No conocemos Nueva York.
¿Conoces el libro *Don Quixote*?   ¿Conocen Uds. al estudiante nuevo?

SECTION VII. SPEAKING, WRITING, AND READING PRACTICE

Track # 3-38: **Listen and repeat the following words and phrases.**

al	nivel	empleado	algo
las	cartel	leche	habla
natural	lío	vale	animal

Lara prefiere las sandalias y la falda.
Llevo la blusa azul con los pantalones blancos.
Almuerzo con Luis en el Café Lazano.

Track # 3-39: **Listen and repeat the following words and phrases.**

sentir	pensar	bueno	entrar
sonar	tengo	cuando	razón
nuestro	vienes	guantes	contar

Tenemos que poner los pantalones en el armario.
Conocemos a Daniel y a Inés.
Encuentras los anteojos en la cocina.

Track # 3-40: **Let's Listen – Listen to the following passages and then answer the questions. The passages will be read twice.**

7.9   Yo no sé que hacer. El cumpleaños de mi hermano es mañana. No puedo encontrar un regalo para él. Quiere una nueva gorra de béisbol. Vuelvo a la tienda esta tarde para encontrar la gorra de los Piratas. Pongo la gorra en una bolsa grande con muchos calcetines blancos. Entonces, no puede decidir qué es.

7.10   Paco duerme muchas horas. Es porque tiene que trabajar mucho. Sirve mucha comida a las personas que vienen al restaurante de su padre. Tiene que llevar una camisa y una corbata cuando trabaja. No le gusta la corbata. Está contento cuando el restaurante cierra. Puede volver a casa y dormir.

7.11   No me gusta ir de compras. Las cosas cuestan mucho. Quiero un nuevo par de pantalones pero no puedo encontrar el color que quiero. Tengo que traer mucho dinero cuando voy de compras. Almuerzo en un café cuando voy a las tiendas. Esto resuelve mi problema porque tengo unos minutos para pensar. Cuando vuelvo a la tienda, tengo éxito. Encuentro los pantalones y tengo el dinero.

7.12 Hoy es el día de lavar la ropa. Hay muchas cosas que lavar. Hay los tres pares de jeans de mi hermano, unas camisetas, la chaqueta de fútbol de mi hermana, las camisas de mi padre, un vestido de mi madre y muchos calcetines de todos. Pongo la ropa blanca junta, la ropa negra y azul junta y los otros colores juntos. Entonces no hay problemas con los colores.

LIFEPAC 5: VOCABULARY LIST

Track # 3-41:

La ropa:
- el abrigo
- los anteojos (de sol)
- la blusa
- las botas
- los jeans
- los calcetines (el calcetín)
- la camisa
- la camiseta
- la corbata
- la chaqueta
- la falda
- la gorra
- los guantes
- el impermeable
- las medias
- los pantalones
- los pantalones cortos
- las sandalias
- el sombrero
- el suéter
- el traje
- el traje de baño
- el vestido
- los zapatos
- los zapatos de tenis

Colors:
- amarillo
- anaranjado
- azul
- blanco
- gris
- negro
- rojo
- verde
- de color café, castaño
- rosado
- morado

Possessive Adjectives:
- mi, mis
- tu, tus
- su, sus
- nuestro, nuestra, nuestros, nuestras
- vuestro, vuestra, vuestros, vuestras

Stem-changing Verbs:
e–ie:
- cerrar
- comenzar
- confesar
- defender
- empezar
- entender
- gobernar
- pensar
- perder
- preferir
- querer
- referir
- sentir

o–ue:
- almorzar
- contar
- costar
- devolver
- dormir
- encontrar
- jugar (u-ue)
- morir
- mostrar
- mover
- poder
- resolver
- sonar
- soñar
- volar
- volver

e – i:
medir
pedir
repetir
servir

Irregular Verbs:
caer
conocer
decir
hacer
poner
saber
salir
tener
traer
venir

***Tener* Expressions:**
tener...años
¿Cuántos años tienes?
tener frío
tener calor
tener sed
tener hambre
tener sueño
tener razón
no tener razón
tener éxito
tener miedo (de)
tener que (+ infinitive)
tener ganas de (+ infinitive)

Los deportes:
el deporte
el esquí
el tenis
el básquetbol, el baloncesto
el béisbol
el volibol
el fútbol
el fútbol americano
el atletismo
el golf
la gimnasia
la natación
el equipo
el partido
el jugador, la jugadora
el aficionado, la aficionada
el/la atleta
practicar
participar en
ser aficionado a

Miscellaneous:
la respuesta
la palabra
la verdad
la mentira
el chiste
la hoja
el refresco
ir de compras
que
las serpientes
por supuesto
el dólar

UNIT 5 LIFEPAC TEST AUDIO

Unit 5 Test; Section 1; Testing CD Track 17

Listen carefully to the CD and in English write the clothing item and its color. You will hear each sentence two times. Do not pause the CD or play it more than once. (2 pts. each)

1.
    a. Voy a llevar una camisa blanca.
    b. ¿Te gusta el traje azul?
    c. ¿Vas a comprar unos calcetines negros?
    d. Susana lleva un vestido rojo.
    e. Tengo un impermeable amarillo.
    f. No me gusta la falda morada.

Unit 5 Test; Section 2; Testing CD Track 18

Listen carefully to the CD and circle the correct translation for each verb you hear. You will hear each one twice. Do not pause the CD or play it more than once. (1 pt. each)

2.
    a. pienso   e. puedes
    b. empieza   f. muestra
    c. sabemos   g. cuentan
    d. vuelven   h. cierro

UNIT 5 ALTERNATE LIFEPAC TEST AUDIO

Unit 5 Alternate Test; Section 1; Testing CD Track 19

Listen carefully to the CD and in English write the clothing item and its color. You will hear each sentence two times. Do not pause the CD or play it more than once. (2 pts. each)

1.
    a. Mi papá tiene un abrigo gris.
    b. ¿Cuánto cuesta la camiseta anaranjada?
    c. Quiero comprar el sombrero negro.
    d. ¿Te gustan los zapatos castaños?
    e. El Sr. Torres lleva una corbata verde.
    f. No me gustan los guantes rojos.

Unit 5 Alternate Test; Section 2; Testing CD Track 20

Listen carefully to the CD and circle the correct translation for each verb you hear. You will hear each one twice. Do not pause the CD or play it more than once. (1 pt. each)

2.
    a. muevo   e. vuela
    b. perdemos   f. caigo
    c. encuentran   g. quieres
    d. sientes   h. hace

LIFEPAC SIX
SECTION I. FOODS AND DRINKS VOCABULARY

Track # 4-1: **Listen and repeat this conversation.**

Pablo:	¿Qué quieres pedir?
Anita:	No sé. ¿Qué piensas pedir?
Pablo:	Me gusta el arroz con pollo, pero el bistec parece bien.
Anita:	El bistec aquí es muy delicioso, pero prefiero el jamón con papas y una ensalada de verduras.
Pablo:	Parece bien, pero me gusta la paella también.
Anita:	Tienes que decidir. Ya viene el camarero.
El camarero:	Buenas noches. ¿En qué puedo servirles?
Pablo:	¿Cuál es la especialidad del día?
El camarero:	Hoy tenemos la paella valenciana y una ensalada, o la ternera.
Pablo:	Los dos parecen deliciosos. Me gustaría la ternera. También una ensalada de verduras.
El camarero:	Está bien. ¿Y Ud.?
Anita:	Me gustaría la paella. Parece bien hoy.
El camarero:	¿Le gustaría una ensalada?
Anita:	Sí, por favor.
El camarero:	¿Y para beber?
Anita:	Me gustaría agua.
Pablo:	Lo mismo para mí.

Track # 4-2: **Listen and repeat the following food vocabulary words.**

Las comidas:	**Las legumbres o las verduras:**	**Las frutas:**
la carne	los frijoles	la manzana
la carne asada	las papas	las uvas
el pollo	las zanahorias	las fresas
el pescado	las habichuelas	la pera
las chuletas de cerdo	el maíz	la naranja
el bistec	las espinacas	el melón
la ternera	los guisantes	el durazno
el jamón	la lechuga	la piña
la hamburguesa	el tomate	el plátano
el tocino	la cebolla	
los mariscos		**Los postres:**
		los pasteles
		las tartas
		el helado
		el pastel
		el flan

Las bebidas:

el agua
la leche
el jugo
el refresco
el café
el té
el chocolate
el batido
el vino

Otras comidas:

la sal
la pimienta
el azúcar
la mantequilla
el pan
la mermelada
la sopa
las papas fritas
el cereal
los huevos
un sándwich
el yogur
el arroz
la pizza
la pasta
el queso

Verbos:

comer
tomar
beber
preparar
cocinar
pedir
poner la mesa
desayunar
almorzar
cenar

Track # 4-3: **Listen and repeat.**

¿Cuál es tu carne favorita?
Mi carne favorita es el pollo.
No nos gustan los mariscos.
Quiero comer un plátano o una manzana.
Desayunamos a las siete y media.
Voy a pedir un sándwich de jamón y queso.
Me gusta el jugo de naranja.
¿A qué hora cenas?

Track # 4-4: **Listen and repeat these common restaurant words and expressions.**

¿En qué puedo servirles?
¿Algo más?
¿Qué les puedo traer?
¿Qué vas a pedir?
¿Quieres compartir?
¡Buen provecho!
Tengo mucha hambre.
Tengo sed.
La cuenta, por favor.

el camarero
el cuchillo
el tenedor
el vaso
el plato
la servilleta
la silla
la cuchara
la mesa
la taza
el mantel

Track # 4-5: Listen carefully to the CD and write the English translation of the food you hear in each sentence. You will hear each sentence twice.

1.7

a. ¿Te gustan los frijoles?

b. Voy a pedir arroz.

c. Necesito comprar huevos.

d. ¿Quieres comer un plátano?

e. Nunca como queso.

f. A ellos les gusta mucho el pescado.

g. La especialidad del día es la carne asada.

h. Martín come tocino a veces.

i. ¿Cuánto cuestan las naranjas?

j. No me gustan los mariscos.

k. Comemos pan casi todos los días.

l. ¿Vas a comprar zanahorias?

SECTION II. IRREGULAR VERBS

Track # 4-6: Listen and repeat this conversation.

Luis:	Ana, vamos a dar un paseo por el parque.
Ana:	¡Qué buena idea! Necesito caminar.
Luis:	Siempre como demasiado cuando comemos en el Café Marcos.
Ana:	Yo también. Es bueno que no comamos allí a menudo.
Luis:	Creo que veo a Miguel y Diana allá.
Ana:	Tienes razón. Vamos a hablar con ellos.
Luis:	¡Hola, Miguel y Diana! ¿Cómo están?
Miguel:	Bien, gracias. ¿Y ustedes?
Ana:	Bien. ¿Qué hacen?
Diana:	Damos un paseo y admiramos como los bancos nuevos dan a la fuente.
Luis:	Vamos a sentarnos en uno de los bancos.
Miguel:	A los niños les gusta jugar con el agua en la fuente. Son cómicos con los pequeños barcos.

Track # 4-7: Listen and repeat the conjugation of the verb *dar* (to give).

yo	doy	*nosotros*	damos
tú	das	*vosotros*	dais
él	da	*ellos*	dan
ella	da	*ellas*	dan
Ud.	da	*Uds.*	dan

Track # 4-8: Listen and repeat these *dar* expressions.

dar las gracias   dar un paseo   dar a

Track # 4-9: Listen and repeat the conjugation of the verb *ver* (to see).

yo	veo	*nosotros*	vemos
tú	ves	*vosotros*	veis
él	ve	*ellos*	ven
ella	ve	*ellas*	ven
Ud.	ve	*Uds.*	ven

Track # 4-10: **Listen and repeat the following infinitives and their *yo* forms.**

agradecer	ofrecer
yo agradezco	yo ofrezco
aparecer	parecer
yo aparezco	yo parezco
conducir	producir
yo conduzco	yo produzco
desaparecer	reconocer
yo desaparezco	yo reconozco
desobedecer	traducir
yo desobedezco	yo traduzco
obedecer	
yo obedezco	

SECTION III. BODY PARTS VOCABULARY AND THE VERB *DOLER*

Track # 4-11: **Listen and repeat this conversation.**

David:	¡Ay, tengo dolor de cabeza!
Arturo:	¿Por qué?
David:	Mi hermano toca la música muy fuerte.
Arturo:	¡Qué lástima! Vamos al cine.
David:	No. No quiero caminar. Tengo dolor de pie.
Arturo:	¿Por qué?
David:	Mi hermanita montó su bicicleta sobre mis pies.
Arturo:	¡Qué pena! Vamos a comer helado.
David:	No puedo porque tengo dolor de muelas cuando como algo frío.
Arturo:	¡Qué horrible!
David:	No sé qué hacer.
Arturo:	Vamos a mirar la televisión.
David:	Está bien.

Track # 4-12: **El cuerpo humano. Listen and repeat these vocabulary words.**

la cabeza	el brazo
el pelo	la mano
los ojos	los dedos
la nariz	el estómago
las orejas	la espalda
los oídos	la pierna
la boca	la rodilla
el diente	el pie
la muela	los dedos del pie
el cuello	la garganta
el hombro	el codo

Track # 4-13: **Listen and repeat.**

A Lourdes le duele una muela.

A mi hermano le duelen las piernas.

¿A ellos les duele el estómago?

A las chicas les duelen los pies.

A mí me duelen los ojos.

Me duele el codo.

¿A ti te duele la espalda?

¿Por qué te duelen los brazos?

A nosotros no nos duelen los hombros.

A Jaime y a mí nos duele la garganta.

Nos duelen las rodillas.

Track # 4-14: **Listen carefully to the CD and write the English translation of the body part you hear in each sentence. You will hear each sentence twice.**

3.7

a. A Carlos le duele la garganta.

b. ¿Te duele la cabeza?

c. No me duelen los pies.

d. Nos duelen las piernas.

e. A ellos les duelen los brazos.

f. A Josefina le duele la espalda.

g. Me duelen los dedos.

h. ¿Te duele el oído?

i. A Miguel le duele una muela.

j. A las chicas les duelen los hombros.

k. Me duele el cuello.

l. Nos duelen los ojos.

SECTION IV. VERB EXPRESSIONS

Track # 4-15: **Listen and repeat this conversation.**

Conversación – Un viaje a Sudamérica

Sr. Gómez: Mi familia y yo vamos a hacer un viaje por Sudamérica.

Sr. López: ¿Adónde van?

Sr. Gómez: Vamos a Argentina, Uruguay, Paraguay y finalmente, Bolivia.

Sr. López: Parece un viaje magnífico.

Sr. Gómez: Pienso que sí.

Sr. López: Haga Ud. el favor de mandar unas tarjetas postales a mi familia.

Sr. Gómez: Por supuesto. Vamos a ver muchos sitios interesantes.

Sr. López: ¿Cuáles son?

Sr. Gómez: En Argentina, vamos a ver el Cristo de los Andes. Y cerca de las fronteras de Argentina y Uruguay, vamos a ver las cataratas de Iguazú. En Bolivia, vamos a visitar la ciudad capital de La Paz. Y hay muchos lugares más que queremos ver.

Sr. López: Va a ser un viaje inolvidable.

Sr. Gómez: ¡Espero que sí!

Track # 4-16: **Listen and repeat these expressions with** *hacer.*

> hacer una pregunta
> hacer un viaje
> hacer una maleta
> haga Ud. el favor de

Other Verb Expressions

Track # 4-17: **Listen and repeat.**

echar de menos	Echo de menos a mis amigos.
echar una carta al correo	Él echa una carta al correo.
creer que sí (no)	Creemos que sí (no).
estar de pie	Ellos están de pie cerca de la salida.
querer decir	Él quiere decir que no puede ir.
salir bien	Salgo bien en los exámenes de historia.
salir mal	El viaje a Madrid sale mal desafortunadamente.

SECTION V. REVIEW EXERCISES, NUMBERS 100–1,000,000

Track # 4-18: **Listen and repeat this conversation.**

Conversación – ¿Cuánto?

Enrique, un chico de tres años, le hace muchas preguntas a su padre.

Enrique:	¿Cuántos pies hay en una milla?
Padre:	Cinco mil doscientos ochenta pies.
Enrique:	¿Cuántos pies hay en un campo de fútbol americano?
Padre:	Trescientos.
Enrique:	¿Cuántas personas hay en nuestra ciudad?
Padre:	Hay cincuenta mil personas.
Enrique:	¿Cuánto cuesta nuestro coche nuevo?
Padre:	Cuesta veinte mil dólares.
Enrique:	¿Cuántas estrellas hay en el cielo?
Padre:	Hay millones de estrellas.
Enrique:	¿Cuántas libras hay en una tonelada?
Padre:	Hay dos mil. ¿Por qué haces tantas preguntas?
Enrique:	No sé.

Track # 4-19 : **Listen and repeat these numbers.**

100 – 900

cien / ciento	seiscientos
doscientos	setecientos
trescientos	ochocientos
cuatrocientos	novecientos
quinientos	

1,000 – 100,000,000

mil	un millón (de)
cinco mil	cinco millones (de)
cien mil	cien millones (de)

Track # 4-20: **Listen carefully to the CD and using digits, write the numbers you hear. Each number will be read twice.**

5.4
    a. setecientos veinte
    b. tres mil ochocientos once
    c. cien mil cuatrocientos cinco
    d. noventa y nueve mil
    e. mil quinientos sesenta y dos
    f. setenta y cinco mil novecientos
    g. un millón treinta y ocho mil
    h. doscientos cuarenta y siete millones
    i. catorce mil seis
    j. cincuenta y tres mil quinientos setenta

SECTION VII. SPEAKING, WRITING, AND READING PRACTICE

Track # 4-21: **Listen to the following passages and then answer the questions.**

7.3   Vamos al restaurante para la cena. Voy a pedir el arroz con pollo. Es muy delicioso en este restaurante. A mi padre le gusta el jamón con piña. Mi hermanito siempre pide la misma cosa — hamburguesa y papas fritas. A mi madre le gusta la ensalada con pollo. Me gusta ir al restaurante con mi familia.

7.4   Juana va de compras al supermercado. Tiene que comprar mucha comida para la familia. Va a comprar muchas legumbres como zanahorias, guisantes, maíz, y habichuelas. Necesita carne también. Y sus hermanas quieren frutas. María pide manzanas, y Alicia quiere plátanos. Juana quiere el helado.

7.5   La clase estudia el cuerpo humano. Aprende que en la cabeza hay dos ojos, la boca, la nariz, las orejas y el pelo. El resto del cuerpo tiene los brazos con las manos y los dedos, las piernas con los pies y los dedos del pie. Repiten un poema que enseña las partes del cuerpo. Es muy cómico.

LIFEPAC 6: VOCABULARY LIST

Track # 4-22:

El vocabulario de la comida:

el desayuno
el almuerzo
la cena
la merienda

Las comidas:

la carne
la carne asada
el pollo
el pescado
las chuletas de cerdo
el bistec
la ternera
el jamón
la hamburguesa
el tocino
los mariscos

Las legumbres o las verduras:

los frijoles
las papas
las zanahorias
las habichuelas
el maíz
las espinacas
los guisantes
la lechuga
el tomate
la cebolla

Las frutas:

la manzana
las uvas
las fresas
la pera
la naranja
el melón
el durazno
la piña
el plátano

Los postres:

los pasteles
las tartas
el helado
el pastel
el flan

Las bebidas:

el agua
la leche
el jugo
el refresco
el café
el té
el chocolate
el batido
el vino

Otras comidas:

la sal
la pimienta
el azúcar
la mantequilla
el pan
la mermelada
la sopa
las papas fritas
el cereal
los huevos
un sándwich
el yogur
el arroz
la pizza
la pasta
el queso

En el restaurante:

el camarero
la camarera
la silla
la mesa
el cuchillo

el tenedor
el vaso
el plato
el mantel
la servilleta
la cuchara
la taza
la cuenta
¡Buen provecho!
¿Algo más?

Verbos:

comer
tomar
beber
preparar
cocinar
pedir
poner la mesa
desayunar
almorzar
cenar
dar las gracias
dar un paseo
dar a
ver
agradecer
aparecer
conducir
desaparecer
desobedecer
obedecer
ofrecer
parecer
producir
reconocer
traducir

El cuerpo humano:

la cabeza
el pelo
los ojos
la nariz

las orejas
los oídos
la boca
el diente/los dientes
la muela
el cuello
el hombro
el brazo
la mano
los dedos
el estómago
la espalda
la pierna
la rodilla
el pie
los dedos del pie
la garganta
el codo

Verb Expressions:

tener dolor de
doler
hacer una pregunta
hacer un viaje
hacer una maleta
haga Ud. el favor de
echar de menos
echar una carta al correo
creer que sí (no)
estar de pie
querer decir
salir bien (mal)

Numbers:
100 – 900
cien/ciento
doscientos
trescientos
cuatrocientos
quinientos
seiscientos
setecientos
ochocientos
novecientos

1,000 – 100,000,000
mil
cinco mil
cien mil
un millón (de)
cinco millones (de)
cien millones (de)

Miscellaneous:
la estrella
el/la joven
el edificio
la gente
la milla
¡Qué lástima!
cómico

UNIT 6 LIFEPAC TEST AUDIO

Unit 6 Test; Section 1; Testing CD Track 21

Listen carefully to the CD and write the English translation of each food. You will hear each sentence two times. Do not pause the CD or play it more than once. (1 pt. each)

1.
    a. ¿Vas a pedir pollo?
    b. Me gusta mucho el pescado.
    c. No nos gustan los frijoles.
    d. Necesito comprar naranjas.
    e. ¿Te gusta la cebolla?
    f. Voy a pedir arroz.
    g. Me gusta el queso.
    h. ¿Vas a comprar zanahorias?

Unit 6 Test; Section 2; Testing CD Track 22

Listen carefully to the CD and write the English translation of each body part. You will hear each sentence two times. Do not pause the CD or play it more than once. (1 pt. each)

2.
    a. Me duele una muela.
    b. ¿Te duele la garganta?
    c. Nos duelen las piernas.
    d. A Jaime le duele el oído.
    e. A ellos les duele la cabeza.
    f. No me duele la espalda.
    g. ¿Te duelen los brazos?
    h. A Conchita le duele la mano.

UNIT 6 ALTERNATE LIFEPAC TEST AUDIO

Unit 6 Alternate Test; Section 1; Testing CD Track 23

Listen carefully to the CD and write the English translation of each food. You will hear each sentence two times. Do not pause the CD or play it more than once. (1 pt. each)

1.
    a. No me gustan los plátanos.
    b. Necesitas comprar huevos.
    c. ¿Te gustan las habichuelas?
    d. Voy a pedir mariscos.
    e. Nos gustan mucho las uvas.
    f. ¿Vas a pedir jamón?
    g. No hay mantequilla.
    h. Me gustan las manzanas.

Unit 6 Alternate Test; Section 2; Testing CD Track 24

Listen carefully to the CD and write the English translation of each body part. You will hear each sentence two times. Do not pause the CD or play it more than once. (1 pt. each)

2.
    a. ¿Te duelen las rodillas?
    b. A Sancho le duele el cuello.
    c. Me duelen los hombros.
    d. A ellos les duelen los pies.
    e. Nos duelen los ojos.
    f. Me duele el dedo.
    g. A Marta le duele el codo.
    h. ¿Te duele la cabeza?

LIFEPAC SEVEN
SECTION I. PERSONAL CARE

Track # 5-1: **Paula and Marta are talking about their daily routine. Listen to their conversation.**

Paula:	Hola, Marta. ¿Qué tal?
Marta:	Me siento muy cansada hoy.
Paula:	¿Por qué te sientes cansada?
Marta:	Me acosté muy tarde anoche.
Paula:	¿A qué hora te acuestas generalmente?
Marta:	Generalmente me acuesto a las diez y media, y me duermo a las once.
Paula:	¿Y a qué hora te despiertas?
Marta:	Me despierto a las seis y media, y me levanto a las siete menos veinte.
Paula:	¿Te duchas por la mañana o por la noche?
Marta:	Me ducho por la noche porque no tengo tiempo por la mañana. Después de levantarme, me lavo la cara, me cepillo los dientes, me visto y me peino.
Paula:	¿Te maquillas?
Marta:	Sí, me maquillo todos los días.
Paula:	¿A qué hora te vas a la escuela?
Marta:	Generalmente me voy a la escuela a las ocho menos cuarto. ¿Y tú?
Paula:	Me despierto a las seis porque necesito irme a la escuela a las siete y cuarto.
Marta:	¡Es muy temprano!
Paula:	Sí, pero casi nunca me siento cansada porque me acuesto temprano también.

Track # 5-2: **Here are some common reflexive verbs; notice that many of them are stem-changing. Listen and repeat.**

acostarse	maquillarse
afeitarse	mirarse
bañarse	peinarse
caerse	ponerse
cambiarse de (ropa)	ponerse a dieta
cepillarse (el pelo/los dientes)	prepararse
cortarse el pelo	quedarse (en casa)
despertarse	quitarse
desvestirse	referirse
divertirse	secarse
dormirse	sentarse
ducharse	sentirse
irse	verse (cansado, enfermo, etc.)
lavarse	vestirse
levantarse	

Track # 5-3: **Listen and repeat the conjugations of the following reflexive verbs.**

bañarse	*yo* **me baño**	*nosotros* **nos bañamos**
	tú **te bañas**	*vosotros* **os bañáis**
	Ud./él/ella **se baña**	*Uds./ellos/ellas* **se bañan**

acostarse	*yo* **me acuesto**	*nosotros* **nos acostamos**
	tú **te acuestas**	*vosotros* **os acostáis**
	Ud./él/ella **se acuesta**	*Uds./ellos/ellas* **se acuestan**

ponerse	*yo* **me pongo**	*nosotros* **nos ponemos**
	tú **te pones**	*vosotros* **os ponéis**
	Ud./él/ella **se pone**	*Uds./ellos/ellas* **se ponen**

divertirse	*yo* **me divierto**	*nosotros* **nos divertimos**
	tú **te diviertes**	*vosotros* **os divertís**
	Ud./él/ella **se divierte**	*Uds./ellos/ellas* **se divierten**

sentirse	*yo* **me siento**	*nosotros* **nos sentimos**
	tú **te sientes**	*vosotros* **os sentís**
	Ud./él/ella **se siente**	*Uds./ellos/ellas* **se sienten**

Track # 5-4: **Listen carefully to the CD and circle the correct translation for each reflexive verb. You will hear each one twice.**

1.5

a. se siente
b. se lavan
c. me divierto
d. nos caemos
e. te acuestas

f. se peinan
g. se va
h. nos maquillamos
i. te desvistes
j. me afeito

SECTION II. PERSONAL CARE

Track # 5-5: **Listen and repeat this list of vocabulary associated with personal care.**

la bañera
el baño
la cama
el cepillo
el cepillo de dientes
el champú
el despertador
los dientes
el dormitorio
la ducha

el espejo
el jabón
el lavabo
el maquillaje
la pasta de dientes
el peine
el pelo
la ropa
la secadora
la toalla

Track # 5-6: **Listen carefully to the CD; if the sentence you hear is logical, circle *sí*. If it isn't logical, circle *no*. You will hear each sentence twice.**

2.2
   a. Necesito una toalla para secarme.
   b. Necesito jabón para maquillarme.
   c. Necesito una secadora para secarme el pelo.
   d. Necesito un espejo para mirarme.
   e. Necesito un cepillo de dientes para peinarme.
   f. Necesito ropa para afeitarme.
   g. Necesito maquillaje para levantarme.
   h. Necesito una cama para vestirme.
   i. Necesito jabón para ducharme.
   j. Necesito un peine para despertarme.
   k. Necesito una bañera para bañarme.
   l. Necesito champú para lavarme la cara.

SECTION III. WEATHER & TEMPERATURES

Track # 5-7: **Listen and repeat these weather-related expressions.**

El tiempo: the weather

¿Qué tiempo hace?	Hace (muy) mal tiempo.
Hace (mucho) sol.	Está nublado.
Hace (mucho) calor.	Llueve.
Hace (mucho) frío.	Está lloviendo.
Hace (mucho) viento.	Nieva.
Hace fresco.	Está nevando.
Hace (muy) buen tiempo.	

Track # 5-8: **Listen and repeat.**

¿Hace viento?
¿Hace buen tiempo?
Está nublado, ¿no?
Hace mucho calor, ¿verdad?
No hace sol hoy.
No hace mucho frío.
No está nevando ahora.

Track # 5-9: **Listen and repeat.**

Llueve mucho en la primavera.
Nunca nieva aquí en julio.
¿Nieva mucho en España?
Está lloviendo mucho.
¿Está nevando?

Track # 5-10: **Listen and repeat these expressions.**

¿Cuál es la temperatura?

¿Cuál es la temperatura máxima?

¿Cuál es la temperatura mínima?

Es de _____ grados (bajo cero).

Hace _____ grados (bajo cero).

Es de setenta grados.

Es de diez grados bajo cero.

Hace cincuenta y ocho grados.

Hace veinte grados bajo cero.

Track # 5-11: **Listen carefully to the CD and write the English translation of the weather expression you hear. You will hear each sentence twice.**

3.5

a. Hace buen tiempo.

b. Llueve.

c. Hace calor.

d. Hace sol.

e. Hace mucho viento.

f. Está nublado.

g. Hace fresco.

h. Está nevando.

i. Hace frío.

j. Está lloviendo.

Track # 5-12: **Listen carefully to the CD; if the sentence you hear is logical, circle *sí*. If it isn't logical, circle *no*. You will hear each sentence twice.**

3.6

a. Voy a nadar porque hace mucho calor.

b. Me gusta ir a la playa cuando hace mucho frío.

c. Vamos a quedarnos en casa porque hace mal tiempo.

d. Cuando hace buen tiempo me gusta jugar fútbol.

e. Llevo un impermeable cuando llueve.

f. Llevo guantes y un abrigo cuando hace calor.

g. Las hojas caen de los árboles cuando hace mucho viento.

h. Necesito anteojos de sol porque está nublado hoy.

i. Queremos dar un paseo ahora porque está lloviendo.

SECTION IV. GRAMMAR: ADVERBS AND DEMONSTRATIVE ADJECTIVES

Track # 5-13: **Listen and repeat the following adjectives and their corresponding adverbs.**

lento – lentamente

rápido – rápidamente

inteligente – inteligentemente

Track # 5-14: **Listen and repeat these demonstrative adjectives.**

This/These	That/Those	That/Those (over there)
este	ese	aquel
esta	esa	aquella
estos	esos	aquellos
estas	esas	aquellas

Track # 5-15: **Listen and repeat.**

este libro	esa casa
estos libros	esas casas
esta revista	aquel hombre
estas revistas	aquellos hombres
ese coche	aquella mujer
esos coches	aquellas mujeres

Track # 5-16: **Listen carefully to the CD and write the English translation of the demonstrative adjective and the noun it modifies. For example, if you hear** *¿Quién es este chico?* **you would write** *this boy.* **You will hear each sentence twice.**

4.10

a. Estas manzanas son deliciosas.

b. Me gustan aquellos anteojos de sol.

c. ¿De dónde es esa muchacha?

d. ¿Vas a comprar este melón?

e. ¿Cuánto cuestan esos libros?

f. Vamos a mirar esta película.

g. Aquel museo es muy interesante.

h. Ese despertador cuesta diez dólares.

i. ¿Te gustan estos pantalones?

j. Aquella mujer es mi maestra de inglés.

SECTION VII. VOCABULARY DRILL

Track # 5-17: **Listen to this conversation carefully; be sure you understand the entire storyline. Then practice reading it with a learning partner.**

María: ¿Puedo desayunar contigo, Ramona?

Ramona: Sí. Conozco un buen restaurante. Es muy elegante. Debes llevar un vestido.

María: ¿Un vestido? ¿No puedo llevar estos jeans y esta camiseta?

Ramona: No, esa ropa no es apropiada.

María: ¿Podemos ir a un restaurante más informal?

Ramona: Bueno. Vamos a otro restaurante y puedes llevar jeans y una camiseta.

María: Gracias, Ramona. ¿A qué hora vamos a ir?

Ramona: A las ocho.

María: ¿A las ocho? ¡Es muy temprano! No me gusta levantarme temprano. ¿Podemos ir más tarde?

Ramona: ¿Quieres almorzar en vez de desayunar?

María: Sí. ¡Gracias!

Ramona: De nada. Si hace buen tiempo podemos dar un paseo después de almorzar.

María: ¿A qué hora vamos a ir?

Ramona: Ven a mi casa a las doce.

María: ¿Está cerca el restaurante?

Ramona: No, está bastante lejos; está en el centro. Voy a conducir mi coche.

María: Bueno. Hasta mañana.

Ramona: ¡Adiós!

LIFEPAC 7: VOCABULARY LIST

Track # 5-18:

Los verbos reflexivos:

acostarse
afeitarse
bañarse
caerse
cambiarse de
cepillarse
cortarse el pelo
despertarse
desvestirse
divertirse
dormirse
ducharse
irse
lavarse
levantarse
maquillarse
mirarse
peinarse
ponerse
ponerse a dieta
prepararse
quedarse
quitarse
referirse
secarse
sentarse
sentirse
verse
vestirse

El arreglo personal:

la bañera
el baño
la cama
el cepillo
el cepillo de dientes
el champú
el despertador
los dientes
el dormitorio
la ducha

el espejo
el jabón
el lavabo
el maquillaje
la pasta de dientes
el peine
el pelo
la ropa
la secadora
la toalla

El tiempo:

¿Qué tiempo hace?
Hace (mucho) sol.
Hace (mucho) calor.
Hace (mucho) frío.
Hace (mucho) viento.
Hace fresco.
Hace (muy) buen tiempo.
Hace (muy) mal tiempo.
Está nublado.
Llueve.
Está lloviendo.
Nieva.
Está nevando.

La temperatura:

¿Cuál es la temperatura?
¿Cuál es la temperatura máxima?
¿Cuál es la temperatura mínima?
Es de _____ grados (bajo cero).
Hace _____ grados (bajo cero).

Los adjetivos demostrativos:

este, esta
estos, estas
ese, esa
esos, esas
aquel, aquella
aquellos, aquellas

UNIT 7 LIFEPAC TEST AUDIO

Unit 7 Test; Section 1; Testing CD Track 25

Listen carefully to the CD and circle the correct translation for each verb. You will hear each one twice. Do not pause the CD or play it more than once. (1 pt. each)

1.
    a. se sientan
    e. me acuesto
    b. se lava
    f. se va
    c. nos despertamos
    g. te caes
    d. te afeitas
    h. nos maquillamos

Unit 7 Test; Section 2; Testing CD Track 26

Using the CD, listen carefully to the following questions and then answer each one with a complete sentence in Spanish. You will hear each question two times. You may <u>briefly</u> pause the CD between questions, but do not play it more than once. Write out all numbers. (3 pts. each)

2.
    a. ¿A qué hora te levantas?
    b. ¿Te cortas el pelo cada mes?
    c. ¿Te diviertes en la escuela?
    d. ¿Prefieres ducharte o bañarte?

UNIT 7 ALTERNATE LIFEPAC TEST AUDIO

Unit 7 Alternate Test; Section 1; Testing CD Track 27

Listen carefully to the CD and circle the correct translation for each verb. You will hear each one twice. Do not pause the CD or play it more than once. (1 pt. each)

1.
    a. se viste
    e. se quedan
    b. me seco
    f. me cepillo
    c. nos sentamos
    g. se ven
    d. te duermes
    h. nos vestimos

Unit 7 Alternate Test; Section 2; Testing CD Track 28

Using the CD, listen carefully to the following questions and then answer each one with a complete sentence in Spanish. You will hear each question two times. You may <u>briefly</u> pause the CD between questions, but do not play it more than once. Write out all numbers. (3 pts. each)

2.
    a. ¿A qué hora te acuestas??
    b. ¿Te maquillas?
    c. ¿Te pones a dieta a veces?
    d. ¿Prefieres levantarte temprano o tarde?

LIFEPAC EIGHT
SECTION I. TRANSPORTATION VOCABULARY

Track # 5-19: **Salvador and Carlos are talking about how they get to school and an upcoming trip. Listen to their conversation and then practice it with a learning partner.**

Salvador: Hola, Carlos. ¿Cómo estás?

Carlos: Estoy frustrado porque no puedo encontrar mi permiso de conducir.

Salvador: ¿Conduces mucho?

Carlos: Sí. Conduzco a la escuela todos los días. ¿Cómo vas tú a la escuela?

Salvador: Tomo el autobús.

Carlos: Alejandro toma el autobús también, ¿verdad?

Salvador: No, él va a pie porque vive muy cerca de la escuela.

Carlos: ¿Y Rodrigo y Felipe?

Salvador: Ellos viven bastante cerca también. Montan en bici a la escuela.

Carlos: Oye, Salvador, ¿sabes que mi familia y yo vamos a Puerto Rico el próximo mes?

Salvador: ¿Van Uds. a viajar por avión?

Carlos: No, vamos en barco.

Salvador: ¿De veras? Va a ser un viaje muy interesante.

Carlos: Sí. Y vamos a quedarnos en el hotel muy cerca de la playa.

Salvador: ¿Con qué frecuencia viajan tú y tu familia?

Carlos: Hacemos un viaje todos los veranos.

Salvador: ¡Qué suerte tienes!

Track # 5-20: **Listen and repeat.**

el avión	la acera
el coche / carro / auto / automóvil	el campo
la bicicleta	próximo
la bici	¿Con qué frecuencia...?
la moto	viajar (por)
el tren	ir
el metro	ir en
el autobús	ir a pie
el barco	conducir
el bote	manejar
el taxi	tomar
el camión	montar
el permiso de conducir	montar en bici
el mar	montar en moto
el cielo	montar a caballo
la parada	caminar
la estación	dar un paseo
el camino	pasear
la calle	pasear en bote
la avenida	volar

Track # 5-21: **Listen and repeat.**

¿Cómo vas a la escuela?   ¿Con qué frecuencia tomas un taxi?
Voy en coche.   Casi nunca tomo un taxi.
Manejo.   ¿Prefieres viajar por avión o por tren?
Voy a pie.   ¿Cómo se llama la próxima parada?
Camino.   ¿Dónde está la estación del metro?
Monto en bici. / Monto mi bici.   Está en la Avenida Cervantes.
¿Te gusta montar a caballo?

Track # 5-22: **Listen carefully to the CD and write the English translation for which mode of transportation each person is using. For example, if you hear *Ella toma un taxi*, write *taxi*. You will hear each sentence twice.**

1.5

a. Víctor va en moto.   e. Néstor monta a caballo.
b. Pepita y yo vamos en metro.   f. Montas en bici.
c. Uds. viajan por avión.   g. Ellos van en camión.
d. Voy a pie.   h. Tomamos el autobús.

Track # 5-23: **Listen to each sentence. If it's logical, circle *sí*. If it's not logical, circle *no*. You'll hear each sentence twice.**

1.6

a. Voy en avión porque me gusta volar.
b. Vamos a España en bici.
c. Camino a la piscina porque está muy cerca.
d. No conduzco porque no tengo permiso de conducir.
e. Si hace muy mal tiempo vamos a pasear.
f. Vamos a manejar en la acera.
g. Voy a dar un paseo en el cielo.
h. Me gusta montar a caballo en el campo.
i. Voy a la escuela en barco.
j. Cuando estamos en la ciudad tomamos el metro.
k. Manejo en el camino.
l. Diego vive en el mar.

SECTION II. TRAVEL-RELATED VERBS; BARGAINING & CURRENCIES

Track # 5-24: **Listen and repeat these travel-related verbs.**

hacer un viaje   sacar/tomar fotos
hacer la maleta   comprar
hacer cola   tomar el sol
ir de vacaciones   nadar
ir de compras   esquiar
ir de camping   esquiar en el agua
estar de vacaciones   descansar
cambiar dinero   disfrutar de
gastar dinero   pasar (tiempo)
dejar una propina   regatear
alquilar   llamar

Track # 5-25: **Listen and repeat.**

> Siempre disfruto de las vacaciones.
> ¿Con qué frecuencia esquías en el agua?
> Vamos a pasar una semana en Madrid.
> Nuestros abuelos están de vacaciones ahora.
> Tenemos que hacer cola aquí.
> Debemos dejar una propina, ¿no?
> Gasto mucho dinero cuando viajo.
> ¿Dónde podemos cambiar dinero?

Track # 5-26: **Sara is vacationing in Mexico and is shopping at a souvenir market. Listen to her conversation with a vendor.**

Vendedor:	Buenos días, señorita. ¿Estás buscando algo especial?
Sara:	Sí. Quiero comprar una camiseta.
Vendedor:	Tengo unas camisetas muy bonitas.
Sara:	Sí, son bonitas. Me gusta la roja. ¿Cuánto cuesta?
Vendedor:	Doscientos pesos.
Sara:	¿Doscientos pesos? Es demasiado. Le doy cien pesos.
Vendedor:	Ciento ochenta pesos.
Sara:	Ciento veinte pesos.
Vendedor:	Ciento sesenta pesos, señorita.
Sara:	Le doy ciento cincuenta.
Vendedor:	Bueno, señorita, ciento cincuenta. ¿Algo más?
Sara:	No, sólo la camiseta.
Vendedor:	Muy bien. Aquí está.
Sara:	Gracias.
Vendedor:	De nada. Qué te vaya bien.

SECTION III. TRAVEL & VACATION VOCABULARY

Track # 5-27: **Listen and repeat.**

el vendedor, la vendedora	la cuenta	la cámara
el/la agente de viajes	la llave	la bolsa
el/la guía	la cartera, la billetera	la mochila
el/la turista	la tarjeta de crédito	los servicios
el viajero, la viajera	el cajero automático	la reservación
el pasajero, la pasajera	el cheque de viajero	la (tarjeta) postal
el pasaporte	los recuerdos	el sello
el boleto	el mercado	Estoy perdido/a.
la maleta	la aduana	a la derecha
el equipaje	el mapa	a la izquierda
la agencia de viajes	el país	todo derecho
el ascensor	las ruinas	Disculpe. ¿Puede Ud. decirme
la propina	la pirámide	dónde está(n) _____ ?

Track # 5-28: **Listen and repeat.**

> Nuestro guía es muy amigable.
> Los pasajeros necesitan pasar por la aduana.
> ¿Dónde está nuestro equipaje?
> ¿Puedo comprar un boleto aquí?
> ¿Debo hacer una reservación para el restaurante?
> ¿Qué recuerdos quieres comprar?
> Mañana vamos a visitar unas ruinas mayas.
> Creo que estamos perdidos.
> El café está a la derecha de la tienda.
> El museo está todo derecho.

Track # 5-29: **Listen to each sentence. If it's logical, circle *sí*. If it's not logical, circle *no*. You'll hear each sentence twice.**

3.6

> a. Vamos a comprar recuerdos en el ascensor.
> b. El equipaje está en los servicios.
> c. Puedo comprar sellos en el correo.
> d. Voy a llevar mi cámara a las ruinas.
> e. Pongo mi dinero en mi billetera.
> f. No puedo abrir la puerta porque no tengo llave.
> g. Necesito un cajero automático para usar un cheque de viajero.
> h. Voy a regatear con los vendedores en el mercado.
> i. Necesito mi pasaporte para pasar por la aduana.

SECTION V. THE PRESENT PROGRESSIVE

Track # 5-30: **A few verbs have irregular present participles. Listen and repeat this list.**

ir – yendo	caer – cayendo
decir – diciendo	traer – trayendo
poder – pudiendo	oír – oyendo
venir – viniendo	creer – creyendo
leer – leyendo	

Track # 5-31: **Listen and repeat.**

dormir – durmiendo	repetir - repitiendo
morir – muriendo	sentir – sintiendo

Track # 5-32: **Listen and repeat.**

5.2

ayudando	haciendo
estudiando	saliendo
bebiendo	leyendo
trabajando	regateando
abriendo	descansando
pidiendo	corriendo
cerrando	dando
almorzando	viendo
jugando	

Track # 5-33: **Listen and repeat.**

Estoy hablando.   Estoy comiendo.
Estás hablando.   Estás comiendo.
Ella está hablando.   Él está comiendo.
Estamos hablando.   Estamos comiendo.
Estáis hablando.   Estáis comiendo.
Ellos están hablando.   Ustedes están comiendo.

Track # 5-34: **Listen carefully to the CD and write the English translation for the present participles. You will hear each sentence twice.**

5.6
a. Ellos están bailando.   g. Estoy contestando la pregunta.
b. Carlos está montando a caballo.   h. Estamos poniendo la mesa.
c. Tomás está escribiendo una carta. i. Jaime está lavando los platos.
d. Mamá está preparando la cena.   j. Diego está manejando.
e. Estoy usando la computadora.   k. Estamos haciendo las maletas.
f. ¿Estás abriendo la ventana?   l. Ellos están dando un paseo.

Track # 5-35: **Listen and repeat.**

Me estoy lavando las manos.   Chela se está vistiendo.
Estoy lavándome las manos.   Chela está vistiéndose.

¿Te estás maquillando?   No nos estamos divirtiendo.
¿Estás maquillándote?   No estamos divirtiéndonos.

SECTION VII. GRAMMAR: DIRECT OBJECT PRONOUNS
ME, TE, NOS, & OS

Track # 5-36: **Clara's little sister Evita is starting school and is very nervous. Listen to her conversation with Clara and then practice it with a learning partner.**

Evita: ¿Cómo vamos a la escuela? ¿Vamos a tomar el autobús?

Clara: No, no lo vamos a tomar. Mamá nos lleva a la escuela, y después de las clases ella nos espera y nos lleva a casa.

Evita: ¿Te veo durante el día?

Clara: Sí, me ves. Y yo te busco durante el día.

Evita: ¿Cómo se llama mi maestra?

Clara: Se llama Sra. Vallejo. La tienes que obedecer.

Evita: ¿Cómo es? ¿Es amable?

Clara: Sí, es muy amable. Si tienes preguntas o problemas, ella te ayuda.

Evita: ¿Qué más debo hacer?

Clara: Pues, cuando tienes tarea, debes hacerla. Cuando la Sra. Vallejo habla, debes escucharla.

Evita: ¿Y quién es tu maestro?

Clara: Es el Sr. Quintana. Tú lo conoces. Él vive cerca de nosotras y siempre nos saluda cuando caminamos por su casa.

Evita: Sí, lo conozco.

Clara: ¿Te sientes mejor ahora?

Evita: Sí, mucho mejor. Ahora no estoy tan nerviosa. ¡Gracias, Clara!

Clara: De nada, Evita.

LIFEPAC 8: VOCABULARY LIST

Track # 5-37:

el avión
el coche/carro/auto/automóvil
la bicicleta
la bici
la moto
el tren
el metro
el autobús
el barco
el bote
el taxi
el camión

el permiso de conducir
el mar
el cielo
la parada
la estación
el camino
la calle
la avenida
la acera
el campo
próximo
¿Con qué frecuencia … ?

viajar (por)
ir
ir en
ir a pie
conducir
manejar
tomar
montar
montar en bici
montar en moto
montar a caballo
caminar
dar un paseo
pasear
pasear en bote
volar
hacer un viaje
hacer la maleta
hacer cola

ir de vacaciones
ir de compras
ir de camping
estar de vacaciones
cambiar dinero
gastar dinero
dejar una propina
alquilar
sacar/tomar fotos
comprar
tomar el sol
nadar
esquiar
esquiar en el agua
descansar
disfrutar de
pasar (tiempo)
regatear
llamar

el vendedor, la vendedora
el/la agente de viajes
el/la guía
el/la turista
el viajero, la viajera
el pasajero, la pasajera
el pasaporte
el boleto
la maleta
el equipaje
la agencia de viajes
el ascensor
la propina
la cuenta
la llave
la cartera, la billetera
la tarjeta de crédito
el cajero automático
el cheque de viajero
los recuerdos
el mercado
la aduana
el mapa
el país
las ruinas

la pirámide
la cámara
la bolsa
la mochila
los servicios
la reservación
la (tarjeta) postal
el sello
Estoy perdido/a
a la derecha
a la izquierda
todo derecho

Disculpe. ¿Puede Ud. decirme
    dónde está(n) _____ ?

UNIT 8 LIFEPAC TEST AUDIO

Unit 8 Test; Section 1; Testing CD Track 29

Using the CD, listen carefully to each sentence. If it's logical, circle *sí*. If it's not logical, circle *no*. You will hear each sentence twice. You may <u>briefly</u> pause the CD between sentences, but do not play it more than once. (1 pt. each)

1.
  a. Voy a manejar en el mar.
  b. Vivimos en el cielo.
  c. Voy a comprar sellos en el correo.
  d. Necesitas un pasaporte para montar a caballo.
  e. Cuando estoy en el campo, tomo el metro.
  f. Vamos a caminar en la acera.
  g. Viajamos en avión porque nos gusta volar.
  h. Vamos al centro en barco.
  i. Voy a regatear con los vendedores en el mercado.
  j. Pongo mi dinero en el ascensor.

Unit 8 Test; Section 2; Testing CD Track 30

Using the CD, listen carefully to the following questions and then answer each one with a complete sentence in Spanish. You will hear each question two times. You may <u>briefly</u> pause the CD between questions, but do not play it more than once. (3 pts. each)

2.
  a. ¿Con qué frecuencia tomas un taxi?
  b. ¿Te gusta montar en bici?
  c. ¿Conduces bien o mal?
  d. ¿Prefieres tomar el sol o esquiar en el agua?
  e. ¿Tienes una tarjeta de crédito?

UNIT 8 ALTERNATE LIFEPAC TEST AUDIO

Unit 8 Alternate Test; Section 1; Testing CD Track 31

Using the CD, listen carefully to each sentence. If it's logical, circle *sí*. If it's not logical, circle *no*. You will hear each sentence twice. You may <u>briefly</u> pause the CD between sentences, but do not play it more than once. (1 pt. each)

1.
  a. Me gusta montar a caballo en el metro.
  b. Puedo comprar recuerdos en el mercado.
  c. Vamos a pasear en bote en el cielo.
  d. No vamos a dar un paseo porque está lloviendo.
  e. Debes dejar una propina en el equipaje.
  f. Vamos a volar en el mar.
  g. No puedo tomar un taxi porque no tengo permiso de conducir.
  h. Vamos a tomar el sol en la playa.
  i. Necesito un boleto para cambiar dinero.
  j. Puedo comprar postales en los servicios.

Unit 8 Alternate Test; Section 2; Testing CD Track 32

Using the CD, listen carefully to the following questions and then answer each one with a complete sentence in Spanish. You will hear each question two times. You may <u>briefly</u> pause the CD between questions, but do not play it more than once. (3 pts. each)

2.   a. ¿Te gusta pasear?

            b. ¿Manejas mucho o poco?

            c. ¿Con qué frecuencia haces un viaje?

            d. ¿Tienes un permiso de conducir?

            e. ¿Prefieres sacar fotos o ir de compras?

LIFEPAC NINE
SECTION I. NEIGHBORHOOD VOCABULARY

Track # 6-1:   **Listen and repeat this conversation between two friends who see each other downtown.**

Mario:	Hola, Ale. ¿Adónde vas?
Ale:	Hola, Mario. Voy a la frutería.
Mario:	¿Qué vas a comprar?
Ale:	Voy a comprar manzanas, naranjas y uvas.
Mario:	Yo voy a la panadería y luego a la pescadería.
Ale:	Necesito ir a la panadería también. ¿Quieres ir juntos?
Mario:	Bueno. ¿Y quieres ir a la heladería después?
Ale:	Sí. ¡Me encanta el helado!
Mario:	Nuestra heladería es muy buena.
Ale:	Tienes razón. Y la panadería también es muy buena.
Mario:	Sí, el pan es muy delicioso y no cuesta mucho.
Ale:	Oye, Mario, aquí está la mueblería. Tu hermano mayor trabaja aquí, ¿no?
Mario:	Sí, él hace muebles como sillas, mesas, y cómodas.
Ale:	Mi tía trabaja en la florería al lado de la mueblería. Es florista.
Mario:	Mi mamá siempre compra flores de tu tía. Dice que ella es la mejor florista del pueblo.
Ale:	Sí, sus flores son muy bonitas.
Mario:	Me gustan mucho las tiendas pequeñas en nuestro vecindario.
Ale:	¡A mí también!

Track # 6-2:   **Listen and repeat these vocabulary words.**

el vecindario

el vecino

la pescadería

el pescador

la carnicería

el carnicero

la panadería

el panadero

la frutería

el frutero

la pastelería

el pastelero

la joyería

el joyero

la mueblería

el mueblista

la heladería

el heladero

la librería

el librero

la dulcería

el dulcero

la florería, floristería

el florista, florero

la peluquería

el peluquero

la zapatería

el zapatero

la lechería

el lechero

la papelería

el papelero

pescar

las joyas

los muebles

los dulces

un sobre

Track # 6-3: **Listen to each sentence on the CD. If it's logical, circle *sí*. If it's not logical, circle *no*. You'll hear each sentence twice.**

1.7

    a. Puedo comprar pollo y jamón en la carnicería.
    b. Si tienes hambre, debes ir a la joyería.
    c. Se venden duraznos y piña en la frutería.
    d. El mueblista hace sillas, cómodas y mesas.
    e. Se venden sobres en la dulcería.
    f. Puedes comprar cuadernos en la papelería.
    g. Voy a comprar chuletas de cerdo en la pastelería.
    h. El zapatero trabaja en la heladería.
    i. Se venden joyas en la florería.
    j. Una peluquera corta el pelo.
    k. Si quieres comprar botas, debes ir a la mueblería.
    l. Voy a comprar tocino en la lechería.

SECTION II. GRAMMAR: INDIRECT OBJECT PRONOUNS *LE* & *LES*

Track # 6-4: **Listen to this conversation between two siblings.**

Beto:	¿Qué estás haciendo?
Paca:	Estoy escribiéndole una carta a Abuelita.
Beto:	¿Qué vas a darle a Mamá para la Navidad?
Paca:	Creo que voy a darle un collar. ¿Y tú?
Beto:	Le voy a dar un libro.
Paca:	¡Siempre le das un libro a Mamá!
Beto:	Sí, pero le gusta leer. ¿Qué le vas a dar a Papá?
Paca:	No sé. Quiero comprarle algo especial. ¿Tienes algunas ideas?
Beto:	Le quiero comprar unas herramientas. ¿Y a Tío Jorge y Tía Lola?
Paca:	Nunca les doy nada a ellos porque no necesitan nada. Mamá les manda una tarjeta y unas fotos de nosotros. Les debemos escribir una carta.
Beto:	Tú puedes escribirles, pero yo odio escribir. Oye, ¿qué vas a comprarme para la Navidad?
Paca:	¡No te voy a decir! Es una sorpresa.
Beto:	Pues, yo te compré una camisa.
Paca:	Beto, ¿por qué me dijiste?
Beto:	Estoy bromeando. No te compré una camisa.
Paca:	Pues, no quiero saber. No me digas nada, ¿entiendes?
Beto:	Sí, entiendo.

Track # 6-5: Here are some verbs and nouns commonly used in sentences in indirect objects.

Listen and repeat them.

dar	servir
regalar	devolver
escribir	ofrecer
decir	dinero
prestar	consejos
pedir	un consejo
hacer	una mentira
comprar	la verdad
vender	una carta
enseñar	una tarjeta
hablar	una postal
mandar	un regalo
mostrar	un secreto
preguntar	un cuento
leer	las noticias
traer	

SECTION III. GRAMMAR: INDIRECT OBJECT PRONOUNS
ME, TE, NOS, & OS

Track # 6-6: **Listen and repeat.**

Mi hermano nunca me presta dinero.

¿Me prestas tu coche?

No, no te presto mi coche.

Siempre te digo la verdad.

¿Nos muestras tus fotos?

Sí, os muestro mis fotos.

Sí, les muestro mis fotos a Uds.

Track # 6-7: **Listen and repeat.**

¿Qué vas a comprarme a mí?

No te voy a comprar nada a ti.

La maestra nos da mucha tarea a nosotros.

¿Por qué nos dices mentiras a Paco y a mí?

Os estoy hablando a vosotros.

SECTION IV. DOUBLE OBJECT PRONOUNS

Track # 6-8: **Listen to this conversation between two friends.**

Inés: Hola, Mari. ¿Cómo estás?

Mari: Así, así. Quiero comprar una grabadora, pero no tengo suficiente dinero.

Inés: Acabo de comprar una grabadora nueva. ¿Quieres comprar la vieja?
Te la vendo por veinte dólares.

Mari: ¿Me la vendes por veinte dólares? ¿Funciona bien?

Inés: Sí, muy bien. ¿La quieres comprar?

Mari: Sí, quiero comprarla. Oye, Inés, ¿me prestas tu disco nuevo?

Inés:	Sí, te lo presto. ¿Me prestas tu disco de Shakira?
Mari:	Ya se lo presté a mi prima.
Inés:	¿Cuándo te lo va a devolver?
Mari:	Creo que va a devolvérmelo la próxima semana. Luego te lo presto.
Inés:	Bueno. Gracias.
Mari:	De nada.

Track # 6-9: **Listen and repeat.**

¿Me das tus libros?
No, no te los doy.

¿Nos prestas tu cámara?
Sí, se la presto.

¿Le vas a vender tu coche a Nacho?
Sí, se lo voy a vender.
Sí, voy a vendérselo.

¿Estás escribiéndole una postal a tu novio?
No, no estoy escribiéndosela.
No, no se la estoy escribiendo.

¿Te gusta leerles cuentos a los niños?
Sí, me gusta leérselos.

SECTION V. GRAMMAR: REVIEW OF PREPOSITIONS

Track # 6-10: **Listen and repeat these common prepositions.**

a	encima de	antes de
de	frente a	con
en	debajo de	después de
por	enfrente de	sin
cerca de	dentro de	para
detrás de	sobre	en vez de
lejos de	delante de	a la derecha de
a través de	entre	alrededor de
al lado de	fuera de	a la izquierda de

Track # 6-11: **Listen and repeat.**

Tus zapatos están debajo de la cama.
Mi mochila está detrás del sillón.
Este regalo es para Susana.
Nuestra casa está enfrente del parque.
Hay un gato encima del coche.
Hay muchas flores alrededor de la casa.
Voy a invitar a Dolores en vez de Andrea.
El café está entre la farmacia y el hotel.
Almuerzo después de la clase de inglés.
La carta está sobre la mesa.

Track # 6-12: Listen carefully to the CD. Each sentence contains a preposition that states a location within a house; write the English translation of that location. For example, if you hear *Está cerca de la estufa,* you would write *close to the stove.* If necessary, first review the house vocabulary found in LIFEPAC 3. You will hear each sentence twice.

5.3
a. Está delante de la ventana.
b. Está al lado de la cómoda.
c. Está a la izquierda del armario.
d. Está entre el sofá y el librero.
e. Está encima del refrigerador.
f. Está debajo del lavabo.
g. Está a la derecha de la bañera.
h. Está sobre la mesita.
i. Está detrás del sillón.
j. Está lejos del tapete.

Track # 6-13: Using a blank piece of paper, draw a picture of a bedroom based on the instructions you hear on the CD. Pause the CD as needed after each sentence to give you time to draw. *Left* and *right* will refer to your left and right as you look at your drawing. *En el centro* means *in the center.*

5.4
a. Hay una ventana en el centro del dormitorio.
b. Hay un tapete delante de la ventana.
c. Una cama está a la derecha de la ventana.
d. Hay dos libros sobre la cama.
e. Hay una cómoda a la izquierda de la ventana.
f. Una mesa de noche está a la derecha de la cama.
g. Hay un despertador sobre la mesa de noche.
h. Un librero está a la izquierda de la cómoda.
i. Hay una mochila delante de la cómoda.
j. La puerta está a la izquierda del librero.

SECTION VI. GRAMMAR: PREPOSITIONAL PRONOUNS

Track # 6-14: Listen and repeat.

Ese regalo es de mí.
Francisco vive cerca de ti, ¿no?
Vamos a empezar sin él.
No trabajo con ella.
Tengo un mensaje para Ud.
El Sr. Valdéz vive al lado de nosotros.
¿Estás hablando de ellos?
Pepita se sienta detrás de ellas.
Quiero usar la computadora después de ustedes.

SECTION VII. EXPRESSIONS WITH PREPOSITIONS

Track # 6-15: **Listen and repeat.**

Phrases beginning with *a*:

a casa
a causa de
al + infinitive
a menudo
a pesar de
a pie
a caballo
a tiempo
a veces

Phrases beginning with *de*:

de esta manera
de memoria
de moda
de nuevo
de repente
de vez en cuando

Phrases beginning with *en*:

en casa
en punto
en seguida
en vez de; en lugar de
en voz alta
en voz baja

Phrases beginning with *con*:

con frecuencia
con mucho gusto
con permiso

Phrases beginning with *por*:

por eso
por fin
por lo general
por supuesto
por todas partes

SECTION IX. READING, WRITING, & LISTENING PRACTICE

Track # 6-16: **Answer the following questions based on the paragraphs you hear. You'll hear the information two times.**

9.3   Tenemos que ir a la librería para la clase de español. Tenemos que leer tres libros de un autor hispánico. Quiero leer un libro de Unamuno, uno de García Márquez y uno de Allende. Son tres autores muy interesantes. Tenemos que ir a la librería del Sr. Sánchez porque tiene una buena selección de libros y revistas.

9.4   Luis y Miguel van a tomar el autobús al centro. Van a ir de compras para las cosas que necesitan. Luis tiene que comprarle un regalo a su hermano. Quiere un pastel de helado. Miguel quiere unos zapatos nuevos. Por eso van a la zapatería. Busca un par de zapatos negros que le gusta. Después van a la florería para flores para sus madres. El domingo es el Día de la Madre. Y finalmente van a la heladería para el pastel de helado. Regresan a casa en el autobús.

9.5   Por fin es sábado. Tenemos mucho que hacer. A causa de no llegar a las dos en punto, tenemos que trabajar rápidamente. La fiesta va a comenzar a las siete. En seguida comenzamos a trabajar en las preparaciones para la fiesta. Por lo general a Mario le gusta limpiar y a Tomás le gusta decorar. Los dos trabajan bien juntos. Yo preparo la comida. Es mi especialidad.

9.6   En la clase de inglés tiene que leer en voz alta. Es difícil porque muchas personas están nerviosas. Por supuesto hay estudiantes que les gusta leer en voz alta y otros que son muy tímidos. María lee una descripción de su visita a España. Habla de visitar un pueblo pequeño con sus tiendas como la carnicería, la frutería, la lechería y por supuesto, su favorita, la pastelería. Quiere escribir un libro, *España en cinco pasteles al día*. Ella no tiene miedo de leer en voz alta.

LIFEPAC NINE: VOCABULARY LIST

Track # 6-17:

Stores, Shops, & Professions:

el vecindario
el vecino
la pescadería
el pescador
la carnicería
el carnicero
la panadería
el panadero
la frutería
el frutero
la pastelería
el pastelero
la joyería
el joyero
la mueblería
el mueblista
la heladería
el heladero
la librería
el librero
la dulcería
el dulcero
la florería, floristería
el florista, florero
la peluquería
el peluquero
la zapatería
el zapatero
la lechería
el lechero
la papelería
el papelero
pescar
las joyas

los muebles
los dulces
un sobre

Verbs & Nouns:

dar
regalar
escribir
decir
prestar
pedir
hacer
comprar
vender
enseñar
hablar
mandar
mostrar
preguntar
leer
traer
servir
devolver
ofrecer
dinero
consejos
un consejo
una mentira
la verdad
una carta
una tarjeta
una postal
un regalo
un secreto
un cuento
las noticias

Prepositions:

a
de
en
por
cerca de
detrás de
lejos de
a través de
al lado de
encima de
frente a
debajo de
enfrente de
dentro de
sobre
delante de
entre
fuera de
antes de
con
después de
sin
para
en vez de
a la derecha de
alrededor de
a la izquierda de

Phrases beginning with *a*:

a casa

a causa de

al + infinitive

a menudo

a pesar de

a pie

a caballo

a tiempo

a veces

Phrases beginning with *de*:

de esta manera

de memoria

de moda

de nuevo

de repente

de vez en cuando

Phrases beginning with *en*:

en casa

en punto

en seguida

en vez de; en lugar de

en voz alta

en voz baja

Phrases beginning with *con*:

con frecuencia

con mucho gusto

con permiso

Phrases beginning with *por*:

por eso

por fin

por lo general

por supuesto

por todas partes

UNIT 9 LIFEPAC TEST AUDIO

Unit 9 Test; Section 1; Testing CD Track 33

Using the CD, listen carefully to each sentence. If it's logical, circle *sí*. If it's not logical, circle *no*. You will hear each sentence twice. You may <u>briefly</u> pause the CD between sentences, but do not play it more than once. (1 pt. each)

1.
    a. Puedes comprar sillas y mesas en una mueblería.
    b. Se venden manzanas y plátanos en una frutería.
    c. Un joyero corta el pelo.
    d. Voy a comprar sobres en la papelería.
    e. Se venden jamón y pollo en una carnicería.
    f. El lavaplatos está al lado de la cama.
    g. La comida está dentro del refrigerador.
    h. La cómoda está debajo del librero.
    i. Tus anteojos están sobre la mesa.
    j. La bañera está encima del fregadero.

Unit 9 Test; Section 2; Testing CD Track 34

Using the CD, listen carefully to the following questions and then answer each one with a complete sentence in Spanish. You will hear each question two times. You may <u>briefly</u> pause the CD between questions, but do not play it more than once. (3 pts. each)

2.
    a. ¿Conoces a todos tus vecinos?
    b. ¿Vives cerca de la escuela?
    c. ¿Con qué frecuencia comes dulces?
    d. ¿Te gusta pescar?
    e. ¿Hay muchos árboles alrededor de tu casa?

UNIT 9 ALTERNATE LIFEPAC TEST AUDIO

Unit 9 Alternate Test; Section 1; Testing CD Track 35

Using the CD, listen carefully to each sentence. If it's logical, circle *sí*. If it's not logical, circle *no*. You will hear each sentence twice. You may <u>briefly</u> pause the CD between sentences, but do not play it more than once. (1 pt. each)

1.
   a. Se venden dulces en la zapatería.
   b. Un panadero trabaja en el mar.
   c. Puedes comprar queso y mantequilla en una lechería.
   d. Si tienes hambre, debes ir a la floristería.
   e. Se venden camas y cómodas en una mueblería.
   f. El sillón está encima del sofá.
   g. La ventana está debajo de la cama.
   h. El microondas está cerca de la estufa.
   i. Hay flores alrededor de la casa.
   j. Los dulces están dentro de la bañera.

Unit 9 Alternate Test; Section 2; Testing CD Track 36

Using the CD, listen carefully to the following questions and then answer each one with a complete sentence in Spanish. You will hear each question two times. You may <u>briefly</u> pause the CD between questions, but do not play it more than once. (3 pts. each)

2.
   a. ¿Con qué frecuencia llevas joyas?
   b. ¿Visitas a tus vecinos mucho o poco?
   c. ¿Te gusta ir a la heladería?
   d. ¿Hay muchos muebles en tu dormitorio?
   e. ¿Vives cerca del correo?

LIFEPAC TEN
SECTION I. GRAMMAR: THE COMPARATIVE

Track # 6-18: **Listen to this conversation between two friends on the first day of school.**

Kiko:	Paco, ¿quién es tu maestro de ciencias este año?
Paco:	El Sr. Bustamante. Felicia dice que él es más estricto que la Sra. Escobar.
Kiko:	¿De veras?
Paco:	Sí. ¿Quién es tu maestro de ciencias?
Kiko:	El Sr. Galindo. Es más interesante que el Sr. Olmos pero menos interesante que la Sra. Contreras.
Paco:	¿Y para matemáticas?
Kiko:	La Srta. Castro. ¿La conoces?
Paco:	Sí, es muy amable.
Kiko:	¿Es tan amable como la Sra. Orozco?
Paco:	Yo creo que es más amable que ella.
Kiko:	Oye, ¿quién es la mujer alta?
Paco:	Es la Sra. Molina. Ella enseña historia y es entrenadora de natación.
Kiko:	¡Ella es más alta que el Sr. Galindo y el Sr. Olmos!
Paco:	Sí, lo sé. Pero no es tan alta como el Sr. Bustamante.

Track # 6-19: **Listen and repeat.**

David es más bajo que nosotros.

Anita es más trabajadora que su hermano.

Mi coche es más nuevo que el coche de Beto.

El español y el francés son menos difíciles que el inglés.

Ellos son menos responsables que tú.

El dinero es menos importante que el amor.

Las chicas están tan sorprendidas como yo.

No soy tan fuerte como ellos.

¿Eres tan alto como tu papá?

Track # 6-20: **Listen and repeat.**

¿Quién es mayor, tú o tu hermana?

Mi hermana es mayor que yo.

Somos mayores que nuestros primos.

Eres menor que Carlota, ¿no?

Mis papás son menores que mi tío.

Mi nota es mejor que tu nota.

Ellos son mejores que yo en el francés.

Tus notas son peores que mis notas.

Soy peor que ellos en el golf.

Track # 6-21: **Listen to each sentence on the CD. If it's logical, circle *sí*. If it's not logical, circle *no*. You'll hear each sentence twice.**

1.10
    a. Mis abuelos son mayores que mi padre.
    b. La niña es más alta que el hombre.
    c. Los coches son tan rápidos como los aviones.
    d. Soy menor que mi madre.
    e. Un aeropuerto es más grande que un café.
    f. Una bici es menos cara que un auto.
    g. Los médicos son más ricos que los secretarios.
    h. Los dentistas son tan famosos como los actores.
    i. Un pueblo es más pequeño que una ciudad.
    j. Soy mayor que mi hermanito.
    k. Un hombre es menos fuerte que un bebé.
    l. Una camiseta es tan elegante como un vestido.

SECTION II. GRAMMAR: THE SUPERLATIVE

Track # 6-22: **Listen to this conversation between two classmates.**

Abril: Hola, Dora. ¿Cómo estás?

Dora: Bien, gracias. ¿Y tú?

Abril: Bien. ¿Te gustan tus clases este año?

Dora: Sí, me gustan mucho.

Abril: ¿Cuál es tu clase favorita?

Dora: Es la clase de arte porque es mi clase más fácil. También, el Sr. Linares es mi maestro y creo que es el maestro más talentoso de la escuela.

Abril: Sí, es muy talentoso, pero mi maestro favorito es el Sr. Guevara. Él es el maestro más popular de la escuela y sus clases son las más divertidas.

Dora: También es el maestro menos estricto.

Abril: Sí, pero la Srta. Sandoval y la Sra. Vicario son las maestras más pacientes.

Dora: Es verdad. Me gustan mucho sus clases. Creo que el Sr. Ortega es el maestro menos paciente de la escuela. ¿Y tú?

Abril: No sé porque todos mis maestros son buenos.

Track # 6-23: **Listen and repeat.**

Orlando es el chico más trabajador de la clase.
Orlando es el más trabajador.

Ellos son los estudiantes menos serios de la escuela.
Ellos son los menos serios.

La Paloma es el restaurante más caro de la ciudad.
La Paloma es el más caro.

Pepita y Adela son las personas menos egoístas de nuestra familia.
Pepita y Adela son las menos egoístas.

Track # 6-24: **Listen and repeat.**

Lencho es el mayor estudiante de la clase.
Lencho es el mayor.

Leticia y Marisa son las menores chicas del grupo.
Leticia y Marisa son las menores.

La mejor jugadora del equipo es Celia.
La mejor es Celia.

¿Cuáles son los peores equipos de béisbol?
¿Cuáles son los peores?

Track # 6-25: **Listen to each sentence on the CD. If it's logical, circle *sí*. If it's not logical, circle *no*. You'll hear each sentence twice.**

2.10
a. Jaime saca buenas notas porque es el mejor estudiante de la clase.
b. Me gusta mucho el arte porque es mi clase menos interesante.
c. Mi abuelita es la menor de la familia.
d. Ella casi nunca juega porque es la peor jugadora del equipo.
e. España es el país más grande del mundo.
f. Evita tiene muchos amigos porque es la chica menos amigable de la escuela.
g. Mi maestra favorita es la Sra. López porque ella es la menos paciente.
h. Sergio no sale bien en los exámenes porque es el más perezoso de la clase.
i. Mis abuelos son los mayores de la familia.
j. Generalmente salgo mal en la historia porque es mi clase más difícil.
k. Queremos comer en ese restaurante porque es el peor de la ciudad.
l. El armario es el cuarto más grande de la casa.

SECTION V. LISTENING PRACTICE

Track # 6-26: **Listen carefully to the CD and circle the correct translation of each Spanish verb. Do not pause the CD or play it more than once. You'll hear each verb two times.**

5.1
a. veo
b. dan
c. llevamos
d. viaja
e. pierdo
f. cuestan
g. nos acostamos
h. traigo
i. puedes
j. conoce
k. mostramos
l. saben

Track # 6-27: **Listen to each sentence on the CD. If it's logical, circle *sí*. If it's not logical, circle *no*. You'll hear each sentence twice.**

5.2
    a. Voy a comer porque tengo hambre.
    b. Siempre jugamos fútbol cuando nieva.
    c. Santiago no tiene amigos porque es muy simpático.
    d. Tus libros están en el fregadero.
    e. Mi abuelito tiene setenta años.
    f. No puedo comprar un regalo porque no tengo dinero.
    g. Llevo un abrigo y guantes cuando hace calor.
    h. Vamos a la piscina porque queremos nadar.
    i. Los árboles son anaranjados.
    j. La revista cuesta quinientos dólares.
    k. La abogada trabaja en el correo.
    l. Me voy a quedar en casa porque no me siento bien.

Track # 6-28: **Listen to each sentence and write the English translation of the adjective you hear. Each sentence will be read twice.**

5.3
    a. La camisa es amarilla.
    b. ¿Por qué estás triste?
    c. Lola es delgada.
    d. El coche es viejo.
    e. La moto es muy cara.
    f. La casa es grande.
    g. Sarita está enferma hoy.
    h. Lorenzo es bastante fuerte.
    i. Ellas están celosas.
    j. ¿Estás cansada ahora?
    k. La película es aburrida.
    l. Los pantalones son azules.
    m. Roberto es muy egoísta.
    n. No somos rubios.

Track # 6-29: **Answer each question with a complete and logical sentence in Spanish. You'll hear each one twice.**

5.4
    a. ¿Estudias mucho o poco?
    b. ¿Cantas bien?
    c. ¿Con qué frecuencia comes dulces?
    d. ¿A qué hora desayunas?
    e. ¿Prefieres levantarte temprano o tarde?
    f. ¿Qué vas a hacer esta noche?
    g. ¿Cuál es tu comida favorita?
    h. ¿Cómo se llaman tus padres?
    i. ¿Siempre haces tu tarea?
    j. ¿Qué debes hacer más?
    k. ¿Vives cerca de tus abuelos?
    l. ¿Te dan regalos tus amigos?

Track # 6-30: Using digits, write the English translation for each number you hear. You'll hear each one twice.

5.5

a. cuarenta y ocho
b. trece
c. ciento once
d. doscientos sesenta
e. quinientos veintisiete
f. treinta mil

g. novecientos cincuenta
h. cien
i. doce mil setecientos
j. trescientos setenta y nueve
k. catorce mil seiscientos
l. ochocientos quince

Track # 6-31: Circle the letter of the correct answer for each. Read through all the possible answers before you begin the activity. You'll hear each question two times.

5.6

1. ¿Cómo es ella?
2. ¿Quién es ella?
3. ¿Cómo está ella?
4. ¿Cuántos libros hay?
5. ¿Por qué estudias español?

6. ¿Con qué frecuencia estudias?
7. ¿Cómo cocinas?
8. ¿De dónde son ellos?
9. ¿Dónde están ellos?
10. ¿Qué enseña él?

SECTION VII. READING PRACTICE

Track # 6-32: Listen to this conversation between two friends on a Saturday afternoon.

Jorge: ¿Qué quieres hacer hoy, Luis?

Luis: No sé. ¿Quieres ir al cine?

Jorge: No, porque no hay ninguna película interesante.

Luis: Pues, hace muy buen tiempo hoy. ¿Quieres ir al parque? Cada sábado hay un grupo de muchachos que juegan fútbol en el parque.

Jorge: Parece bien; me gusta mucho el fútbol. ¿Qué hora es? Tengo que volver a casa antes de las cinco.

Luis: Es la una y media ahora. Tienes mucho tiempo. Podemos jugar hasta las cuatro y media.

Jorge: Bueno. ¿Conoces a todos los muchachos que juegan?

Luis: Creo que sí. Asistimos a la misma escuela. ¿Y tú?

Jorge: Hay un estudiante de intercambio de Francia. No lo conozco.

Luis: Se llama Pierre. Es muy amigable y juega fútbol muy bien.

Jorge: ¡Vamos al parque!

Track # 6-33: Listen to this telephone conversation between Ana and Linda.

Ana: ¡Hola, Linda! ¿Cómo estás?

Linda: Bien, pero un poco nerviosa también.

Ana: ¿Por qué estás nerviosa?

Linda: Porque mañana voy a empezar mi nuevo trabajo.

Ana: ¿Tienes un nuevo trabajo? ¡Qué interesante! ¿Dónde vas a trabajar y qué vas a hacer?

Linda: Voy a trabajar como recepcionista en la oficina de la doctora Chávez.

Ana: ¿Cuántas horas trabajas cada día?

Linda: Sólo voy a trabajar los sábados. Empiezo a las siete y media y termino a las cuatro.

Ana:	¿Empiezas a las siete y media? Te necesitas despertar muy temprano, ¿no?
Linda:	Sí, a las seis. Por eso, voy a acostarme temprano esta noche, probablemente a las diez. No quiero estar cansada mañana.
Ana:	Espero que te guste el trabajo.
Linda:	Gracias, Ana. Te llamo después de las cuatro y te digo todo.
Ana:	Muy bien. Hasta luego.
Linda:	¡Adiós!

LIFEPAC TEN: VOCABULARY LIST

Track # 6-34:

más … que	mayor
menos … que	menor
tan … como	estricto
mejor	talentoso
peor	el mundo

UNIT 10 LIFEPAC TEST AUDIO

Unit 10 Test; Section 1; Testing CD Track 37

Listen carefully to each sentence. If it's logical, circle *sí*. If it's not logical, circle *no*.
You will hear each sentence twice. Do not pause the CD or play it more than once. (1 pt. each)

1.
    a. Mi madre es menor que mi abuela.
    b. Un árbol es más pequeño que una flor.
    c. Un coche es menos caro que una bici.
    d. Mis tíos son mayores que mis primos.
    e. Salgo mal en la clase de inglés porque es mi clase más fácil.
    f. Juan saca malas notas porque es el peor estudiante de la clase.
    g. Nos gusta ir de compras en esta tienda porque es la mejor de la ciudad.
    h. Mis sobrinos son los mayores de la familia.
    i. Pedro tiene muchos amigos porque es el chico menos simpático de la escuela.

Unit 10 Test; Section 2; Testing CD Track 38

Using the CD, answer each question with a complete sentence in Spanish; you'll hear each one twice.
You may <u>briefly</u> pause the CD between questions, but do not play it more than once. (3 pts. each)

2.
    a. ¿Quién es mayor, tu papá o tu mamá?
    b. ¿Quién es la persona más alta de tu familia?
    c. ¿Qué quieres hacer ahora?
    d. ¿A qué hora te despiertas generalmente?
    e. ¿Con quiénes te gusta almorzar?

UNIT 10 ALTERNATE LIFEPAC TEST AUDIO

Unit 10 Alternate Test; Section 1; Testing CD Track 39

Listen carefully to each sentence. If it's logical, circle *sí*. If it's not logical, circle *no*.
You'll hear each sentence twice. Do not pause the CD or play it more than once. (1 pt. each)

1.
    a. Un abrigo es tan barato como un lápiz.
    b. Mi papá es menor que yo.
    c. Un pueblo es tan grande como una ciudad.
    d. Me gusta la contabilidad porque es mi clase menos interesante.
    e. Mi hermanita es mayor que yo.
    f. Carmen es muy popular porque es la chica más amigable de la escuela.
    g. Felipe casi nunca juega porque es el peor jugador del equipo.
    h. Nos gusta comer aquí porque es el mejor restaurante del vecindario.
    i. México es el país más grande del mundo.

Unit 10 Alternate Test; Section 2; Testing CD Track 40

Using the CD, answer each question with a complete sentence in Spanish; you'll hear each one twice.
You may <u>briefly</u> pause the CD between questions, but do not play it more than once. (3 pts. each)

2.
    a. ¿Cuál es tu clase más fácil?
    b. ¿Con qué frecuencia ves la tele?
    c. ¿Te vas a quedar en casa esta noche?
    d. ¿Cuál es más interesante, leer o jugar deportes?
    e. ¿A qué hora cenas?

NOTES

Teaching Strategies:

1. When a student is asked for a response and responds incorrectly, ask another student. When a correct answer is given, ask the students who answered incorrectly to repeat the correct answer.

2. Frequently summarize and review. Small doses work best.

3. Learning partners need to be established early and they should be rotated frequently. Their role as a learning partner is to work together and try to answer questions or work through a task. This is also the person they may call if they do not understand or forgot an assignment.

4. Suggestions:

   a. Once a week allow students to bring in something written in Spanish such as the directions to a game or something about a Hispanic topic such as a magazine or newspaper article.

   b. Require students to speak each day — if only a greeting. Students tend to be shy about their speaking abilities.

   c. Games like Jeopardy™, Scattergories™, and Pictionary™ are good reinforcers of knowledge already learned. Allow students to design their own versions of these games.

   d. If students get a dictionary, have them get a good one. The bookstores have a wide variety— Cassells, Collins, or Bantam are fairly accurate. Teach students how to cross-reference so that they choose the right meaning.

Suggested Time Frames:

Section 1:	1 day	**Section 6:**	2–3 days
Section 2:	2–3 days	**Section 7:**	1–2 days
Section 3:	1 day	**Section 8:**	2–3 days
Section 4:	3–4 days	**Section 9:**	1 day
Section 5:	1 day	**Review for test:**	1 day
		LIFEPAC Test:	1 day

Bellringers:

These are activities done in the first five minutes to reinforce the work done the previous day. They may be done alone or with a teacher-chosen learning partner. Following are some suggested "bellringers" for each lesson.

Section 1

1. List five reasons for studying Spanish.

2. List five occupations where a knowledge of Spanish is helpful.

3. What is a cognate? Word family?

4. What is one important rule to remember when studying a foreign language?

5. Name five parts of speech and give an example of each.

Section 2

1. Choose three names from the name list and spell them out loud in Spanish to a learning partner.

2. Find four names in the name list with four different diphthongs.

Section 3

1. List five words to divide and underline the stressed syllable.

2. What are five Spanish spelling and punctuation marks not used in English?

Section 4

1. With your learning partner, practice five different classroom phrases to "mime" for your classmates to guess.

2. Give three phrases and ask students to respond appropriately – such as *Saquen la tarea*, and they take out their homework.

Section 5

1. List the four ways to say **you** and tell the difference between each.

2. Use picture cards representing *tú, usted, vosotros,* and *ustedes*. Hold various cards up and ask which "you" each one is.

Section 6

1. Practice the conversation to share with the class.

2. How many ways can you answer:
    - *¿Cómo estás?*
    - *¡Hola!*
    - *¡Adiós!*

Section 7

1. Explain the difference between *¿Cómo estás?, ¿Cómo está usted?* and *¿Cómo están ustedes?*

2. What is another way to ask a person how they are?

Section 8

1. Name five Spanish-speaking countries and their capitals.

2. What is the Pan-American Highway?

Optional Activities:

Section 2

1. Allow students to choose a Spanish name that you and their classmates will call them during the school year.

Section 8

1. Choose one of the Spanish-speaking countries to adopt as your own. Then go around the room asking one by one *¿De dónde eres?* The person asked will respond *Soy de* _____ .

2. Choose one of the Spanish-speaking countries and look in the almanac for the address of their embassy or tourist bureau. Write requesting information about their country.

Teaching Strategies:

1. It is important to reinforce daily the material presented previously. You may choose to incorporate a variety of techniques that will help. Interactive ways are the best to help with the retention process. Several ways are included in the "bellringers" to reinforce newly-presented topics.

2. The concept of person and conjugation is very important to the language learning process. Once this concept is mastered, students can plug in new material and expand their conversational and comprehension abilities. Therefore, it is essential to practice the person/conjugation process frequently to encourage retention. Using a variety of verbs and situations can alleviate the boredom associated with the grammatical process. For example, a **Verb Relay** can be held. This activity can be done at the board or on a sheet of paper. Divide the class into teams. Each student takes a subject pronoun (*yo, tú, él/ella/Ud., nosotros, Uds./ellos/ellas*). The teacher calls an infinitive (hablar, cantar, etc.) and the students take turns writing the verb form for their pronoun. The first team to correctly complete the verb conjugation is the winner. Students may pass or correct another student's work, but may only write one verb form per turn.

3. Try to have the students speak each day. In this chapter you can have them ask and answer basic questions, prepare dialogues, or create a conjugation rhyme. It is helpful to have the students recite such things as the -*ar* verb endings in a pattern — *o, as, a, a, a,* or *amos, (áis), an, an, an*. This reinforces the process.

4. You may want to challenge their logic skills by asking students nonsensical questions such as *¿Hablas tú la química?* (Do you speak chemistry?) or *¿Escuchan Uds. el mapa?* (Do you listen to the map?) This will result in their listening more attentively. If you intersperse logical with the illogical, it will increase their abilities.

5. On a given day, have the students write for a minute or two all the sentences they can create using their new vocabulary. You may do this as a contest, as a creative exercise or only for the process.

Suggested Time Frames:

Section 1:	2–3 days	**Section 5:**	2–3 days
Section 2:	1–2 days	**Section 6:**	1–2 days
Section 3:	1–2 days	**Section 7:**	1–2 days
Section 4:	3–4 days	**Section 8:**	1–2 days
		Review for test:	1 day
		LIFEPAC Test:	1 day

These may be adjusted depending on student achievement.

Bellringers:

Section 1

1. Give each student an object from the classroom and have them identify it.

2. Play *¿Qué es esto?* and hold up objects for the students to identify.

3. Lay several objects on a tray and allow students 90 seconds to study them. Then ask them to list, in Spanish, all the objects they can remember.

Section 2

1. Create dialogues similar to the one at the beginning of the section for students to practice.

2. Create similar dialogues and leave out words for the students to complete.

Section 3

1. Give various students cards with names such as Sra. Gómez, Luis, etc. Then ask other students to greet them properly.

2. Give each student a card with a subject pronoun on it. Then ask which person has the 1st person plural or 2nd person singular, etc.

Section 4

1. Create cards with parts of a verb phrase—subject, stem and ending. Then give them to the class. Have students get together with the others who can complete their forms.

2. Ask students to say the translations of basic verbs such as *I speak, we listen, you work,* etc.

3. Give each person a subject pronoun. Then ask which is a replacement for the actual person. For example: **La Sra. Chávez** may be **Ud.** or *ella*.

Section 5

1. Write out three or four sentences on cards, one word per card. Then ask the students to organize the sentences.

2. Using the cards in #1, add the negative and follow the same procedure to form negative statements.

3. Using the cards in #1, add the question marks and follow the same procedure to form questions.

4. Using the same concept, have the students stand in front of the room, each with a card. Then have one student arrange the students with cards to do the following:

   a. make a statement,
   b. then again to make a question,
   c. then again to make a negative statement.

Section 6

1. Practice conversations to say out loud to the class.

2. Offer a question to elicit a new conversation and try to get three exchanges.

3. Write a short paragraph on the board and have the students try to decipher it by translating, making statements, or acting it out.

4. Write several sentences on the board with blanks, allowing the students time to decide a word that best completes the sentence.

Section 7

1. Use a poster-sized map and give each student one geographical point to show the rest of the class.

2. Have the students create a class map of Mexico with each student researching a specific area of the country (perhaps one of its states).

Section 8

1. This is the opportunity to review the information presented in this LIFEPAC as well as the information presented in LIFEPAC 1. You may wish to use previous "bellringers" or design some similar to these to help enhance the students' learning.

Teaching Strategies:

1. It is important to reinforce each day the material presented before. You may choose to incorporate a variety of techniques that will help. Interactive ways are the best to help with the retention process. Several ways to reinforce newly-presented topics are included in the "bellringers."

2. Use visuals frequently to help students see and hear at the same time. Retention will be greater. Involve the students in making the visuals — family members, houses, flashcards* — and greater retention will be attained.

3. Review English parts of speech as you teach. This will help students understand the structures. Explain words they do not understand or have them look them up in the dictionary.

4. Reinforce the concept that there are three groups of regular verbs (*–ar*, *–er*, and *–ir*) and that they need to use the correct endings in their conjugations.

5. Write the date in Spanish on the board at the beginning of each class.

6. A good tool is journal writing. This may be done as a weekly activity. You may allow free writing (which the students find much harder to do) or give them a question or topic to write about.

   Do not grade the journal, but do correct mistakes.

*Flashcards can be created using photos, pictures clipped from magazines or catalogs, or original drawings.

Suggested Time Frames:

Section 1:	3–4 days	**Section 5:**	3–4 days
Section 2:	1–2 days	**Section 6:**	2–3 days
Section 3:	3–4 days	**Section 7:**	1–2 days
Section 4:	3–4 days	**Section 8:**	1–2 days
		Review for test:	1 day
		LIFEPAC Test:	1 day

These times may be adjusted depending on student achievement.

Bellringers:

Section 1

1. Give each student a picture of a piece of furniture. Have them identify it and tell which room it is from.

2. Using flashcards of the house vocabulary, have students identify the word and tell what definite article goes with it.

3. Give each student a word and have them state the definite article and make the word and article plural.

4. Write 5–10 words on the board; the students write the definite article and the plural forms.

Section 2

1. Give noun flashcards to students and have them give the definite article.

2. Write out math problems on cards and have students recite them.

3. Write three or four problems on the board and have the students write them out.

Section 3

1. Make a family tree and have the students list the family members on it.

2. Write five sentences on the board using the forms of *ser*. Leave the verb form blank and have the students fill it in.

3. Write five "answers" on the board and have the students decide which question word it answers.

4. Ask five questions using family members, an interrogative, and *ser*.

Section 4

1. Write the numbers 1–12 on cards and hand them to students. Then have the students state which month their number represents (1 = *enero*, 2 = *febrero*, etc.).

2. Write five dates on the board and have the students say them in Spanish.

3. Cut out pictures of the "seasons" or weather events and have the students identify the season and give a month for that weather event.

4. Write the days on the board and have the students say them.

5. Write five activities on the board that are time-oriented, such as eating lunch. Ask the students to say when that would happen.

Section 5

1. Write five or ten sentences on the board using *–er* and *–ir* verbs. Leave out the verbs and have students fill them in.

2. Give each student a card with the verb on it. Give them a subject and have them conjugate it.

3. Write five questions on the board using *–er* and *–ir* verbs and have the students answer them.

Section 6

1. Write five open-ended questions on the board and have the students chose one and see how many answers they can come up with.

2. Write a short paragraph on the board and have the students write information questions which will aid comprehension.

3. Write one part of a conversation on the board and have the students prepare to say the second part.

4. Write several clues to family members or house vocabulary and have the students identify them.

Section 7

1. Write half of a dialogue on the board, combining the material from LIFEPACs 2 and 3. Have the students do the second part.

2. Give the students a setting of a house, then choose two family members and write a mini-dialogue that would take place in that room.

Section 8

1. Using the map, identify the areas where the Aztecs and Mayas lived.

2. Write clues on the board using cultural points and have students answer from the reading.

Optional Activities:

Section 8

1. Research the Indians of Mexico.

2. Look up in cookbooks traditional foods from Mexico and prepare a dish for the class.

3. Find out about other traditional holidays celebrated in Mexico such as:
    - Día de la Raza (Oct. 12)
    - Pan-American Day (April 14)
    - Cinco de Mayo (May 5th)
    - Día de la Independencia (Sept. 16)
    - Día de la Virgen de Guadalupe (Dec. 12)
    - The Feast of Corpus Christi (June)

4. Find examples of traditional Mexican dress and create a display.

Teaching Strategies:

1. Vocabulary is very important. Frequently quiz the words, going from Spanish to English and English to Spanish. Flashcards are helpful with this because they offer both visual and auditory practice. Words should be reviewed every day as part of the lesson.

2. Practice the use, pronunciation and spelling of all new verbs. Since these do not all adhere to normal conjugation rules, repetition is the best way to reinforce.

3. The creation of a town scene will enhance this learning. The students should be involved in this process. It will allow backdrop for conversational and vocabulary practice. Another good visual is to create smiley-type faces which can have different expressions on them to reinforce emotion vocabulary.

4. Agreement is extremely important in the Spanish language, so frequently remind the students to make sure that they make the agreement between subject and verb, and noun and adjective.

5. The students can look for items written in Spanish such as game directions, appliance directions, advertisements, newspapers, etc. This enhances the knowledge that Spanish is a language spoken by many people.

6. Magazine and newspaper articles about Hispanic countries or people are good bulletin board or scrapbook items that will enhance global understanding.

7. A creative project could be the creation of a children's book. Themes could be colors, family, a short story about a town, a bilingual vocabulary book, emotions, etc.

8. A cultural activity could be to find a recipe from one of the Central American countries and prepare it to share with the class or prepare it in the class. Or, video stores often have an educational or travel video area and have videos of one of these countries. (Some of the scenery is spectacular.)

9. It is important to practice speaking as much as possible. Creating dialogues of their own helps students to foster speaking and functionality of the language. In the days where sections have dialogues, have the students practice the dialogues until they feel at ease.

10. Play charades or a Pictionary-type game and have the students guess the vocabulary. It is best to combine two skills to reinforce.

11. Go back to previous LIFEPACs and pull out concepts and vocabulary for reinforcement and review.

Suggested Time Frames:

Section 1:	3–4 days	**Section 6:**	1–2 days
Section 2:	2–3 days	**Section 7:**	2–3 days
Section 3:	3–4 days	**Section 8:**	1 day
Section 4:	1–2 days	**Section 9:**	1–2 days
Section 5:	1–2 days	**Review for test:**	1 day
		LIFEPAC Test:	1 day

Bellringers:

Section 1

1. Divide the class into two parts. One part is given the role of Luis, the other Miguel. Have them face each other in two rows. Have them practice with the partner across from them. Then have both groups move one place to the right and rehearse with a new person. You may repeat this three to five times.

2. Write the subject pronouns on the board in a column. Give each student a conjugated form of *ir* written on a card. Have them match the form with a subject pronoun on the board. Then have them state the form in Spanish and in English.

3. Make a city map and have the students, as part of the previous night's homework, make a "building" from the town. Then put the buildings on the map and use this for daily practice of vocabulary review.

4. Using the map, ask the students *¿Adónde vas?* by pointing to one of the buildings. They need to reply with *Voy + a + the definite article* and the building.

Section 2

1. Give each person an occupation and have them prepare three sentences to use as clues for the rest of the class to guess each other's occupation.

2. Make "stick" people representing the different occupations and have the students place them on the map of the city.

3. Give each student a math problem to present to the class.

Section 3

1. Write five sentences on the board and give students five adjectives to place in the sentence. Watch for agreement.

2. Cut pictures out of magazines or catalogues and have the students describe something or someone in the picture.

3. Give each student a word such as *la película* (movie) and ask them to think of five Spanish adjectives to describe it. Watch for agreement.

4. Write five descriptions on the board and have the students translate them. Watch for the word order – quantity – noun – description, e.g., "some nice teachers."

Section 4

1. Use faces representing the emotion adjectives and have the students describe how the person feels.

2. Go around the room using *Cómo* and a form of *estar* to ask the students how he/she and the others in the class are.

3. Use the map of the city and ask where certain places are in relationship to others. Or use a stick person and place it in different places in the town and have the students discuss the relationship to certain buildings.

Section 5

1. Write six sentences on the board, 3 requiring *ser* and 3 requiring *estar* mixed up. Have the students decide which goes in each place. Watch forms as well as the verb.

2. Make a list of 10 adjectives and put them on the board. Ask the students whether they require *ser* or *estar*.

Section 6

1. Write the negative and affirmative words on cards. Give them to the students and ask them to find the person with their opposite form.

2. Ask questions requiring negative answers. Students can be asked to make emphatic denials.

Section 7

1. Give the students a question using the vocabulary presented in this chapter and have them answer. This activity may be written or oral.

2. Find something written in Spanish—a magazine, directions to a game—and have the students find four words they know and share them with the class.

3. Choose a place in town and prepare three sentences describing the place. Allow students to guess or do this as a written activity.

4. Have students write a note to their parent stating that they are going someplace and what they are going to do.

Section 8

1. Create a map of Central America. Have students prepare a small "icon" of something from each one of the countries to place on the map.

2. Play a Jeopardy-type game with the countries as the main topic and clues from each country.

Section 9

1. Practice vocabulary and verb forms with flashcards.
2. Play Jeopardy™ with topics such as:
    a. **ser** adjectives
    b. **estar** adjectives
    c. negatives/affirmatives
    d. locations
    e. professions
    f. regular verbs
    g. numbers 1–100

Optional Activities:

Section 8

1. Get on the Internet and locate resources relating to each of these countries.

2. Write to the tourist bureau of these countries and ask for information.

3. Choose one country and explore its geography, civilization, and history.

Teaching Strategies:

The first five sections of this book are completely new information with a self test at the end of each. Try to reinforce new ideas and vocabulary daily. Section 6 is the culture section which introduces the Hispanic Caribbean islands. This section and the activities that go with it are excellent ways for the students to comprehend the people whose language they are learning. These islands are so varied in their lifestyles that allowing the students to do research will further open their eyes to the vastness of the Hispanic culture.

Section 7 reviews material presented in this LIFEPAC and is a good way to prepare for the LIFEPAC Test. If a student struggles to complete this section, then more reinforcement is needed.

Section 8 reviews material presented in the first five LIFEPACs. This is done to refresh and remind students of the previous materials. Learning a foreign language requires constant review so that building blocks are in place for future learning.

Following are some strategies which will help with the learning of presented material.

1. Constantly review the vocabulary presented, the nouns, the verbs and even some of the little words. Each day pull out five to ten words to concentrate on reviewing. You may wish to go into the conversations, reading passages, etc. and pull out specific words to review.

2. The verb forms learned in this chapter are unique but commonly used in everyday Spanish; therefore, memorization and use of these verbs is imperative. Review two or three different verbs each day. Ask the students to give you a shoe verb in the **yo** form, or a "go" verb in the **yo** form.

3. The concept of the verb *gustar* can be difficult for students to grasp. Remind them to look at what is liked to choose *gusta* or *gustan*. Go around the room and ask *Te gusta* or *Te gustan* and choose items they would or wouldn't like. This would be a good opportunity to review vocabulary from previous LIFEPACs. For example: *¿Te gusta la biblioteca?*; *¿Te gustan los zapatos verdes?*, etc.

4. Remind students when learning the forms of *saber* and *conocer* that the *yo* form is irregular in both. Frequently ask them questions such as **¿Sabes la historia?** which requires *Sé la historia*. Or *¿Conoces a Miguel?* which requires *Conozco a Miguel* in the response.

5. The students should have enough ease and knowledge now to start to memorize the conversations and present them to the class. They need to speak the language without cues.

6. You may wish to give a brief vocabulary quiz after each group of classified vocabulary has been presented and learned. The quiz should vary its format. For example:

    5 matching Spanish to English
    5 Spanish to English translations
    5 English to Spanish translations
    5 fill in the blank using sentences

7. You may also wish to give a brief quiz after each group of verbs is presented. In this quiz, ten fill in the blanks would suffice. Use questions similar to the exercises.

8. When teaching possessive adjectives, reinforce that the number of items possessed determines the singular and plural aspect of the adjective. You could reinforce this by having one student hold one pencil (or any object) and another holding two or more. Say *mi lápices* and then the students should respond with *no, mis lápices*. Have some correct and some incorrect to keep the students focused.

9. The guided conversations are very important for the students to do. They need to "own" some of the learning instead of being totally directed. It is okay if they make mistakes. You can choose to correct them or let them go and enjoy the fact that they are trying on their own. Please remind students that "slang" expressions do not usually translate well. So if the student wants to say something like "He plays like a pro" or "She eats us out of house and home," they will not translate into comprehensible Spanish. They need to be content to say things like "He plays very well" or "She eats a lot."

10. Try to find "real" Spanish such as magazines, information brochures, menus, etc. so students see the Spanish language in action. You may want to give extra credit for items brought in. Often many state and federal organizations offer their brochures in Spanish. Tourist areas are also good places to find them.

11. Keep the students aware of happenings in the Hispanic world by using the newspapers, magazines, or Internet sources. Have a bulletin board where students can post clippings and realia they have found.

Suggested Time Frames:

All time frames are tentative. They may change depending on the number of reinforcement and optional activities you choose to do. It is best to ensure that the students have a good mastery of each topic before continuing to the next.

Try to begin each class with a "bellringer" or another activity to get the students thinking in Spanish.

Section 1: 3–4 days	**Section 5:** 3–4 days
Section 2: 2–3 days	**Section 6:** 1 day
Section 3: 3–4 days	**Section 7:** 2–3 days
Section 4: 3–4 days	**Section 8:** 1–2 days
	Review for test: 1 day
	LIFEPAC Test: 1 day

Bellringers:

Section 1

1. Assign parts and practice the first conversation three or four times.

2. Use catalogs to make flashcards of the clothing listed in the lesson and have the students identify them.

3. Go around the room and identify one item of clothing a person is wearing, including the colors.

4. Play *¿Qué te gusta llevar?* – "What do you like to wear?" Have each student describe their favorite clothing.

Section 2

1. Assign parts and practice the conversation at the beginning of the section several times.

2. Play *¿Es tu chaqueta?* – "Is this your jacket?" Substitute different articles of clothing each time.

3. Give the students a subject pronoun and verb form and ask which possessive adjective matches. For example, *Yo llevo* matches *mi, mis*.

4. Play "match it" or "tic-tac-toe" with the verb forms and infinitives.

Sections 3 & 4

1. Go around the room asking for various forms of stem-changing verbs.

2. Have students demonstrate the *tener* expressions and let other students identify them.

3. Cut pictures out of a magazine of various sports figures or people playing a sport and have the students identify the sport.

4. Have the students create a sports complex on the bulletin board labeling people involved in the various activities. Then use this board during the lessons to reinforce the vocabulary.

Section 5

1. Continue reinforcing the stem-changing verbs.

2. When you reinforce *saber* and *conocer*, make flashcards of the verb forms and quiz the students frequently.

3. Also cut out pictures of people, activities, and places from magazines and then hold the pictures up and have the students identify whether they would use *saber* or *conocer* when talking about that picture.

Section 6

1. Look up information on the Caribbean islands and present it to the class.

2. Have the students make a mobile of the Caribbean islands, giving each student a different island to cut out of tagboard and write information on it that would identify the island.

3. Using a Caribbean cookbook in the library, look up some of the dishes unique to each country.

4. Have the students do a comparison of life on these three islands, making sure to pull out the effects communism has had on Cuba, how the "old ways" tend to interfere with progress in the Dominican Republic, and Puerto Rico's struggle for independence vs. statehood.

5. Play verb tic-tac-toe. Put a different infinitive in each square of the tic-tac-toe board. Divide the class into two teams. Ask for a specific verb form, (the *yo* form of *salir*) and if the team gets it correct they get that square. If not it goes back into play.

Section 7

1. Do a dictation of various words which have the **L** and **N** sounds in them. Say several words and the students have to write them. Check for spelling.

2. Go back to the previous lessons and pull out two or three questions from each to have the students practice.

3. Prepare a list of oral questions that can be answered with the vocabulary presented and ask each student a different one.

Section 8 (This lesson reviews material presented in the previous four LIFEPACs.)

1. Review house vocabulary by using collages, house magazines, and whatever you can that will offer a visual cue for the vocabulary to be reviewed.

2. Review family members by giving each student a card with a family member on it (*la madre, el padre, el hijo*, etc.) and have the students "build" a family tree.

3. Play number Jeopardy™ by having columns for dates, times, addition, subtraction, and so on, and have the students prepare "question" answers for each.
   For example:

   El día de nuestra independencia – ¿Qué es el cuatro de julio?;
   54 – ¿Cuánto es veinte más treinta y cuatro?
   (or whatever problem is correctly answered by that number)

4. Give each class member a card listing a place in the town. Then ask the students to name activities done at that place. The other students will then guess what their place is.
   For example:

   Rezar, cantar, estudiar la Biblia – la iglesia
   dar o tomar dinero – el banco
   nadar, tomar el sol – la piscina

5. Go around the classroom playing *¿Qué es esto?* using the items in a classroom.

6. Color pictures of clothing and have the students describe them using colors.

Teaching Strategies:

Sections 1–5 present new information and, therefore, must be reviewed frequently, as each section builds on previous lessons. Section 6 deals with the geography of South America. This unit offers opportunities for the students to research South American countries. Sections 7 and 8 are review lessons.

1. There is a lot of vocabulary presented in this LIFEPAC. Please try to reinforce it every day. The students need variety, so try to vary the way you present the reinforcement.

2. Remind the students frequently that they need to learn how the Spanish language works and accept that it is different from English. It does not make it wrong just because it is different.

3. Idioms and other expressions can be quite difficult to comprehend. Please try to keep the students aware of what may be an idiomatic phrase. Remind them of "good English-bad Spanish," "good Spanish-bad English" when they try to do a word-for-word translation.

4. Practice the verb forms frequently, using a variety of activities.

Suggested Time Frames:

Section 1:	3–4 days	**Section 5:**	2–3 days
Section 2:	2–3 days	**Section 6:**	1–2 days
Section 3:	3–4 days	**Section 7:**	1–2 days
Section 4:	1–2 days	**Section 8:**	2–3 days
		Review for test:	1 day
		LIFEPAC Test:	1 day

Bellringers:

Section 1

1. Have several students read the conversation aloud.

2. Make a list of subtopics for the food and have the students name a food under one of the columns.

3. Use prepared paper plates and ask the students to "give their order."

4. Cut out food pictures and have students identify the food.

Section 2

1. Have several pairs of students read the conversation aloud.

2. Give each student one of the verbs presented in this lesson and ask him/her to think up three sentences using the verb.

3. Use flashcards to practice meanings and conjugations.

Section 3

1. Have several pairs of students read the conversation aloud.

2. Point to various body parts and ask the students to identify them.

3. Pantomime whichever part of your body hurts and have the students state which it is.

4. Create a classroom "monster" or person, have each student design one part of the body, and then put him together on the bulletin board, identifying each body part in Spanish.

Section 4

1. Have several pairs of students read the conversation aloud.

2. Discuss idioms and have students make a list of commonly used English idioms.

3. Play "verb" Jeopardy™ and have columns for *hacer, tener,* etc.

Section 5

1. Have several pairs of students read the conversation aloud.

2. Write a number on a slip of paper and hand it to a student as he walks in. Or make enough for the whole class. The student must say his/her number in Spanish.

3. Play *¿Cuánto es?* and ask the cost of various items such as a car or house.

4. Have the students look up a geographical point in South America and come up with a description using a large number.

Section 6

1. Create a classroom map and discuss geography and cities in South America.

2. Play "20 Questions" using geography facts about South America.

3. Assign one country to one or two students and have them give a fact a day.

Optional Activities:

Section 1

Please try to do at least two or three of these activities to enhance learning the vocabulary.

1. Make a menu for a restaurant and then use it to create a conversation between patrons and waiters.

2. Cut food pictures from magazines and glue them on a paper plate. Have the students either create a conversation or describe their "favorite" meal.

3. Play food Jeopardy™ with categories like:

El desayuno	*Legumbres*
El almuerzo	*Carnes*
La cena	*Postres*
La merienda	*La mesa*

4. Play tic-tac-toe using the vocabulary going either Spanish to English or English to Spanish. The students can earn a square by giving the meaning. Spelling may be an added requirement.

5. Make a grocery list and have the students look through the newspaper ads then tell how much each food item costs.

Section 2

1. Play tic-tac-toe with these new verbs asking for certain forms of the verb to earn a square.

2. Make flashcards with these verb forms and quiz the students for five minutes each day.

3. Pantomime certain actions to elicit the meaning of the verbs.

Section 3

1. Make puppets labeling the parts of the body and then pretend that certain parts hurt.

2. Make a puzzle using a cardboard person cut up by body part and put the puzzle together stating which part is placed.

3. Play charades with the one person acting out that a certain part hurts and the classmates have to identify what aches.

4. Play "Pin the body part on the torso" and have blindfolded students place parts on the torso. Then they can describe their part and where they put it such as *Pongo los pies en el lugar de los brazos* (I put the feet in the place of the arms).

Section 4

1. Have the students create a conversation about a trip they are going to take. This could be done in conjunction with learning about a Spanish-speaking country. They could then tell of specific places they are going to visit.

2. Play "20 Questions" about what is inside the suitcase that is being packed for a trip to a certain place. This would review the clothing from LIFEPAC 5.

3. Play *¿Qué quiere decir en español/inglés?* to quiz vocabulary.

4. Ask questions such as:
   ¿A quién echas una carta al correo?
   ¿Sales bien en los exámenes de ___(subject)___ ?
   ¿Dónde tienes que estar de pie mucho?

Section 5

Try to do at least two of these activities to reinforce numbers.

1. Play tic-tac-toe using numbers in each box and the students have to say/spell the number correctly to earn the square.

2. Ask the student questions which require a large number answer such as:
   a. What year did Columbus discover America?
   b. Approximately how many square feet are in your house?
   c. In what year were you born?
   d. How far is it from NYC to LA?
   e. How many miles are on your parents' car?

3. Have the students look up geographical facts that have large number answers. For example:
   a. How tall is Mt. Everest?
   b. How deep is the ocean?
   c. How many square miles are in the US?

4. Have the students read statistics from baseball cards.

5. Have the students read the advertisements for new cars or houses and give the prices.

6. Ask students to describe large numbers of items. For example, the number of jelly beans in a jar; the number of people in a city.

7. Have each student prepare a card with a large number on it. The student should be able to write and say the number. Then ask another student to say the number. Go around the room until all numbers are done.

Spanish I Teacher Notes – Unit 7

Teaching Strategies:

Section 1

1. Flashcards, flashcards, flashcards—begin each day with the newest vocabulary on flashcards. Work from Spanish to English and from English to Spanish. Repetition is the key.

2. Brief matching quizzes (10–15 words).

3. "Pop" quiz on the board. Have fifteen to twenty words in English or Spanish, numbered, on the board. Students will number their papers. The instructor calls out a randomly picked corresponding word in the opposite language. Students will write the NUMBER of the matching word on their papers. (The instructor calls out *bañarse*. The student will write a "5" on his/her paper because number five on the board is "to bathe oneself"). Have students exchange and grade each other's papers immediately following.

4. Toss a nerf ball around. Call out a vocabulary word as you toss the ball to a student. The student should answer in the target language before throwing the ball back to the instructor.

Suggested Time Frames:

Section 1:	2–3 days	**Section 5:**	1–2 days
Section 2:	1 day	**Section 6:**	1–2 days
Section 3:	2–3 days	**Section 7:**	1–2 days
Section 4:	3–4 days		
		Review for test:	1 day
		LIFEPAC Test:	1 day

Bellringers:

Section 1

1. Have an empty chart with the subject pronouns on the board. As each student enters the room, hand him/her a card with a reflexive verb form written on it. Once students are seated, call them individually to place his/her card next to the correct subject pronoun.

2. The same "pop" quiz as mentioned before. This time, use the forms of three reflexive infinitives. Call out the verbs in forms ("I bathe," "you bathe," etc.).

3. Have ten numbered magazine pictures on the board as students enter the classroom. Write a Spanish subject pronoun under each one (or a proper name). Students will write a verb form identifying the reflexive action in each.

4. Each student is given or makes five flashcards from the forms of one particular reflexive infinitive. The instructor calls out the desired form in the opposite language. The students, without speaking, hold up the matching form. The instructor will direct attention to the correct card. For example, if the instructor calls out "We look at ourselves," a student would hold up a card that said *nos miramos*.

Section 2

1. As students enter the class, each is handed a flashcard with a reflexive infinitive. Each student will list three to five related words from the vocabulary list on a half sheet of paper. For example, if the student receives *ducharse*, he/she will write *el jabon, el agua, la toalla*, etc. Rotate the cards

every two minutes, three to five times. Students should be encouraged to avoid using their lists and do as much as possible from memory.

Section 3

1. Have a national map on a bulletin board. Affix pictorial representations of weather about the map. Students may write or say the answers to your questions.
   For example: *¿Dónde está nublado? ¿Hace sol en San Antonio?*

2. Flashcards, and pop quizzes as mentioned before.

3. An oral quiz of true/false statements regarding the day's weather patterns. Limit it to ten questions.

4. Each student chooses a season of the year and writes three to five statements about the weather particular to that season. Each student reads his statements to the class in Spanish, and the others attempt to guess the season about which he is talking.

Section 4

1. Each student is given ten index cards. On two, write the suffixes *–mente* and *–amente*. On the other eight, copy adjectives from the board as chosen by the instructor (make them familiar adjectives). The instructor calls out an adverb. The students assemble the adverb, using the information on the cards, and hold them up for evaluation. For example, the instructor calls out "slowly". The students assemble and hold up *lentamente*. This activity is particularly good in that all students may participate at once.

2. List ten adverbs made from unfamiliar vocabulary (use the dictionary) on the board. The students must "deconstruct" them to determine from what adjective they were derived.

3. Ball toss – have a list of familiar objects (using the current chapter's vocabulary is helpful) on the board. Toss the ball to a student and require that he or she translate the object and the demonstrative adjective before throwing it back. For example, the instructor says "those hats" and throws the ball. The correct response would be: *esos sombreros.*

4. Use the same list and make a written quiz out of it. As the instructor calls out the desired phrases for translation, each student writes his/her response down.
   Exchange and grade the papers immediately afterward.

5. Use the same list in conjunction with the flashcards. Each student has three to five flashcards with demonstrative adjectives written on them. Call on a student and first have that student identify his/her demonstrative adjectives, both in meaning and gender and number. After that, randomly select students to place the correct adjective next to its agreeing noun on the board.

Optional Activities:

Section 1

1. Have students make reflexive verb flashcards, using large index cards and magazine pictures. Have them glue the pictures on one side and write the Spanish ONLY on the other. You should make your own also. Once the cards are completed, have the students review with and quiz each other, all in Spanish. Use the cards to quiz the class yourself—daily. Use the cards as conversation starters, to encourage students to discuss their own habits, and those of their families. On a blackboard tape the pictures out of logical order. Have students re-order them logically, naming them in Spanish, as you go.

2. How would you describe how to get dressed? How to take a bath? How to get ready for bed? Write a list of 7–10 instructions, using as many reflexive verbs as possible, in Spanish describing those procedures. (Instructor: This could be done on the board as a group activity. Then, each student would continue this theme by writing his/her own composition.)

Section 2

1. Find magazine advertisements for popular personal care items and make a bulletin board with them. Label each individual item and provide a Spanish action word to go with it. You may choose to detach the labels for classroom conversation, or the board may be student-created. The board should then be reviewed daily.

Section 3

1. After students copy the vocabulary list, and the Spanish phrases have been linked to the pictures, have students illustrate their notes. Each phrase should be augmented, in their notes, with a color representation of that weather. For example, a shining, yellow sun will most likely illustrate **hace sol**.

2. Assign each student a region of the country.
Using the Internet, The Weather Channel, news-papers, etc., have each student give a daily report on that region's weather — in Spanish, including temperature — for a week.

3. Review your local forecast at the beginning of the week with the class. A pictorial representation should be on the chalkboard, or bulletin board, for each discussion. Weather is an excellent topic for an all-Spanish discussion. For example: *¿Qué tiempo hace el jueves? ¿ El lunes?*

4. Oral activity – The instructor reads small, related groups of weather conditions, ending each with the question: *¿De qué estación hablo?* (About what season am I talking?). Students shall answer in Spanish.

5. Composition – The students write a ten-sentence paragraph describing their favorite activities for each weather condition. The instructor introduces the assignment on the board/orally as such. For example:

> *Cuando nieva, me gusta cocinar.* (When it snows, I like to cook.)
> *Yo escucho música cuando llueve mucho.* (I listen to music when it rains a lot.)

Section 4

1. Make columns of 15 assorted nouns on the board, each accompanied by an English demonstrative adjective:

(that) hat

(these) pencils

Make two sets of flashcards of the demonstrative adjectives (Spanish only).
You should have 18 cards. Distribute them among the students. Now go through the list, asking *¿Quién tiene un adjetivo demostrativo para...?* You are looking for a card with an agreeing adjective, and two students should hold up the appropriate card. Choose one student to tape the card to the board, in front of the noun. Repeat until the cards are used.

2. Have the students perform the following mini-dialogue with a learning partner, substituting the underlined nouns for the ones in the exercise. Make sure to change the demonstrative adjectives accordingly. This activity may also be written. (**Note:** Answers are in italics.)

Example: *computadora*   Te gusta <u>esta</u> computadora o <u>esa</u> computadora
Me gusta aquella computadora.

Example: *videojuego*   ¿Te gusta este videojuego o ese videojuego?
Me gusta aquel videojuego.

  a. (los) cuadernos: *¿Te gustan estos cuadernos o esos cuadernos?*
    Me gustan aquellos cuadernos.

  b. (las) camisas: *¿Te gustan estas camisas o esas camisas?*
    Me gustan aquellas camisas.

  c. (el) perro: *¿Te gusta este perro o ese perro?*
    Me gusta aquel perro.

  d. (el) escritorio: *¿Te gusta este escritorio o ese escritorio?*
    Me gusta aquel escritorio.

  e. (la) pintura: *¿Te gusta esta pintura o esa pintura?*
    Me gusta aquella pintura.

  f. (los) automóviles: *¿Te gustan estos automóviles o esos automóviles?*
    Me gustan aquellos automóviles.

  g. (las) manzanas: *¿Te gustan estas manzanas o esas manzanas?*
    Me gustan aquellas manzanas.

  h. (la) pelota: *¿Te gusta esta pelota o esa pelota?*
    Me gusta aquella pelota.

3. Oral Activity – Provide a few sets of three identical matching objects (pieces of fruit, baseballs, hats, etc.) Make sure the class can identify the objects in Spanish. Spread the objects around the room. Choose one student at a time to identify which object s/he wants by pointing to it and using a demonstrative adjective. (***Quiero/Me gustaría aquella naranja.***) The instructor should make the student repeat the statement by "mistakenly" offering the wrong object. The conversation would sound like this:

Student: ***Me gusta aquella manzana*** (pointing to it).
Instructor: ***¿Esta manzana?*** (also pointing to a different one)
Student: ***No, aquella manzana.***

Suggested Time Frames:

Section 1:	2–3 days	**Section 6:**	1–2 days
Section 2:	2–3 days	**Section 7:**	1–2 days
Section 3:	2–3 days	**Section 8:**	1 day
Section 4:	1 day	**Section 9:**	1 day
Section 5:	1–2 days	**Section 10:**	1 day
		Review for test:	1 day
		LIFEPAC Test:	1 day

Bellringers:

1. Flashcards, flashcards, flashcards — use them at the opening of every class in order to practice vocabulary.

2. Hand out mini-quizzes as students enter the room or prepare to work. Give them five minutes to work (make it a short quiz). The quiz should consist of changing infinitives to conjugated forms. Have students exchange and grade each other's quiz immediately after.

3. Have a list of 15 or 20 Spanish vocabulary words on the board. Instruct a student to approach the board and erase a particular word. The instructor would speak English for this activity. For example, the instructor would say "Please erase *to enjoy*." The student's correct response would be to erase *"disfrutar de."*

4. Hand out flashcards to the class as they walk in. Each card should have a new infinitive and a subject pronoun written on it. Give students about a minute to figure out what form of the infinitive they need to create. Students may use their notes or texts. Randomly elicit verb forms from each student, either orally or written on the board.

Optional Activities:

Section 2
1. Try to obtain a real passport. Show the class what the document looks like, explaining how it is used as an important means of identification, where it would be used when traveling (customs, etc.), the information contained within, and the meanings of the different stamps. Have the students make their own passports. Have the students present their passports to you before entering class every day for a week. You can stamp them with any stamp as they enter.

2. Have the students create their own crossword puzzles using graph paper and this lesson's vocabulary. Assign a minimum of ten words. Spanish words should by used in the puzzle itself, while the English equivalents are used for the clues. Once the puzzles are completed, the students can exchange and complete each other's puzzles.

Section 3
1. Have students create their own post cards on large index cards, ruled or unruled. Students may draw or use magazine pictures of the vacation destination of their choice. A note of five to eight complete Spanish sentences should be written on the back. Check all rough drafts before allowing students to write on the post cards. Encourage students to use as much of the new vocabulary as possible. You may wish to create a bulletin board of these cards when they are all completed.

Section 8
1. Have students draw and color their own maps of Spain. Or perhaps create topographical maps of Spain. Ask students to choose one city of interest and present a brief report to the class. The student may wish to research museums, shopping opportunities, nightlife, centers of learning, etc.

Teaching Strategies:

1. As with the other LIFEPACs, constant reinforcement of new vocabulary and grammar structures is needed. Each day pull out a few words and concentrate on reviewing them.

2. The concept of object pronouns is often difficult for the students to grasp. This section needs to be reinforced in both English and Spanish. The students need to be able to recognize the difference between direct and indirect objects so that when they do use the pronoun, they choose the correct one. Each day of this lesson give them four or five English sentences and have them identify the direct and indirect objects. Visuals are good for helping reinforce this.

3. The placement of the object pronouns is another area which causes students difficulty. When writing this it is best to have the students draw arrows from the direct object to the place where the pronoun will go and place the pronoun on the arrow. This indicates the replacement word as well as its new location in the sentence.

4. It is important to reinforce the idea of *se + lo, la, los, las*. Tell them the double "l" – *le, los, le, lo,* etc. can be confusing and weaken the flow of the spoken word. The *se* de-emphasizes the "l" sound.

5. The prepositional pronouns are the same as the subject pronouns except *mí* and *ti*. This needs to be emphasized with the students. Again, the use of visuals will help this.

Section 1

1. The new town vocabulary should be reinforced. Make paper plate signs attached to craft sticks and hand one to each student. Then the student can make a sales pitch or statement regarding his/her store.

2. Give each student a "shopkeeper" title and have them tell about their shop.

Sections 2 & 3

1. Practice finding the indirect object in sentences. Remind students to look for "to/for whom."

2. Identify the objects in sentences by asking "who/what receives the action?" for direct and "to/for whom/what the action is being done?"

Section 4

1. Reinforce frequently the placement of the replacement pronouns in the sentences.

2. Practice *se lo/la/los/las*.

3. Give several examples of sentences formed using the infinitive and present progressive with the pronouns attached. Have the students add the accent marks.

Sections 5–7

1. Review the prepositions by pointing out items and asking where they are in relation to other items.

2. Practice using the prepositional pronouns with the prepositions in the situations above.

3. Review the vocabulary daily.

4. Write sentences on the board that can use a prepositional phrase to enhance the meaning of the sentence.

5. Have the students make up sentences after you give them a beginning such as:

El sábado, por lo general, yo _____ . *or*

Quiero _____ en lugar de _____ .

Section 8

1. Spanish culture is rich in history. Allow the students time to explore various topics in Spanish history. On the Internet or in the library, there is a wealth of information that the students can explore and bring back to the class.

2. Assign each student a topic to present to the class. Included could be such areas as: a cooking project, a book report, a craft project such as making a replica of the Palacio Nacional or Don Quixote's suit of armor.

Section 9

1. Review the information presented in this LIFEPAC as well as LIFEPAC 8. Reinforce what students seem to be having trouble with.

Suggested Time Frames:

Section 1:	2–3 days	**Section 6:**	1–2 days
Section 2:	1–2 days	**Section 7:**	1–2 days
Section 3:	1–2 days	**Section 8:**	1 day
Section 4:	1–2 days	**Section 9:**	1–2 days
Section 5:	1 day	**Review for test:**	1 day
		LIFEPAC Test:	1 day

The number of days may increase or decrease, depending on the proficiency of the students as well as the amount of "extra" material you choose to do. Try to include at least one of the optional activities for each lesson. These may be done as part of the lesson or as a review prior to taking the LIFEPAC Test.

Optional Activities:

Section 1

1. Prepare a conversation using new vocabulary.

2. Prepare an oral presentation using the following guidelines:
   a. You are going shopping downtown.
   b. State what you are going to buy.
   c. State for whom you are going to buy it and why.

3. Have the students create their own Hispanic village. Assign each student a building to create and then put them together to make the village.

4. Using old magazines, have the students find pictures of items sold in one particular shop. Prepare a collage and then they can prepare an advertisement or introduction of themselves as the shopkeepers and their store.

Section 2

1. Make a Christmas list for your extended family. State what you are going to buy for each and why.

2. Write a series of English sentences on the board that have both direct and indirect objects. Then have the students identify them and which pronoun they would use to replace each one. For example: Mike buys food for his cat. "Food" is direct (*la comida* – *la*) and "for his cat" is indirect (*le*).

Section 4

1. Make flashcards of the direct and indirect object pronouns. Write a sentence on the board that has both the direct and indirect object. Have the students go to the board and place the object pronouns over the noun they will replace and then move it to its new location. If it requires changing to the *se* form, have the person with that card come to the board and replace the person with the other pronoun or have *se* written on the opposite side of the card.

2. Practice decoding direct and indirect objects in sentences until the students have them separated. This may be done with English or Spanish sentences.

3. Write mixed-up sentences on the board and have the students rearrange the words to make a sentence. Then replace any objects and put them in the correct place.

Section 5

1. Using a small ball have a student place the ball in a "prepositional" position and have another student say where it is. Do this until each student has a turn.

2. Play *¿Dónde está _____ ?* and ask where certain things are. Students have to use a preposition and a pronoun to answer.

Sections 6–7

1. Make flashcards to review.

2. Choose five different prepositional phrases, one from each group. Put one word each on separate cards and have the students put them together and state what they mean.

3. Make a statement or ask a question that would require a prepositional phrase in the answer.

4. Place several students (or use paper dolls) in particular spots around the room. Ask the students to identify by pointing and stating who is around them, using the prepositions and the prepositional pronouns. For example: *Luis está delante de mí y al lado de él.*

5. Give each student two prepositional phrases and have them try to create a sentence using them. For example: *Por supuesto* (of course) and *en punto* (exactly), *Por supuesto, tengo que estar en casa a las cinco en punto.* (Of course, I have to be at home at exactly 5:00.)

Section 8

1. Look up one of the regions and prepare a written or oral report on that region.

2. Look up one of the following cultural events customary in Spain.

    a. The bullfight

    b. Holy Week (especially in Seville)

    c. The Fiesta de San Fermín

    d. The influence of the Moors (Arabs)

    e. Carnival (Carnaval)

    f. All Souls' Day

    g. El Dos de Mayo

       h. Día de la Raza

       i. Typical dances: *flamenco, bolero, fandango, jota, sardana*

       j. Typical foods: *paella, arroz con pollo, cocido, gazpacho, tortilla española, tapas, chorizo,* etc.

3. Prepare a typical Spanish meal.

4. Research some "heroes" of Spain: El Cid, Pelayo, Don Quixote, etc.

5. Learn a Spanish song or dance and share it with the class. (Libraries often have this material.)

Teaching Strategies:

In this LIFEPAC, sections 1, 2, and 9 contain new information, and sections 3–8 review and reinforce previously studied information. While the unit 10 test is a "regular" test as opposed to a final exam, it will include material from previous LIFEPAC units. Therefore, a thorough review is recommended. Here is a suggested time frame for unit 10.

Section 1:	3–4 days	**Section 6:**	1 day
Section 2:	3–4 days	**Section 7:**	1 day
Section 3:	3–4 days	**Section 8:**	1 day
Section 4:	1–2 days	**Section 9:**	1 day
Section 5:	1 day	**Review for test:**	1 day
		LIFEPAC Test:	1 day

For the review sections, use any relevant review materials from previous units, such as flashcards, games, activities and visuals. Encourage students to spend extra time studying anything in these sections that they struggle with and include additional practice for them as necessary.

Section 1

1. Have students make comparative sentences about themselves, famous people, students in the class, or people/objects in pictures. Tell them to make some of them true and some false. As students read their sentences out loud, their classmates must decide if the sentence is true or false. If it's false, have them make it true.

2. Have students pick someone (e.g., a famous person, a cartoon character, etc.) and write a short descriptive paragraph about him or her. Require them to use a variety of different comparative sentences, including some irregular forms.

Section 2

1. Have students make superlative sentences about themselves, famous people, students in the class, or people/objects in pictures. Tell them to make some of them true and some false. As students read their sentences out loud, their classmates must decide if the sentence is true or false. If it's false, have them make it true.

2. Have students make a classroom survey, compile the results and then write a short paragraph about those results, using the superlative. Suggested topics include the following: the most/least difficult classes, the best/worst sports teams, the most/least interesting sports, the most/least expensive restaurants in town, the most/least talented actor/actress, etc.

Section 9

1. Have students research online to learn more about *quinceañera* traditions. Then have them make a small presentation or write a short paper about what they learned.

2. Invite a Hispanic girl or woman to come talk to the class about her *quinceañera* celebration.

3. Search images online and make a power point presentation of *quinceañera* celebrations and/or bull fighting.

4. Have students research online to learn more about bull fights.
Possible topics include the following: the controversy surrounding bull fights, famous bull fighters, female bull fighters, history of bull fighting, etc. Then have them make a small presentation or write a short paper about what they learned.

T E S T S

Reproducible Tests
for use with the
Spanish I Teacher's Guide

1. Listen carefully to the CD (track 3 of the testing CD) and write the letter of the one most logical response to each phrase or question you hear. Read through all the choices before listening to the CD. You will hear each phrase or question two times. You may <u>briefly</u> pause the CD after each question, but do not play it more than once. (1 pt. each)

_____ 1. a. Bien, gracias.
  b. Buenas noches.
  c. Nada en particular.

_____ 2. a. Mucho gusto.
  b. Estoy enfermo.
  c. ¿Y usted?

_____ 3. a. Regular.
  b. No me siento bien.
  c. Hasta pronto.

_____ 4. a. No sé.
  b. Hola.
  c. Por favor.

_____ 5. a. Bienvenidos.
  b. El gusto es mío.
  c. Adiós.

_____ 6. a. Así, así.
  b. España.
  c. Carlos.

2. Listen to the CD (track 4 of the testing CD) and spell the Spanish words you hear; they will not be words you've studied. Use only the actual letters, NOT the letter names. Each word will be spelled two times. Do not pause the CD or play it more than once. (1 pt. each)

a. _____   d. _____

b. _____   e. _____

c. _____

3. Respond appropriately to these questions. Use complete sentences when possible. (2 pts. each)

a. ¿Cómo está Ud.?_____

b. ¿Cómo te llamas? _____

c. ¿De dónde eres? _____

d. ¿Cómo están Uds. _____

4. List three reasons to study a foreign language. (1 pt. each)

a._____

b._____

c._____

5. List two specific occupations where knowledge of a foreign language is helpful. (1 pt. each)

a._____   b. _____

6. Define the parts of speech and give an English example of each part. (1 pt. each blank)

a. verb:_____   _____

b. preposition:_____   _____

c. noun: _____   _____

d. pronoun:_____   _____

e. adverb: _____   _____

7. **What are three of the five new writing symbols in Spanish?** (1 pt. each)

    a. _____

    b. _____

    c. _____

8. **Divide these words into syllables and underline the stressed syllable.** (1 pt. each)

    a. j u n t o s   d. p a l a b r a

    b. d e c i d i r   e. o c t u b r e

    c. a l r e d e d o r

9. **Which form of "you" would you use to address the following people?** (1 pt. each)

    a. A good friend _____

    b. A group of classmates _____

    c. A police officer _____

    d. Your cat _____

    e. A group of adults _____

10. **Fill in the blanks to logically complete the dialog.** (1 pt. each)

    a. Luis: ¡Buenos días! ¿ _____ estás?

       Tomás: ¡Hola! Bien, _____ . ¿Y tú?

       Luis: Así, así.

    b. Mario: ¡Hola! Me _____ Mario. ¿Y tú?

       Carina: Me llamo Carina. ¿De _____ eres?

       Mario: _____ de Ecuador. ¿Y tú?

       Carina: Soy de Chile.

11. **What is the capital of each country?** (1 pt. each)

    a. Chile_____

    b. Guatemala _____

    c. Argentina_____

    d. Spain _____

    e. Nicaragua _____

    f. Peru _____

    g. Paraguay _____

    h. Bolivia _____

    i. Ecuador_____

    j. Uruguay _____

    k. Costa Rica _____

    l. Venezuela_____

    m. Honduras _____

    n. Puerto Rico _____

    o. Mexico_____

12. **Write the Spanish translation for each of the following.** (3 pts. each)

a. Write your name. _____

b. Take out your homework. _____

c. Go to the board. _____

d. How's it going? _____

e. Nice to meet you. _____

f. Good night. _____

g. See you later. _____

h. I don't understand. _____

73 / 91

Score _____

Teacher check _____
Initial   Date

Spanish I Alternate Test – Unit 2

1. Using the CD (track 7 of the testing CD), listen carefully to the following questions and answer each one affirmatively with a complete sentence in Spanish. You will hear each question two times. While you may <u>briefly</u> pause the CD between questions if necessary, do not play it more than once. (2 pts. each)

    a. _____

    b. _____

    c. _____

    d. _____

    e. _____

2. Using the CD (track 8 of the testing CD), listen carefully to the following questions and answer each one negatively with a complete sentence in Spanish. You will hear each question two times. While you may <u>briefly</u> pause the CD between questions if necessary, do not play it more than once. (2 pts. each)

    a. _____

    b. _____

    c. _____

    d. _____

    e. _____

3. **Write out the numbers for the following math problems.** (12 pts. total: 1 pt. for each number and 1 pt. for the math functions)

    a. $5 + 2 = 7$ _____

    b. $3 + 1 = 4$ _____

    c. $9 - 1 = 8$ _____

4. **Which Spanish subject pronoun would be used to replace each of the following? Remember that you're** *referring* **to these people, not** *talking* **to them.** (1 pt. each)

    a. Thomas _____

    b. your sisters _____

    c. your grandma _____

    d. Luis and I_____

    e. Andrea and David _____

    f. Andrea and Sara_____

5. **Look at the following articles and nouns. In the first blank, write** *M* **if they are masculine and** *F* **if they are feminine. In the second blank, write** *S* **if they are singular and** *P* **if they are plural.** (1 pt. each blank)

    a. _____ _____ las ciencias   c. _____ _____ el arte

    b. _____ _____ los profesores   d. _____ _____ la nota

6.   **Read the following sentences carefully. First, translate each sentence into English; use the simple present tense. Second, change the original Spanish sentence into a question using inversion. Third, change the original Spanish sentence into a question using one of the two different tag questions you learned. You do NOT need to translate the questions into English.** (2 pts. each part)

   a.   Anita escucha la música.

      1.

      2.

      3.

   b.   Los estudiantes miran la pizarra.

      1.

      2.

      3.

   c.   Ud. necesita el libro.

      1.

      2.

      3.

7.   **Fill in the blank with the correct form of the verb in parentheses. Then translate the entire sentence into English; use the simple present tense.** (1 pt. for each verb and 2 pts. for each translation)

   a. Tú _____ la mochila. (llevar)

   b. Yo no _____ química. (estudiar)

   c. Laura y yo _____ francés. (practicar)

   d. La estudiante _____ la pregunta. (contestar)

   e. Uds. _____ mucho. (trabajar)

   f. Él _____ la pluma también. (necesitar)

8. **Write the letter of the correct answer in the blank. Do not use any letter more than once; one will not be used.** (1 pt. each)

_____ 1. Sierra Madre

_____ 2. Guadalajara

_____ 3. Paseo de la Reforma

_____ 4. Mexico City

_____ 5. Xochimilco

_____ 6. Zocalo

_____ 7. Chapultepec

_____ 8. Tenochtitlan

_____ 9. Yucatan Peninsula

_____ 10. Belize

a. known for its Mayan ruins

b. floating gardens in Mexico City

c. a famous park in Mexico City

d. an important Mexican port

e. a mountain range in Mexico

f. the largest Spanish-speaking city in the world

g. the only English-speaking country in Central America

h. the second largest city in Mexico

i. a large boulevard in Mexico City

j. ancient Aztec Indian capital

k. the main square of Mexico City

9. **Give the English translations for the following words.** (1 pt. each)

a. claro _____

b. bajar _____

c. llegar _____

d. entonces _____

e. la goma _____

f. cortar _____

g. montar _____

h. juntos _____

80/100

Score _____

Teacher check _____
             Initial   Date

1. Using the CD (track 11 of the testing CD), listen carefully to the following sentences and using digits, write the time you hear in each one. You will hear each sentence two times. While you may <u>briefly</u> pause the CD if necessary, do not play it more than once. (1 pt. each)

    a. _____   d. _____

    b. _____   e. _____

    c. _____   f. _____

2. Using the CD (track 12 of the testing CD), listen carefully to the following questions and then answer each one with a complete sentence in Spanish. You will hear each question two times. While you may <u>briefly</u> pause the CD between questions, do not play it more than once. (2 pts. each)

    a. _____

    b. _____

    c. _____

    d. _____

    e. _____

3. Translate the following articles and nouns into Spanish. (½ pt. for each article; 1 pt. for each noun)

    a. the toilet _____   h. the bed _____

    b. the door _____   i. the mirror _____

    c. the tools _____   j. the rug _____

    d. the kitchen _____   k. the living room _____

    e. the armchair _____   l. the car _____

    f. the tree _____   m. the flower _____

    g. the dining room _____ n. the closet _____

4. Fill in the blank with the correct Spanish family vocabulary word. (1 pt. each)

    a. El hermano de mi madre es mi _____ .

    b. El hijo de mi hermana es mi _____ .

    c. El padre de mi padre es mi _____ .

    d. La hija de mis tíos es mi _____ .

    e. El esposo de mi madre es mi _____ .

5. Using complete sentences in Spanish, write out the following times. (3 pts. each)

    a. It's 2:45 P.M. _____

    b. It's 9:25 P.M. _____

    c. It's 1:05 A.M. _____

    d. It's 7:30 A.M. _____

6. **Write out the following dates.** (3 pts. each)

    a. Friday, January 14 _____

    b. Tuesday, June 28 _____

    c. Sunday, September 1 _____

    d. Thursday, April 13 _____

7. **Write the correct form of the verb in the blank; be careful, as there are –AR, –ER, and –IR verbs, as well as the irregular verb** *ser*. **Then translate the entire sentence into English; use the simple present tense.** (1 pt. for each verb & 1 pt. for each translation)

    a. Mi abuelita _____ muy bien. (coser)

    b. Julia y yo _____ a muchos conciertos. (asistir)

    c. ¿Adónde _____ tú en el verano? (viajar)

    d. ¿Qué _____ los estudiantes? (escribir)

    e. Yo _____ a las siete. (salir)

    f. ¿Cuándo _____ Sara? (estudiar)

    g. ¿Por qué no _____ tú la ventana? (abrir)

    h. Marcos y yo _____ al mediodía. (comer)

    i. Las chicas _____ mucho en la escuela. (aprender)

    j. Yo _____ de México. (ser)

8. **Answer the following questions based on the tradition of using double surnames.** (1 pt. each)

    a. Which of his surnames does Jorge Guzmán Rivera go by?

    b. Which of Jorge's surnames is his mother's maiden name?

    c. When Alicia Vargas Moreno gets married, which of her names will she drop?

    d. If Alicia marries Luis Camacho Soto, which of his surnames will she add to her name?

9. **Write the letter of the correct answer in the blank. Do not use any letter more than once;
    two will not be used.** (1 pt. each)

    _____ 1. Palenque, Uxmal & Chichen-Itza   a. guaraches
    _____ 2. colorful blanket-like shawl   b. Las Posadas
    _____ 3. Mexican Hat Dance   c. piñata
    _____ 4. Christmas Eve   d. cuadrilla
    _____ 5. Tlaloc & Quetzalcoatl   e. Misa de Gallo
    _____ 6. midnight mass   f. rebozo
    _____ 7. decorated clay pot filled with candy   g. Aztec gods
    _____ 8. matador's team of helpers   h. Jarabe Tapatío
    _____ 9. Mexican sandals   i. Mayan ruins
    _____ 10. Christmas   j. La Navidad
                                                      k. sarape
                                                      l. Nochebuena

80 / 100

Score   _____
Teacher check _____
                    Initial   Date

Spanish I Alternate Test – Unit 4

1. **Listen carefully to the CD (track 15 of the testing CD) and write the English translation of the location in each sentence. You will hear each sentence twice. Do not pause the CD or play it more than once.** (1 pt. each)

    a. _____   d. _____

    b. _____   e. _____

    c. _____   f. _____

2. **Listen carefully to the CD (track 16 of the testing CD) and write the English translation of the profession in each sentence. You will hear each sentence twice. Do not pause the CD or play it more than once.** (1 pt. each)

    a. _____   d. _____

    b. _____   e. _____

    c. _____   f. _____

3. **Write the Spanish adjective that is a logical opposite of the given adjective.** (1 pt. each)

    a. alto –   d. fácil –

    b. nuevo –   e. trabajador –

    c. gordo –   f. grande –

4. **Fill in the blank with the correct form of *ser* or *estar*. Then translate the entire sentence into English.** (1 pt. for each verb & 2 pts. for each translation)

    a. Las ventanas _____ abiertas.

    b. Mis hermanos y yo _____ morenos.

    c. Mi casa _____ lejos de la piscina.

    d. Tú _____ muy simpático.

    e. Hoy _____ jueves.

    f. Rafael y yo _____ cansados.

    g. El estadio _____ detrás de la escuela.

    h. Mis sobrinas _____ muy bonitas.

5. **Fill in the blank with the correct form of the adjective in parentheses.** (1 pt. each)

    a. Ellos son _____ . (japonés)

    b. La cocina es _____ . (blanco)

    c. Ellas son _____ . (hablador)

    d. La sala es _____ . (grande)

    e. Ella es _____ . (francés)

6. **Fill in the first blank with the correct form of** *a + the definite article* **and the second with** *de + the definite article.* (1 pt. each blank)

    a. Asisto _____ clase _____ Sr. Cruz.

    b. ¿Deseas ir _____ fiesta _____ chicos?

    c. Vamos a visitar _____ tío _____ Srta. Jiménez.

    d. Ellos van _____ restaurante _____ hotel.

7. **Write out the following numbers.** (1 pt. each)

    a. 69 _____

    b. 47 _____

    c. 83 _____

    d. 95 _____

    e. 52 _____

8. **Answer the following questions in the negative, using words like** *no, nunca, nadie, nada,* **and** *ninguno.* (2 pts. each)

    a. ¿Siempre estudias historia? _____

    b. ¿Necesitas algo? _____

    c. ¿Vas a visitar a alguien? _____

    d. ¿Hay algunas sillas? _____

9.   **Read the following paragraphs and answer the questions with complete sentences in Spanish.**
     (2 pts. each)

     Hola, me llamo Rafael Díaz. Vivo con mi familia en el pueblo de Salinas. Mi pueblo es muy bonito. Las personas son muy simpáticas. Los restaurantes preparan comida deliciosa. Vamos al Restaurante Sanzón cada viernes. Después de comer, caminamos en el parque. Hablamos con los amigos que pasan. Visitamos al Sr. Ruiz en el correo. Recibimos cartas del Tío Luis o mi primo, Pablo. Viven en una ciudad. Mi tío Luis es piloto en el aeropuerto. Y mi tía es programadora de computadoras en una compañía grande.

     Entramos en la tienda. Mi padre desea buscar un nuevo mapa de México. Él viaja mucho en su trabajo como periodista. Algunas veces mi madre va con él porque ella es una fotógrafa excelente. Cuando ellos viajan, mi hermano Paco y yo visitamos a nuestros abuelos. Es divertido visitar a los abuelos. Mi abuelo es veterinario y hay muchos animales en su casa. Mi abuela es escritora y hay una biblioteca en la casa donde hay muchos libros interesantes.

a. ¿Dónde vive Rafael?

b. ¿Qué preparan los restaurantes?

c. ¿Cómo se llama el restaurante donde comen?

d. ¿Dónde caminan después de comer?

e. ¿Quién trabaja en el correo?

f. ¿Cuál es la profesión del Tío Luis?

g. ¿Dónde viven los tíos de Rafael?

h. ¿Por qué necesita su padre un mapa?

i. ¿Por qué viaja su madre con su padre?

j. ¿Por qué hay muchos animales en la casa de su abuelo?

10. **Write the capital of each Spanish-speaking country in Central America.** (1 pt. each)

a. Guatemala   _____

b. Costa Rica   _____

c. Panama   _____

d. El Salvador   _____

e. Nicaragua   _____

f. Honduras   _____

$\frac{75}{94}$

Score   _____

Teacher check   _____
                     Initial   Date

1.   **Listen carefully to the CD (track 19 of the testing CD) and in English write the clothing item and its color. You will hear each sentence twice. Do not play the CD more than once.** (2 pts. each)

a. _____   d. _____

b. _____   e. _____

c. _____   f. _____

2.   **Listen carefully to the CD (track 20 of the testing CD) and circle the correct translation for each verb you hear. You will hear each one twice. Do not pause the CD or play it more than once.** (1 pt. each)

a. I die	I move	I show	I measure
b. we lose	we ask for	we think	we can
c. they meet	they count	they eat lunch	they understand
d. you close	you begin	you know	you feel
e. he returns	they return	he flies	they fly
f. I know	I bring	I fall	I leave
g. he wants	you want	he closes	you close
h. she sets	she says	she asks	she does

3.   **Fill in the blank with the correct form of the stem-changing verb in parentheses. Then translate each sentence in English.** (3 pts. each: 1 pt. for the verb & 2 pts. for the translation)

a.   Ellos _____ las palabras nuevas. (repetir)

b.   ¿A qué hora _____ tú? (almorzar)

c.   El equipo de fútbol _____ muy bien. (jugar)

d.   Victoria y yo no _____ salir contigo. (poder)

e.   El hombre _____ muchos problemas. (resolver)

f.   Yo _____ que la natación es aburrida. (pensar)

g.   ¿Cuánto _____ el vestido amarillo? (costar)

h.   ¿ _____ Uds. dinero a veces? (pedir)

i. Clara y yo no _____ la tarea. (entender)

j. La fiesta _____ a las ocho. (empezar)

4. **Fill in the blank with the correct possessive adjective that matches the subject of the sentence (e.g., I–my; you–your, he–his). Be careful about agreement.** (1 pt. each)

a. Necesito ayudar a _____ padres hoy.

b. ¿Vas a esperar a _____ hermana?

c. La muchacha estudia _____ lecciones.

d. Viajamos con _____ parientes.

e. Ellos trabajan con _____ papá.

5. **Translate the following sentences into Spanish. Each will have a *tener* expression.** (3 pts. each)

a. How old are you? _____

b. Ms. Castillo is right. _____

c. We feel like eating. _____

d. I'm very hungry. _____

e. They are successful. _____

f. She is warm. _____

6. **Fill in the blank with the correct form of the verb in parentheses.** (1 pt. each)

a. Yo _____ la mesa. (poner)

b. ¿Por qué _____ Uds. mentiras? (decir)

c. ¿ _____ tú al nuevo estudiante? (conocer)

d. Yo _____ que el examen es difícil. (saber)

e. Los chicos no _____ a la fiesta. (venir)

f. Nuria y yo _____ a las nueve y media. (salir)

g. ¿ _____ tú la tarea? (hacer)

h. Yo _____ un libro a clase. (traer)

7.   **Translate the following sentences into English.** (2 pts. each)

a. Soy aficionado al atletismo. _____

b. No nos gusta la gimnasia. _____

c. ¿Te gusta la falda morada? _____

d. A ellos les gustan los deportes. _____

e. Me gusta la gorra rosada. _____

8.   **Read each sentence carefully, and write the correct country (Cuba, the Dominican Republic, or Puerto Rico) in the blank.** (1 pt. each)

_____ a. Its capital is San Juan.

_____ b. Dinner guests may eat by themselves.

_____ c. It shares the island of Hispaniola with Haiti.

_____ d. It's been under the communist rule of Fidel Castro.

_____ e. The Fortaleza houses its governor.

_____ f. It's called the Pearl of the Antilles.

_____ g. Its capital is Santo Domingo.

_____ h. Its people are of African, Hispanic, and Anglo origins.

_____ i. The U.S. gained control of it in 1898.

80 / 100

Score _____

Teacher check _____
                      Initial   Date

1. **Listen carefully to the CD (track 23 of the testing CD) and write the English translation of each food. You will hear each sentence two times. Do not pause the CD or play it more than once.** (1 pt. each)

   a. _____   d. _____

   b. _____   e. _____

   c. _____   f. _____

2. **Listen carefully to the CD (track 24 of the testing CD) and write the English translation of each body part. You will hear each sentence two times. Do not pause the CD or play it more than once.** (1 pt. each)

   a. _____   e. _____

   b. _____   f. _____

   c. _____   g. _____

   d. _____   h. _____

3. **Write out the following numbers in Spanish.** (3 pts. each)

   a. 957 _____

   b. 1.015 _____

   c. 48.706 _____

   d. 594.032 _____

   _____

   e. 3.625.000 _____

   _____

4. **Fill in the blank with the correct form of the verb in parentheses. Then translate each sentence into English.** (3 pts. each: 1 pt. for the verb & 2 pts. for the translation)

   a. Ellos _____ las maletas. (hacer)

   b. Yo _____ un paseo casi todos los días. (dar)

   c. Tito y yo no _____ al maestro. (ver)

   d. Yo no _____ al hombre. (reconocer)

e. El correo _____ a la tienda. (dar)

f. Los chicos _____ dolor de piernas. (tener)

g. ¿ _____ Marcos bien? (conducir)

h. ¿ _____ tú bien en la clase de inglés? (salir)

5. **Write the English translation for each word or phrase below.** (1 pt. each)

    a. la cuchara   _____

    b. el mantel   _____

    c. ¿Algo más?   _____

    d. ¿En qué puedo servirles?   _____

    e. el tenedor   _____

    f. el vaso   _____

6. **Read each sentence carefully. If it's true, circle *V*. If it's false, circle *F*.** (1 pt. each)

V *F*   a. In Spanish-speaking countries the largest meal of the day is the evening meal.

V *F*   b. *Paella* is a famous Spanish rice dish that originated in Valencia.

V *F*   c. *Café con leche* is a milky-looking drink made from water, rice, sugar, and cinnamon.

V *F*   d. People in Spanish-speaking countries rarely eat lunch at home.

V *F*   e. *Ceviche* is raw fish or seafood marinated in citrus juices.

V *F*   f. Lunch is called *la cena* in Spain and Mexico.

V *F*   g. *Tortilla española*, or "Spanish omelet," is often served cold and cut into wedges.

V *F*   h. *Empanadas* are baked or fried stuffed pastries and can have a variety of fillings.

V *F*   i. *Mole* is usually served on chicken or turkey.

7. **Answer the following questions with complete sentences in Spanish.** (4 pts. each)

    a. ¿A qué hora almuerzas? _____

    b. ¿Cuál es tu postre favorito? _____

    c. ¿Desayunas todos los días? _____

    d. ¿Qué tipo de verdura te gusta? _____

    e. ¿Qué te gusta beber cuando tienes mucho calor? _____

8. **Write the letter of the correct answer. Letters may be used more than once or not at all.**
    (1 pt. each)

a. Venezuela	d. Colombia	g. Ecuador
b. Peru	e. Bolivia	h. Paraguay
c. Chile	f. Argentina	i. Uruguay

    _____ 1. The Galapagos Islands are located 600 miles west of this country.

    _____ 2. Its ethnic background is mostly Indian (Quechua & Aymara) as well as mixed and European.

    _____ 3. It has the highest waterfalls in South America, Angel Falls.

    _____ 4. It is a very long, narrow country with a variety of geographical regions.

    _____ 5. Its capital is Asuncion.

    _____ 6. It's divided into three main regions: Andean, Caribbean and Amazon.

    _____ 7. Its capital is Quito.

    _____ 8. It's the largest Spanish-speaking country in South America.

    _____ 9. The oldest university in South America, the University of San Marcos, is found here.

    _____ 10. Iguazu Falls are located between this country and Brazil.

80/100

Score _____

Teacher check _____
Initial   Date

1. **Listen carefully to the CD (track 27 of the testing CD) and circle the correct translation for each verb. You will hear each one twice. Do not pause the CD or play it more than once.** (1 pt. each)

a.	he gets dressed	they get dressed	he gets undressed	they get undressed
b.	I put on makeup	I feel	I dry	I shave
c.	we feel	we get ready	we sit down	we comb
d.	you wake up	you get up	you go to bed	you fall asleep
e.	she stays	they stay	she takes off	they take off
f.	I change	I brush	I fall down	I have fun
g.	she goes away	they go away	she looks	they look
h.	we refer	we have fun	we get dressed	we fall down

2. **Using the CD (track 28 of the testing CD), listen carefully to the following questions and then answer each one with a complete sentence in Spanish. You will hear each question two times. You may briefly pause the CD between questions, but do not play it more than once. Write out all numbers.** (3 pts. each)

    a. _____

    b. _____

    c. _____

    d. _____

3. **Fill in the blank with the correct form of the given reflexive verb; keep in mind that some verbs may need to stay in the infinitive form. Then translate the entire sentence into English.** (4 pts. each: 1 pt. for the pronoun, 1 pt. for the verb form, 2 pts. for the translation.)

    a. Uds. siempre _____ a las seis. (despertarse)

    b. Necesitas _____ . (peinarse)

    c. Silvia _____ mucho con sus amigos. (divertirse)

    d. Voy a _____ los dientes. (cepillarse)

    e. Yo _____ un suéter cuando tengo frío. (ponerse)

    f. Carlos y yo _____ las manos antes de comer. (lavarse)

4.   **Translate the following into Spanish. Include the definite article for each.**
(1½ pts. each: ½ pt. for the article, 1 pt. for the noun)

    a.   the toothpaste   _____

    b.   the makeup   _____

    c.   the hair dryer   _____

    d.   the shampoo   _____

    e.   the shower   _____

    f.   the mirror   _____

5.   **Translate the following weather-related sentences into Spanish. Write out the numbers.**
(3 pts. each)

    a.   It's very windy. _____

    b.   It's not sunny. _____

    c.   Is it raining now? _____

    d.   It snows a lot in January. _____

    e.   What's the temperature?_____

    f.   It's 7 degrees below zero. _____

6.   **Change the following adjectives to adverbs and then write the adverb's English translation.**
(1 pt. each blank)

Adjective	Adverb	Translation
a. exacto	_____	_____
b. posible	_____	_____
c. total	_____	_____
d. absoluto	_____	_____
e. malo	_____	_____

7. **Translate the following into Spanish. Each will have a demonstrative adjective; be careful about agreement.** (3 pts. each)

    a. I like that shirt.

    b. Who is that woman over there?

    c. Are you going to buy these shoes?

    d. This movie is boring.

    e. Those books are expensive.

8. **Read each sentence very carefully. If it's true, circle V. If it's false, circle F.** (1 pt. each)

    V F a. The Mayan Empire was located in South America.
    V F b. La Malinche was Francisco Pizarro's interpreter and mistress.
    V F c. Tenochtitlan was the Aztecs' great city.
    V F d. Chichén Itzá was discovered by Hiram Bingham in 1911.
    V F e. Machu Picchu is Peru's most visited tourist attraction.
    V F f. The Mayas may have been the first people to use the concept of zero.
    V F g. Both the Aztecs and the Mayas practiced human sacrifices.
    V F h. The Spanish almost completely destroyed Machu Picchu.
    V F i. Aztec society was very rigid, with each person belonging to a clan.
    V F j. The Incas worshipped sacred places and things called cenotes.

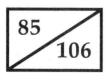

Score _____

Teacher check _____
                  Initial   Date

1. Using the CD (track 31 of the testing CD), listen carefully to each sentence. If it's logical, circle *sí*. If it's not logical, circle *no*. You will hear each sentence twice. You may <u>briefly</u> pause the CD between sentences, but do not play it more than once. (1 pt. each)

    a. sí   no   e. sí   no   h. sí   no

    b. sí   no   f. sí   no   i. sí   no

    c. sí   no   g. sí   no   j. sí   no

    d. sí   no

2. Using the CD (track 32 of the testing CD), listen carefully to the following questions and then answer each one with a complete sentence in Spanish. You will hear each question two times. You may <u>briefly</u> pause the CD between questions, but do not play it more than once. (3 pts. each)

    a. _____

    b. _____

    c. _____

    d. _____

    e. _____

3. **Translate the following into English.** (2 pts. each)

    a. La próxima parada está en la Calle Juárez.

    b. La estación del metro está a la izquierda del cine.

    c. ¿De quién es ese camión?

    d. ¿Dónde puedo cambiar dinero?

    e. Necesitas tu pasaporte para pasar por la aduana.

    f. ¿Puede Ud. decirme dónde está el ascensor?

    g. Mi boleto está en mi cartera.

    h. ¿Debemos dejar una propina?

4. **Write either the simple present or the present progressive of the verb in parentheses—you must know if it refers *to the current moment* or *in general*. Then translate the sentence into English.** (1 pt. each verb & 2 pts. each translation)

    (abrir)   a. Pedro _____ la ventana ahora.

    (estudiar)   b. No puedo ir contigo porque yo _____ .

    (disfrutar)   c. Yo siempre _____ de mis vacaciones.

    (cocinar)   d. ¿ _____ tú mucho o poco?

    (poner)   e. Jorge y yo _____ la mesa todos los días.

5. **Translate the following into Spanish; each will have a direct object pronoun. Refer to the word or phrase in parentheses to let you know what noun the direct object pronoun is replacing. If a sentence has two possible translations, you only need to write one.** (3 pts. each)

    a. Do you have it? (the key)

    b. Eva always invites us.

    c. We don't know him.

    d. They usually drink it. (milk)

    e. We like to visit them. (our grandparents)

    f. I can't help you.

    g. Are you going to call me?

6. **Using the map above, write the cities, countries, bodies of water and land masses that are labeled.** (1 pt. each)

    a. _____   f. _____

    b. _____   g. _____

    c. _____   h. _____

    d. _____   i. _____

    e. _____   j. _____

7. **Read each sentence carefully. If it's true, circle *sí*. If it's false, circle *no*.** (1 pt. each)

    Sí   *No*   a. Bargaining is done in all stores and markets in Spanish-speaking countries.

    Sí   *No*   b. The symbol for the peso is **$**.

    Sí   *No*   c. Cuba's official currency is the U.S. dollar.

    Sí   *No*   d. Spain was among the first group of countries to switch to the euro.

    Sí   *No*   e. All euro coins of equal denomination have the same image on both sides.

Sí *No* f. Euro bills are of different colors and sizes.

Sí *No* g. The value of the euro is the same, regardless of which country you're in.

Sí *No* h. Spain doesn't have an official language.

Sí *No* i. Catalan is spoken only in northeastern Spain.

Sí *No* j. Basque isn't related to any other language in the world.

8. **Write a 10-sentence original paragraph in Spanish describing your travel and/or vacation preferences. Be sure to use a variety of grammar and vocabulary that is logical for the situation. Examples of what to write about include where you like to go and why, how you prefer to travel, who you like to travel with, what you like or don't like to do while on vacation and why, what kind of lodging you prefer, which time of year you prefer for your vacation, and so on. You may NOT use a dictionary, your notes or any other outside resource.** (3 pts. each sentence)

101 / 127

Score _____

Teacher check _____
Initial   Date

1.   Using the CD (track 35 of the testing CD), listen carefully to each sentence. If it's logical, circle *sí*. If it's not logical, circle *no*. You will hear each sentence twice. You may briefly pause the CD between sentences, but do not play it more than once. (1 pt. each)

a. sí   no   e. sí   no   h. sí   no

b. sí   no   f. sí   no   i. sí   no

c. sí   no   g. sí   no   j. sí   no

d. sí   no

2.   Using the CD (track 36 of the testing CD), listen carefully to the following questions and then answer each one with a complete sentence in Spanish. You will hear each question two times. You may briefly pause the CD between questions, but do not play it more than once. (3 pts. each)

a. _____

b. _____

c. _____

d. _____

e. _____

3.   Write the correct indirect object pronoun in each blank. Use capital letters as needed. (1 pt. each blank)

a. Do you lend money to your friends?   No, I don't lend money to my friends.

   ¿ _____ prestas dinero a tus amigos?   No, no _____ presto dinero a mis amigos.

b. Will you send us a postcard?   Yes, I'll send you guys a postcard.

   ¿ _____ mandas una postal?   Sí, _____ mando una postal a Uds.

c. ¿Can you give me some advice?   Yes, I can give you some advice.

   ¿Puedes dar_____ unos consejos?   Sí, puedo dar_____ unos consejos.

d. Should I ask you the question?   Yes, you should ask me the question.

   ¿ _____ debo hacer la pregunta a Ud.?   Sí, _____ debes hacer la pregunta.

4.   Translate each sentence into English. Then rewrite it, replacing the direct object with a pronoun; don't forget that it must agree in number and gender with the noun it replaces. In some sentences the indirect object pronoun will not change when you rewrite the sentence, but in others it will. (2 pts. each translation; 2 pts. each Spanish sentence)

Example: Te sirvo paella.   **I'll serve you paella.**   **Te la sirvo.**

a. Ella nos enseña francés.

b. Te traigo una pluma.

  c. ¿Les das regalos a tus hermanas?

  d. ¿Nos estás diciendo la verdad?

  e. ¿Vas a darle flores a tu abuela?

5. **Translate the following into Spanish; each will have a preposition and a prepositional pronoun.** (2 pts. each)

  a. without you   _____

  b. for her   _____

  c. before us   _____

  d. with me   _____

  e. between them   _____

  f. under it (the sofa) _____

6. **Write the letter of the correct answer.** (1 pt. each)

  _____ 1. Me lavo el pelo _____ secarme el pelo.
        a. a causa de   b. a pesar de   c. antes de   d. después de

  _____ 2. El concierto empieza a las ocho _____ .
        a. a tiempo   b. en punto   c. por eso   d. con mucho gusto

  _____ 3. Debes preparar la paella _____ .
        a. de moda   b. a casa   c. para   d. de esta manera

  _____ 4. Estoy cansado; _____ voy a descansar.
        a. de repente   b. por todas partes c. por eso   d. de memoria

  _____ 5. Te presto mi coche _____ .
        a. con mucho gusto b. al comprar   c. en lugar de   d. a casa

  _____ 6. Papá dice que tenemos que regresar a casa _____ .
        a. en seguida   b. por eso   c. en voz alta   d. con permiso

  _____ 7. La maestra dice que necesito hacer la tarea _____ .
        a. de moda   b. de nuevo   c. por todas partes d. a pie

  _____ 8. Eduardo es un poco gordo _____ comer demasiado.
        a. con frecuencia   b. a pesar de   c. a causa de   d. por fin

  _____ 9. Los estudiantes repitan el vocabulario _____ .
        a. de moda   b. para   c. al decir   d. en voz alta

  _____ 10. ¿Con qué frecuencia das un paseo?
        a. a pie   b. por fin   c. de repente   d. de vez en cuando

7. **Answer the following questions with complete sentences in Spanish.** (4 pts. each)

    a. ¿Siempre les dices la verdad a tus amigos?

    b. ¿Con qué frecuencia le pides dinero a tu papá?

    c. ¿Te dicen secretos tus amigos?

    d. ¿Te escriben mucho tus primos?

8. **Write the letter of the correct answer. Do not use any letter more than once; seven letters will not be used.** (1 pt. each)

a. Madrid	e. Galicia	i. tertulia	m. Avila
b. siesta	f. Asturias	j. plaza	n. Segovia
c. paseo	g. Visigoths	k. Andalusia	o. Santiago de Compostela
d. Romans	h. Castile	l. Moors	p. Salamanca

_____ 1. Its cathedral is said to be the burial site of St. James.

_____ 2. Small town life in Spain is set around this.

_____ 3. The term Spaniards use for "strolling," which is very popular in Spain

_____ 4. The midday rest from about 2:00–5:00

_____ 5. The region in southern Spain famous for flamenco, bulls and sherry

_____ 6. The region in central Spain that is divided into Old and New

_____ 7. Contains Spain's oldest university

_____ 8. A town in central Spain with medieval stone walls

_____ 9. Invaded Spain from northern Africa in 711 A.D.

80 / 100

Score _____

Teacher check _____
                          Initial   Date

1. Using the CD (track 39 of the testing CD), listen carefully to each sentence. If it's logical, circle *sí*. If it's not logical, circle *no*. You will hear each sentence twice. You may <u>briefly</u> pause the CD between sentences, but do not play it more than once. (1 pt. each)

    a. sí   no   d. sí   no   g. sí   no

    b. sí   no   e. sí   no   h. sí   no

    c. sí   no   f. sí   no   i. sí   no

2. Using the CD (track 40 of the testing CD), answer each question with a complete sentence in Spanish; you'll hear each question two times. You may <u>briefly</u> pause the CD between questions, but do not play it more than once. (3 pts. each)

    a. _____

    b. _____

    c. _____

    d. _____

    e. _____

3. Translate the following comparative and superlative sentences into Spanish. Be careful about adjective agreement. (5 pts. each)

    a. Alberto is less patient than Rodrigo.

    b. Teresa is as tall as Marcos.

    c. They are older than Pepe.

    d. Mr. Mendoza is the strictest coach.

    e. Eva is the best student in the class.

4. Choose the most logical verb and write its correct form in the blank. Don't use any verb more than once; three will not be used. Then translate the entire sentence into English. (1 pt. each verb; 2 pts. each translation)

ponerse	llegar	estar	ser
tener	saber	afeitarse	reconocer
quitarse	escribir	asistir	sentarse

a. ¿ _____ Uds. hambre ahora?

b. _____ las dos y media.

c. La puerta _____ abierta.

d. Ana y yo les _____ cartas a nuestros abuelos.

e. Yo no _____ a esa mujer.

f. Yo casi nunca _____ a dieta.

g. Emilio _____ a la izquierda de Jorge.

h. Nosotros _____ de compras a veces.

i. ¿Por qué siempre _____ tú tarde?

j. Yo no _____ a qué hora empieza la película.

5. **Read each sentence carefully. If it's true, circle *V*. If it's false, circle *F*.** (1 pt. each)

V   F   a. The *quinceañera* celebration is the most important day in the girl's life.

V   F   b. The *quinceañera* party is usually held at the girl's home or at a banquet hall.

V   F   c. A special mass is usually held after the *quinceañera* party.

V   F   d. The girl is usually dressed quite casually for the celebration.

V   F   e. The girl has both male and female attendants at her *quinceañera* party.

V   F   f. The three parts of a bullfight are called *tercios*.

V   F   g. A *muleta* is a horseman armed with a type of lance.

V   F   h. Another name for a bullfighter is *matador*.

6.   **Write a 10-sentence original paragraph in Spanish describing your home. Include all the following information in the order it's listed. Use complete sentences, and write out all numbers. Be sure to use a variety of grammar and vocabulary that is appropriate for the topic. You may NOT use a dictionary, your notes or any other outside resource.** (3 pts. each sentence)

- If you live in a house or an apartment (*apartamento*)
- If you like it or not and why (e.g., I like my house because it's new.)
- Who lives with you (e.g., I live with my parents and my sister.)
- How many rooms your home has (e.g., My house has eight rooms.)
- One thing your home doesn't have (a basement, a garden, a garage, etc.)
- List three things in your bedroom (e.g., There is a bed, a dresser and a desk in my bedroom.)
- Something that your house is close to or far from (e.g., My house is close to the park. / My house is far from the school.)
- Describe two things about one room of your home (e.g., The kitchen is white and has two windows. / The living room is big and has a lot of furniture.)
- Two things you like to do at home (watch TV, use the computer, talk on the telephone, etc.)
- Two things you do to help at home (e.g., I set the table and wash the dishes. / I clean the bathroom and cook.)

94 / 117

Score _____

Teacher check _____
                   Initial   Date

LIFEPAC

ANSWER KEYS

SECTION ONE

1.1   Suggested answers:
- a. enhanced business opportunities
- b. communication with people who speak another language
- c. understanding of other cultures

1.2   Suggested answers, any order:
- a. social services
- b. education
- c. international business

1.3   Adult check. Answers will vary depending on the student's interests.

1.4   Adult check. Answers will vary.

1.5
- a. actor, noun
- b. accident, noun
- c. visit, verb
- d. enter, verb
- e. ordinary, adjective
- f. athlete, noun
- g. class, noun
- h. person, noun
- i. professor, noun
- j. television, noun
- k. intelligent, adjective
- l. fruit, noun
- m. bicycle, noun
- n. garage, noun
- o. republic, noun
- p. biology, noun
- q. decide, verb
- r. divide, verb
- s. author, noun
- t. sincere, adjective

SECTION TWO

2.1
- a. circuito   S, D, S
- b. puerta   D, S
- c. radio   S, D
- d. siglo   S, S
- e. noche   S, S
- f. ojo   S, S
- g. lado   S, S
- h. juego   D, S
- i. julio   S, D
- j. blusa   S, S

2.2   Adult check

2.3
- a. a – ge – u – a
- b. be – o – ele – ese – a
- c. ce – o – che – e
- d. de – i – ene – e – ere – o
- e. e – ese – te – a – de – o
- f. efe – e – che – a
- g. ge – o – ele
- h. hache – o – jota – a
- i. i – de – e – a
- j. jota – u – ge – o
- k. ka – i – ele – o
- l. ele – a – ge – o
- m. eme – a – ene – o
- n. ene – i – eñe – o
- o. o – jota – o
- p. pe – a – de – ere – e
- q. cu – u – i – ene – ce – e
- r. ere – e – ve (*or ve chica*) – i – ese – te – a
- s. ese – e – eñe – o – ere
- t. te – a – ele – e – ene – te – o
- u. u – ve – a / u – ve chica – a
- v. ve – a – elle – e / ve chica – a – elle – e
- w. equis – i – ele – ó – efe – o – ene – o
- x. i griega – a – ere – de – a
- y. zeta – a – pe – a – te – o

SECTION TWO (CONT.)

2.4
- a. ellos
- b. cuál
- c. joven
- d. último
- e. hacer
- f. ayuda
- g. gorra
- h. nariz

- c. verdad
- d. animal
- e. leche
- f. esquiar
- g. calle
- h. anteojos
- i. garaje
- j. divertido

2.5
- a. mucho
- b. perro

2.6 Adult check

SECTION THREE

3.1 Adult check

3.2
- a. ca – ma – <u>re</u> – ro
- b. ba – lon – <u>ces</u> – to
- c. de – say – <u>un</u> – o
- d. <u>li</u> – bre
- e. sa – <u>lu</u> – dos
- f. a – ni – <u>ma</u> – do
- g. co – ci – <u>ne</u> – ro
- h. es – pi – <u>na</u> – cas
- i. lec – <u>tu</u> – ra
- j. re – por – <u>ta</u> – je
- k. ar – <u>tis</u> – ta
- l. en – tre – <u>vis</u> – ta

- m. es – per – <u>an</u> – za
- n. mo – <u>chi</u> – la
- o. tra – ba – <u>jar</u>

3.3
- a. también
- b. simpático
- c. correo
- d. tarjeta
- e. éxito
- f. pianista
- g. amigo
- h. música
- i. setenta
- j. próximo

SECTION FOUR

4.1
- a. Escriban su nombre.
- b. Abran sus libros, por favor.
- c. Vayan a la pizarra.
- d. ¿Cómo?
- e. De nada.
- f. Miren y escuchen, por favor.
- g. No sé.
- h. ¿Cómo se dice en español?
- i. Repitan, por favor.
- j. No entiendo.

4.2
- a. Sit down.
- b. Listen.
- c. Close your book.
- d. Answer.
- e. Take out a pencil.
- f. Open your book.
- g. Take out a pen.
- h. Stand up.
- i. Go to the board.
- j. Write your name.
- k. Take out your homework.
- l. Raise your hand.

SECTION FOUR (CONT.)

4.3
a. De nada.
b. Repita, por favor.
c. No, señor.
d. Sí, señora.
e. ¿Cómo se dice "hello" en español?
f. ¿Qué quiere decir "cuaderno"?
g. No entiendo.
h. Explique, por favor.
i. ¿Cómo?
j. Gracias.

4.4
1. i   7. b
2. e   8. k
3. a   9. f
4. l   10. c
5. g   11. h
6. d   12. j

4.5
1. f   6. j
2. i   7. e
3. l   8. k
4. b   9. h
5. a   10. c

SECTION FIVE

5.1
a. tú
b. usted (Ud.)
c. ustedes (Uds.)
d. ustedes (Uds.)
e. usted (Ud.)
f. tú
g. usted (Ud.)
h. usted (Ud.)
i. ustedes (Uds.)
j. tú
k. vosotros
l. tú

SECTION SIX

6.1   Adult check

6.2   Example:

Paco:	¡Hola!
Pedro:	¡Buenos días! ¿Cómo te llamas?
Paco:	Me llamo Paco. ¿Y tú?
Pedro:	Me llamo Pedro. ¿Cómo estás?
Paco:	Así, así, gracias. ¿Y tú?
Pedro:	Bien. Adiós.
Paco:	Chao.

6.3
a. Hi, Carmen! (*or* Hello, Carmen!)
b. How are you, Roberto?
c. Good morning, Mr. Rivera.
d. Goodbye, Ms. (*or* Miss) Ortiz.
e. My name is Lorenzo.
f. See you tomorrow, Mrs. Secada.
g. What's new, Alicia?
h. I'm sick. And you?
i. Good afternoon, Mrs. Ochoa.
j. Good evening (*or* night), Mr. Alonso.
k. How are you, Ms. (*or* Miss) Garza?
l. Okay, thank you.

6.4   Some answers may vary.

llamo tú

tardes Me

Qué

en particular Cómo

Bien Hasta mañana.

SECTION SEVEN

7.1 Paco: <u>Hi/Hello</u>, Luis. <u>Hi/Hello</u>, Teresa. How <u>are you</u>?
Luis: Fine, <u>thank you</u>.
Teresa: Very <u>well</u>, and <u>you</u>?
Paco: <u>Okay</u>.

7.2 Adult check – sample dialogue:
A: ¡Hola, Ana! ¡Hola, Miguel! ¿Cómo están ustedes?
B. Bien, gracias.
C. Muy bien. ¿Y tú?
A. Regular.
B. ¡Adiós!
C. ¡Chao!
A. ¡Hasta luego!

7.3 Example:
a. Tú: Hola, Miguel.
b. Miguel: ¡Hola! Quiero presentarte a mi amigo Carlos.
a. Tú: ¿Qué tal, Carlos?
c. Carlos: Bien, gracias ¿De dónde eres?
a. Tú: Soy de San Diego, California. ¿Y tú?
c. Carlos: Soy de Costa Rica.
b. Miguel: Adiós. Hasta mañana.

7.4
1. d
2. i
3. c
4. l
5. j
6. f
7. n
8. k
9. a
10. g
11. h
12. m
13. e
14. b

7.5
a. ¿Cómo estás?
b. ¿Cómo está usted?
c. ¿Cómo están ustedes?
d. Cómo te llamas?
e. Cómo se llama usted?
f. ¿De dónde eres?
g. ¿De dónde es usted?
h. ¿Y tú?
i. ¿Y ustedes?
j. ¿Y usted?

* Students may abbreviate "usted" (Ud.) and "ustedes" (Uds.).

7.6
1. h
2. d
3. l
4. e
5. a
6. k
7. g
8. c
9. b
10. f

SECTION EIGHT

8.1 Answers will vary. Examples include San Francisco, San Diego, San Jose, San Angelo, San Antonio, etc.

8.2 Adult check

8.3
a. desperate
b. canoe
c. cafeteria
d. computer
e. video
f. lagoon
g. barbecue
h. Los Angeles
i. compact disk
j. calculator

8.4 Possible answers:
a. There is a way for raw materials and agricultural products to be brought into most of Latin America.
b. There is a dense jungle area, and highway construction would be difficult.
c. There is much territory to cover. Perhaps they don't have modern machinery and construction is very slow.

SECTION NINE

9.1
a. enojado
b. abogada
c. huevo
d. azúcar
e. rodilla
f. bañar

9.2
a. sí
b. no
c. no
d. sí
e. sí
f. no
g. sí
h. sí
i. no
j. sí
k. sí
l. no

9.4
1. d
2. m
3. h
4. q
5. a
6. o
7. f
8. t
9. k
10. b
11. g
12. r
13. c
14. i
15. s
16. l
17. e
18. n
19. p
20. j

9.3 Answers will vary for a–c; check that they are logical and grammatically correct.
Sample answers:
a. Me llamo Sara.
b. Soy de Florida.
c. Muy bien./Mal./Regular./Así, así./etc.
d. Nada en particular.

CAPITALS WORD SEARCH

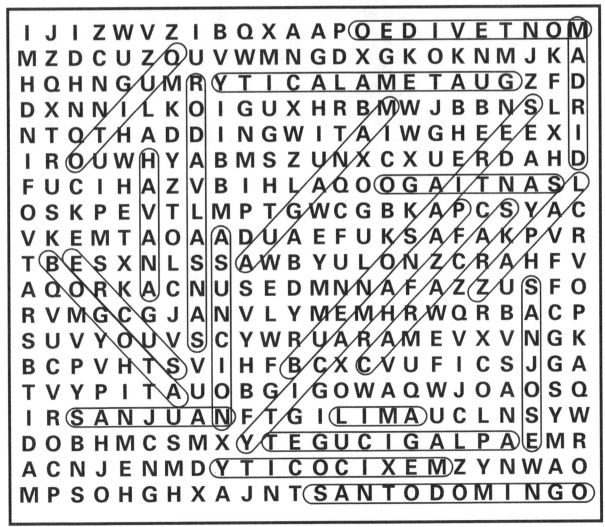

SPANISH-SPEAKING COUNTRIES WORD SEARCH

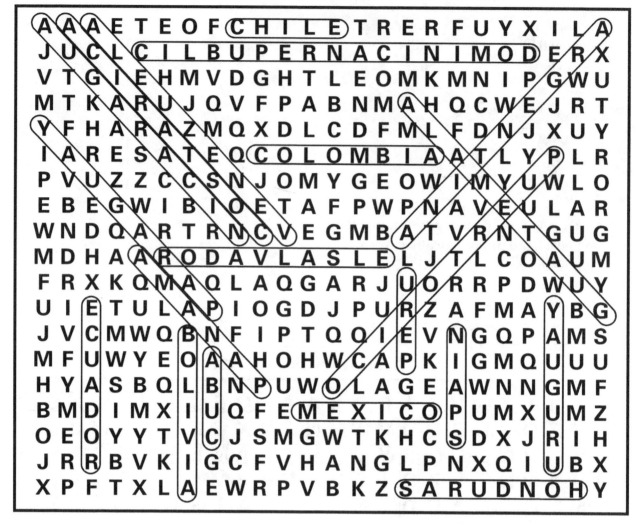

SECTION ONE

1.1 **Picture 1**

1. the book – el libro
2. the notebook – el cuaderno
3. the ruler – la regla
4. the pencil eraser – la goma
5. the (student) desk – el pupitre
6. the pen – la pluma *or* el bolígrafo
7. the pencil – el lápiz
8. the paper – el papel
9. the tape – la cinta
10. the chair – la silla

Picture 2

1. the student (male) – el estudiante
2. the teacher (female) – la profesora
3. the poster – el cartel
4. the pencil sharpener – el sacapuntas
5. the flag – la bandera
6. the chalk – la tiza
7. the eraser – el borrador
8. the chalkboard – la pizarra
9. the map – el mapa
10. the computer – la computadora

1.2
a. M
b. F
c. M
d. F
e. F
f. F
g. M
h. M

1.3
a. M, S
b. F, S
c. M, P
d. F, P
e. F, P
f. F, S
g. M, S
h. M, P

1.4
a. los cuadernos
b. las clases
c. los borradores
d. las cintas
e. los profesores
f. las luces

1.5 Adult check

1.6 Adult check

1.7
a. cinco reglas
b. tres mochilas
c. diez lápices
d. ocho bolígrafos (*or* plumas)
e. una profesora
f. dos mapas
g. nueve libros
h. siete cintas
i. cuatro banderas
j. seis gomas

1.8
a. Tres más cinco son ocho.
b. Dos más siete son nueve.
c. Diez menos cuatro son seis.
d. Nueve menos uno son ocho.
e. Tres más siete son diez.
f. Cuatro más cinco son nueve.
g. Seis menos dos son cuatro.
h. Uno más siete son ocho.
i. Cinco más uno son seis.
j. Ocho menos cuatro son cuatro.

1.9
a. Hay cinco libros.
b. Hay dos mapas.
c. Hay ocho cintas.
d. Hay una mochila.
e. Hay tres diccionarios.

1.10
a. 4 rulers
b. 10 chairs
c. 1 pencil sharpener
d. 6 backpacks
e. 2 chalkboards
f. 8 notebooks
g. 5 pencils
h. 9 tables
i. 3 erasers
j. 7 flags

SECTION TWO

2.1   Adult check

2.2   1. d   7. k
       2. h   8. b
       3. a   9. l
       4. j   10. e
       5. f   11. i
       6. c   12. g

2.3   Sara: ¡Hola, Miguel! ¿Qué tal?
       Miguel: Regular, gracias. ¿Y tú?
       Sara: Bien. ¿Estudias para el examen
                  de inglés?
       Miguel: Sí. Siempre estudio mucho.
                  Necesito una buena nota.

Sara: Yo también. ¿Deseas estudiar
           conmigo?
Miguel: ¡Claro! Vamos a practicar
           juntos.

2.4   Adult check

2.5   a. F; las notas
       b. M; los grados
       c. F; las lecciones
       d. M; los chicos
       e. F; las escuelas
       f. F; las clases

2.6   Adult check

SECTION THREE

3.1   a. tú
       b. ustedes
       c. usted
       d. ustedes
       e. tú
       f. usted
       g. ustedes
       h. tú
       i. ustedes
       j. usted

3.2   a. ¿Cómo está Ud.?
       b. ¿Cómo están Uds.?
       c. ¿Cómo estás?
       d. ¿Cómo estás?
       e. ¿Cómo están Uds.?

3.3   a. ella
       b. ellas
       c. ellos
       d. nosotros
       e. él
       f. ella
       g. ellos
       h. nosotros (for boys); nosotras (for girls)
       i. ellos
       j. ellas

SECTION FOUR

4.1   a. bailo   f. bailamos
       b. bailas   g. bailáis
       c. baila   h. bailan
       d. baila   i. bailan
       e. baila   j. bailan

4.2   a. llego   f. llegamos
       b. llegas   g. llegáis
       c. llega   h. llegan
       d. llega   i. llegan
       e. llega   j. llegan

4.3   a. miro   f. miramos
       b. miras   g. miráis
       c. mira   h. miran
       d. mira   i. miran
       e. mira   j. miran

4.4   a. busco   f. buscamos
       b. buscas   g. buscáis
       c. busca   h. buscan
       d. busca   i. buscan
       e. busca   j. buscan

SECTION FOUR (CONT.)

4.5   Adult check

4.6   a. I arrive, I am arriving, I do arrive
       b. you speak, you are speaking, you do speak (*or* "talk")
       c. he watches (looks at), he is watching (looking at), he does watch (look at)
       d. she dances, she is dancing, she does dance
       e. you look for, you are looking for, you do look for me
       f. we arrive, we are arriving, we do arrive
       g. they dance, they are dancing, they do dance
       h. they look for, they are looking for, they do look for
       i. you guys speak, you guys are speaking, you guys do speak (*or* "talk")

Study hint:
       cognates: chant, desire, terminate

4.7   Adult check

4.8   a. corto – I cut
       b. pagan – they pay
       c. ayudas – you help
       d. compran – you guys buy
       e. estudia – she studies
       f. visitamos – we visit
       g. necesita – he needs
       h. camina – you walk
       i. viajan – they travel

4.9   a. ella   f. nosotros
       b. él   g. ellos
       c. ellas   h. ella
       d. él   i. ellos
       e. él   j. nosotros/nosotras

4.10   a. bailo – I dance
       b. estudia – Mariana studies
       c. hablamos – Arthur and I speak/talk
       d. preparas – You prepare
       e. llegan – The students arrive

       f. paga – Mr. López pays
       g. entramos – You and I enter
       h. ayudan – Paco and Victor help
       i. escuchan – Mr. & Mrs. Gómez listen
       j. viajan – You travel

4.11   a. preguntar
       b. contestar
       c. enseñar
       d. explicar
       e. visitar
       f. caminar
       g. trabajar
       h. cantar
       i. cortar
       j. desear
       k. necesitar
       l. pasar
       m. comprar
       n. regresar
       o. terminar
       p. llevar
       q. bajar
       r. tomar
       s. sacar fotos

4.12   a. I sing.
       b. We dance.
       c. She helps.
       d. They listen.
       e. You walk.
       f. You (guys/all) answer.
       g. We ask.
       h. He teaches.
       i. I buy.
       j. You return.
       k. They work.
       l. You arrive.

SECTION FIVE

5.1   Adult check

5.2   a. F
       b. V
       c. V
       d. F
       e. V

5.3   Adult check

5.4   a. Teresa no monta en bicicleta.
       b. Miguel no regresa a la escuela.
       c. Yo no contesto la pregunta.
       d. Nosotros no ayudamos a Roberto.
       e. Tú no compras dos cuadernos.
       f. Los estudiantes no estudian francés.
       g. Usted no necesita un libro.
       h. Las profesoras no explican la lección.
       i. Ustedes no trabajan mucho.
       j. Yo no termino la tarea.

5.5   a. No, Luis no habla francés.
       b. No, (yo*) no escucho la música.
       c. No, los chicos no llevan los libros.
       d. No, (nosotros*) no visitamos el museo.
       e. No, (yo*) no tomo el diccionario.

       Yo and *nosotros* are optional in b, d, and e.

5.6   a. ¿Necesita Diana una pluma?
       b. ¿Estudias tú inglés?
       c. ¿Visitan los chicos a un amigo?
       d. ¿Contesto yo la pregunta?
       e. ¿Entran ustedes en la clase?
       f. ¿Miramos nosotros la televisión?
       g. ¿Termina usted la lección?
       h. ¿Saca David fotos?
       i. ¿Enseña la profesora español?
       j. ¿Estudian Susana y Carlos?

5.7   Answers may vary, depending on which helping verb students used.
       Sample answers:
       a. Does Diana need a pen?
       b. Are you studying English?
       c. Are the boys visiting a friend?
       d. Do I answer the question?
       e. Are you entering the class?
       f. Are we watching television?
       g. Are you finishing the lesson?
       h. Is David taking photos?
       i. Does the teacher teach Spanish?
       j. Are Susan and Charles studying?

5.8   Answers should have either **, ¿no?** or **, ¿verdad?** after the original sentence.

5.9   a. No, (yo) no necesito un lápiz.
       b. No, (yo) no miro la televisión.
       c. No, (Pablo y Nicolás/ellos) no regresan.
       d. No, (la profesora/ella) no explica la pregunta.
       e. No, (nosotros) no buscamos las mochilas.

5.10   Example:
       A: David, ¿buscas el libro de inglés?
       B: No, yo no busco el libro de inglés.
       A: ¿Buscas un lápiz?
       B: Sí, yo busco un lápiz.
       A: Yo tengo dos lápices. Tú tomas uno.
       B: Gracias.

5.11   a. Sí, (yo) estudio química.
       b. Sí, (yo) canto bien.
       c. Sí, (nosotros) hablamos español.
       d. Sí, (ella) explica la lección.

5.12   a. No, (yo) no viajo mucho.
       b. No, (yo) no necesito el libro.
       c. No, (ellos) no caminan mucho.
       d. No, (nosotros) no bailamos bien.

SECTION SIX

6.1 Example:

    A: ¡Hola, Paco!

    B: ¡Hola, Jaime!

    A: ¿Deseas estudiar español?

    B: No, no deseo estudiar español.

    A: ¿Deseas estudiar inglés?

    B: Sí, deseo estudiar inglés.

6.2   a. carro

       b. pero

       c. perro

       d. caro

6.3   a. 1, primo   f. 2, rico

       b. 2, tierra   g. 1, coro

       c. 2, rollo   h. 2, pizarra

       d. 1, naranja   i. 2, perrito

       e. 1, secreto   j. 1, puerta

6.4   a. Sí, (yo) estudio español.

       b. Sí, Luis habla francés.

       c. Sí, los chicos cortan el papel.

       d. Sí, (nosotros) cantamos bien.

       e. Sí, (yo) deseo enseñar inglés.

6.5 Example:

1. Hay cuatros estudiantes en la clase. El profesor explica la lección de matemáticas. Un estudiante estudia inglés. (*or*: Paco estudia inglés.) Una estudiante desea contestar. (*or*: María desea contestar.)

2. Hay ocho estudiantes. Tres estudiantes cantan. Carlos lleva muchos libros. Anita y Rafael cortan los papeles. Juan y Tomás escuchan la música.

3. Hay cuatro estudiantes. Dos estudiantes miran el mapa de México. Pedro saca una foto. La profesora entra en la clase. Daniel busca un libro.

6.6   a. V   f. V

       b. F   g. V

       c. F   h. F

       d. V   i. F

       e. F   j. V

SECTION SEVEN

7.1   Adult check

7.2   Adult check. This letter will be written in English.

SECTION EIGHT

8.1   a. la profesora

       b. el escritorio

       c. el cartel

       d. el mapa

       e. la computadora

       f. la mesa

       g. el sacapuntas

       h. el estudiante

       i. la pizarra

       j. la silla

       k. la bandera

8.2   a. el libro

       b. el lápiz

       c. la pluma / el bolígrafo

       d. el cuaderno

       e. la cinta

       f. la goma

       g. la regla

       h. el diccionario

       i. el papel

SECTION EIGHT (CONT.)

8.3	**comprar**	**viajar**	**escuchar**
yo	compro	viajo	escucho
tú	compras	viajas	escuchas
él	compra	viaja	escucha
ella	compra	viaja	escucha
Ud.	compra	viaja	escucha
nosotros	compramos	viajamos	escuchamos
vosotros	compráis	viajáis	escucháis
ellos	compran	viajan	escuchan
ellas	compran	viajan	escuchan
Uds.	compran	viajan	escuchan

8.4   a. ¿Visita Pablo la clase de inglés?
            No, Pablo no visita la clase de inglés.
       b. ¿Miras tú la pizarra?
            No, (yo) no miro la pizarra.
       c. ¿Trabajan Uds. mucho?
            No, (nosotros) no trabajamos mucho.
       d. ¿Estudian los chicos el español?
            No, los chicos no estudian el español.
       e. ¿Necesito yo un lápiz?
            No, (tú) no necesitas un lápiz.

8.5   a. li – te – ra – <u>tu</u> – ra
       b. pro – fe – <u>sor</u>
       c. con – ta – bi – li – <u>dad</u>
       d. sa – ca – <u>pun</u> – tas
       e. es – stu – di – <u>an</u> – te

8.6   a. Open your books.
       b. Sit down.
       c. Take out the book.
       d. Repeat.
       e. Write your name.

8.7   a. Ud.
       b. tú
       c. Uds.
       d. Uds.
       e. tú

8.8   Adult check

8.9   Example:

Susana: a. ¡Hola, Carmen! ¿Qué tal?
Carmen: b. ¡Hola, Susana! Así así, ¿y tú?
Susana: c. Muy bien, gracias. ¿Estudias el
             español?
Carmen: Sí, estudio el español. ¿Terminas las
             preguntas de la geografía de México?
Susana: d. No, yo no termino las preguntas.
             ¿Deseas estudiar
             juntas?
Carmen: e. Sí, estudiamos juntas.
Susana: Muy bien. ¿Cómo se llama la capital?
Carmen: México D.F.

8.10   a. 1. Carlos and Juan study together.
          2. ¿Estudian Carlos y Juan juntos?
          3. Carlos y Juan estudian juntos, ¿no?
              (*or* ¿verdad?)
       b. 1. Olivia looks for the dictionary.
          2. ¿Busca Olivia el diccionario?
          3. Olivia busca el diccionario, ¿no? (*or*
              ¿verdad?)
       c. 1. Mrs. Soto teaches accounting.
          2. ¿Enseña la Sra. Soto contabilidad?
          3. La Sra. Soto enseña contabilidad,
              ¿verdad? (*or* ¿no?)
       d. 1. The students finish the assignment.
          2. ¿Terminan los estudiantes la tarea?
          3. Los estudiantes terminan la tarea,
              ¿verdad? (*or* ¿no?)

SECTION ONE

1.1   Adult check

1.2   Example:
Hay cinco habitaciónes. En la sala hay <u>el sofá, dos sillones, dos lámparas, dos mesitas, y el televisor.</u>

En la cocina hay <u>el lavaplatos, la estufa, el fregadero, y el refrigerador.</u>

En el comedor hay <u>la mesa y seis sillas.</u>

En el dormitorio hay <u>la cama, dos mesas de noche, dos lámparas, la cómoda, y el espejo.</u>

En el patio hay <u>una mesa y cuatro sillas.</u>

1.3
a.	la	f.	el
b.	la	g.	la
c.	el	h.	la
d.	la	i.	el
e.	el	j.	la

1.4
a. el
b. el
c. la

1.5   los

1.6   las

1.7
a.	las	k.	los
b.	la	l.	el
c.	el	m.	la
d.	los	n.	las
e.	la	o.	la
f.	el	p.	los
g.	las	q.	el
h.	los	r.	las
i.	la	s.	el
j.	los	t.	las

1.8
a.	I	d.	I	g.	L	j.	L
b.	I	e.	I	h.	L	k.	I
c.	L	f.	I	i.	I	l.	L

SECTION TWO

2.1
a.	una	f.	un
b.	unos	g.	unas
c.	unos	h.	un
d.	un	i.	unos
e.	unas	j.	una

2.2
a. el comedor
b. un sillón
c. las camas
d. unos televisores
e. la cocina
f. una lámpara
g. unas alcobas/unos dormitorios/unas recámaras
h. una habitación/un cuarto
i. el librero
j. la mesa

2.3
a. Veinticuatro más tres son veintisiete.
b. Treinta y uno menos diecisiete son catorce.
c. Diecinueve más once son treinta.
d. Veintiocho menos siete son veintiuno.
e. Quince más catorce son veintinueve.
f. Siete más trece son veinte.
g. Veintiuno menos nueve son doce.
h. Veintiséis menos diez son dieciséis.
i. Veintitrés menos cinco son dieciocho.
j. Veinticinco menos tres son veintidós.

2.4
a.	14 trees	f.	15 bookshelves
b.	2 rugs	g.	30 armchairs
c.	12 windows	h.	11 beds
d.	23 houses	i.	7 bicycles
e.	16 end tables	j.	13 doors

SECTION THREE

3.1 a. los primos
     b. las primas
     c. los nietos
     d. las sobrinas
     e. los sobrinos
     f. las hijas
     g. las mamás
     h. las hermanas
     i. los tíos
     j. los esposos
     k. los estudiantes
     l. las profesoras

3.2 a. Teresa Álvarez Gómez
     b. Guzmán
     c. Salazar
     d. Álvarez
     e. Ávila
     f. Álvarez
     g. Salazar

3.3 a. el hermano
     b. el hijo
     c. la madre/la mamá
     d. la prima
     e. el abuelo/el abuelito
     f. la esposa
     g. el esposo
     h. la hija
     i. el padre/el papá
     j. la abuela/la abuelita
     k. la tía
     l. el primo
     m. la sobrina
     n. el nieto

3.4 a. es   f. es
     b. soy   g. es
     c. somos   h. son
     d. son   i. soy
     e. eres   j. son

3.5 a. Who teaches the class?
     b. When do you work?
     c. Why do the students answer?
     d. What does Maria need?
     e. Where do they walk?
     f. How does she explain the lesson?
     g. What are you studying? /
        What do you study?
     h. How much are you paying for the
        book? /
        How much do you pay for the book?
     i. When does Mr. Alcocer return? /
        When is Mr. Alcocer returning?
     j. Who uses the computer? /
        Who is using the computer?
     k. Why don't you finish the assignment? /
        Why aren't you finishing the assignment?
     l. Where are they from?

3.6 a. ¿Qué estudia Tomás hoy?
     b. ¿Cuándo preparas tú la lección?
     c. ¿Dónde trabaja Mariana?
     d. ¿Cómo baila Alicia?
     e. ¿Cuánto pagan los chicos por los
        discos?

SECTION FOUR

4.1
a. sábado, el veintiséis de septiembre
b. miércoles, el catorce de junio
c. martes, el diecinueve de agosto
d. lunes, el treinta y uno de enero
e. jueves, el veinte de mayo
f. viernes, el veintinueve de abril
g. domingo, el quince de octubre
h. miércoles, el seis de diciembre
i. jueves, el veintiocho de febrero
j. viernes, el primero de noviembre

4.2
a. Es el cinco de agosto.
b. Es el veintidós de septiembre.
c. Es el primero de octubre.
d. Es el siete de agosto.
e. Contestan antes del treinta y uno de julio.
f. Fue publicada el quince de mayo de 1885.
g. Fue publicado el dos de enero de 1856.
h. Compra el regalo el dos de agosto.
i. Manda las invitaciones el doce de julio.
j. Es el diecinueve de octubre.

4.3
a. diciembre, enero, febrero
b. marzo, abril, mayo
c. junio, julio, agosto
d. septiembre, octubre, noviembre
e. Es el veinticinco de diciembre.
f. Es el cuatro de julio (de 1776).
g. Es en noviembre.
h. enero
i. sábado y domingo

4.4
a. Tuesday, July 2nd
b. Friday, October 17th
c. Sunday, January 6th
d. Thursday, April 28th
e. Monday, March 1st
f. Wednesday, December 13th
g. Saturday, June 30th
h. Thursday, November 19th

4.5
a. Son las cinco.
b. Son las siete.
c. Son las nueve.
d. Son las once.
e. Son las doce.

4.6
a. Son las once de la mañana.
b. Son las ocho de la noche.
c. Son las tres de la madrugada.
d. Son las cuatro de la tarde.

4.7
a. Son las ocho y diez.
b. Son las siete y cinco.
c. Es la una y media (*or* y treinta).
d. Son las cuatro y cuarto (*or* y quince) de la tarde.
e. Son las dos y veinte de la madrugada.

4.8
a. 5:00
b. 6:40
c. 12:00
d. 2:00 A.M.
e. 4:15
f. 7:30 A.M.
g. 1:15
h. 2:55 P.M.
i. 12:00 P.M. / noon
j. 9:30 P.M.
k. 10:55
l. 12:35
m. 12:00 A.M. / midnight
n. 11:45 P.M.

4.9
a. Son las ocho menos cinco.
b. Son las diez menos veinte.
c. Son las cinco menos cuarto (*or* quince) de la tarde.
d. Son las doce menos diez de la mañana.
e. Son las tres menos veinticinco.

4.10 Answers will vary; check for correct grammar and logical times. Sample answers:
a. Estudio español a las dos.
b. Regreso a casa a las cuatro.
c. Trabajamos a la una.
d. El concierto es a las ocho.

4.11
a. Carlos always arrives early.
b. We need to return on time.
c. Why do you always arrive late?
d. It's 3:00 sharp / exactly.

4.12
a. 3:00
b. 5:20
c. 1:30 P.M.
d. 8:15 A.M.
e. 9:50
f. 5:55 P.M.
g. 12:30
h. 12:40
i. 9:45 P.M.
j. midnight / 12:00 A.M.
k. 4:25
l. 3:35 A.M.

SECTION FIVE

5.1 a. yo llego   nosotros llegamos
     tú llegas   vosotros llegáis
     él llega   ellos llegan

     b. yo aprendo   nosotras aprendemos
     tú aprendes   vosotros aprendéis
     ella aprende   ustedes aprenden

     c. yo escribo   nosotros escribimos
     tú escribes   vosotras escribís
     usted escribe   ellas escriben

     d. yo leo   nosotros leemos
     tú lees   vosotros leéis
     él lee   ustedes leen

     e. yo regreso   nosotras regresamos
     tú regresas   vosotras regresáis
     usted regresa   ellos regresan

     f. yo asisto   nosotros asistimos
     tú asistes   vosotros asistís
     ella asiste   ellas asisten

5.2 a. yo leo
     b. nosotras aprendemos
     c. ellas asisten
     d. él llega
     e. tú lees
     f. usted regresa
     g. ustedes aprenden
     h. ellos llegan
     i. ella asiste
     j. nosotros escribimos

5.3 a. **Yo:**   abro
         bebo
         escribo

     b. **Los chicos:**   dividen
         corren
         rompen

     c. **Paco y yo:**   comemos
         vivimos
         bebemos

     d. **Tú:**   subes
         lees
         corres

5.4 a. escribo
     b. comen
     c. rompe
     d. viven
     e. corremos
     f. salimos
     g. lees
     h. abre
     i. bebo
     j. dividen

5.5 a. **Yo:**   creo
         coso
         asisto

     b. **Las chicas:**   reciben
         venden
         omiten

     c. **Paco y yo:**   respondemos
         subimos
         prometemos

     d. **Tú:**   describes
         cubres
         aprendes

5.6 a. I respond, I do respond,
         I am responding
     b. we go up, we do go up,
         we are going up
     c. they sell, they do sell,
         they are selling
     d. you sew, you do sew,
         you are sewing
     e. he promises, he does promise,
         he is promising
     f. I cover, I do cover, I am covering
     g. we learn, we do learn,
         we are learning
     h. you attend, you do attend,
         you are attending
     i. he believes, he does believe,
         he is believing
     j. you describe, you do describe,
         you are describing

SECTION FIVE (CONT.)

5.7   *For the open-ended questions, answers will vary. Check that the answer is logical and grammatically correct.

    *a. Vivo en Arizona.
    *b. Recibo un libro.
    c. Corro mucho. / Corro poco.
    d. Escribo bien. / Escribo mal.
    e. Sí, creo en los milagros. / No, no creo en los milagros.
    f. Sí, comprendo los verbos. / No, no comprendo los verbos.
    g. Sí, asistimos a muchas fiestas. / No, no asistimos a muchas fiestas.
    h. Sí, leemos muchos libros. / No, no leemos muchos libros.
    i. Sí, mi madre cose. / No, mi madre no cose.
    j. Sí, debo estudiar más. / No, no debo estudiar más.

5.8   Adult check

5.9   a. Luisa vive en una casa nueva.
    b. Vive en la Calle Colón, número 24.
    c. Es muy bonito.
    d. Corre en un parque.
    e. Corre cinco millas.
    f. Corre después de las clases.
    g. Sí, Ana corre.
    h. Desea correr con Luisa.
    i. Corren mañana después de las clases.

5.10   Adult check. Answers will vary.
Sample answers shown:
    a. Hay un parque en el barrio.
    b. ¿Corres en el parque?
    a. Sí, corro después de las clases.
    b. Deseo correr contigo.
    a. ¿Deseas correr mañana?
    b. Bueno.

SECTION SIX

6.1 Example:

A: Buenos días, Carmen.

B: ¡Hola, Anita!

A: ¿Estudias la lección de química?

B: Sí, yo estudio la lección de química.
¿Deseas contestar las preguntas juntas?

A: Sí. ¿Cuándo?

B: Mañana, el cinco de febrero, a las tres y media en mi casa.

A: Muy bien. Hasta mañana.

B: Adiós.

6.2 Examples:

a. Roberto no contesta la pregunta de Carlos.

b. Carmen y Tomás comen juntos.

c. María habla con una amiga.

d. Rafael mira la ventana.

e. Ella cose mucho.

f. Pedro corre en el parque.

g. Daniel escribe la tarea.

h. David sale a las siete de la mañana.

i. Juan bebe Coca-Cola.

j. José lee un libro interesante.

6.3
1. c		6. c	
2. b		7. d	
3. a		8. a	
4. d		9. b	
5. a		10. d	

6.4 1. c
2. a

6.5 1. d
2. c
3. b

6.6 Adult check. Answers will vary. Sample answers shown:

a. Los estudiantes asisten a la escuela.

b. Vivo en Arizona.

c. Comemos a las seis.

d. Asisten a las clases porque desean aprender.

e. Salgo a las ocho.

6.7 Adult check. These activities will have various unique answers. Just check for content and correctness of grammar, spelling, and word order.

SECTION SEVEN

7.1
	comprar	vender	cubrir
a.	compro	vendo	cubro
b.	compras	vendes	cubres
c.	compra	vende	cubre
d.	compra	vende	cubre
e.	compra	vende	cubre
f.	compramos	vendemos	cubrimos
g.	compráis	vendéis	cubrís
h.	compran	venden	cubren
i.	compran	venden	cubren
j.	compran	venden	cubren

7.2 a. we study, we do study, we are studying

b. I visit, I do visit, I am visiting

c. you understand, you do understand, you are understanding

d. you respond, you do respond, you are responding

e. they describe, they do describe, they are describing

7.3 a. abre

b. visitamos

c. corre

d. leo

e. aprendemos

f. comen

g. escribo

h. vivimos

i. Deseas

j. Miran

7.4 Answers will vary. Check that they are logical and grammatically correct. Possible responses are given.

a. Hay # personas en mi familia.

SECTION SEVEN (CONT.)

b. (Person's name) habla inglés y español.

c. Mis abuelos viven en (place).

d. Mi madre se llama (name).

e. Estudio a las (time).

f. (Name) asiste a la clase de biología.

g. Leo mucho/poco.

h. Canto bien/mal.

i. Estudio español porque (reason).

j. Aprendemos inglés.

k. Escucho música en (place).

l. Mi madre prepara la comida en la cocina.

m. Mi familia come en el comedor.

n. Los estudiantes aprenden español.

o. Salgo a las # (time).

p. Leemos un libro.

q. Vivimos en (place).

r. Asisto a la clase de (subject).

s. Visito a mis abuelos (time or date).

t. Sí, comprendemos las lecciones.

7.5   Any order:

1. a. el borrador
   b. la tiza
   c. la pizarra

2. a. la estudiante/la chica
   b. la mochila
   c. el libro

3. a. la pluma/el bolígrafo
   b. el lápiz
   c. la regla

4. a. el diccionario
   b. el cuaderno
   c. el papel

5. a. la bandera
   b. el mapa
   c. el profesor

6. a. el escritorio
   b. la silla
   c. la computadora

7. a. la madre
   b. el padre
   c. el hijo

8. a. el abuelo/el abuelito
   b. la abuela/la abuelita
   c. la nieta

9. a. el sillón
   b. el sofá
   c. la lámpara

7.6   a. el (cuarto de) baño
      b. la cocina
      c. el comedor
      d. el garaje
      e. la sala
      f. el domitorio/la alcoba/la recámara

SECTION ONE

1.1   a. voy
      b. vas
      c. vamos
      d. allí
      e. conmigo
      f. supermercado
      g. el pastel
      h. juntos
      i. qué bueno
      j. deliciosas

1.2   Adult check

1.3   a. va
        Laura is going to (the) school.
      b. voy
        I am going to English class.
      c. vamos
        Pilar and I are going to Mariana's house.
      d. Vas
        Are you going now?
      e. van
        You all are going with José, right?
      f. va
        Manuel is going at 3:30.
      g. van
        The students are going at 8:00.
      h. Va
        Are you going to open the window?
      i. van
        My friends are going to attend the party.
      j. vamos
        We are going in the afternoon/evening.

1.4   Suggested answers; accept others as long as they are logical.
      a. el cine
      b. el parque
      c. la playa
      d. la oficina
      e. el banco
      f. el correo
      g. el supermercado
      h. la escuela
      i. la iglesia
      j. el restaurante
      k. el café
      l. el museo
      m. el estadio
      n. el aeropuerto
      o. el hotel

1.5   Translations are also provided with the direct object in boldface to help students understand why the personal *a* is or isn't needed.
      a. ___ Elena answers the **telephone**.
      b. a Elena answers the **teacher**.
      c. ___ I need to listen to the **radio**.
      d. a I need to listen to my **parents**.
      e. a Why don't you help the **boys**?
      f. ___ Why don't you open the **window**?
      g. a We are looking for **Catalina**.
      h. ___ We are looking for the **dictionary**.
      i. ___ We are going to sell the **computer**.
      j. ___ They want to buy the **dishwasher**.
      k. a I always visit my **grandparents** in the summer.
      l. ___ Andres and I are cousins.
          (The verb is a form of *ser*.)

1.6   a. a   f. a los
      b. a la   g. a las
      c. al   h. a las
      d. a la   i. al
      e. al   j. a la

1.7   a. la mochila de Pablo
      b. el coche (*or* carro, auto) de mi hermano
      c. la biblioteca del pueblo
      d. la computadora de mi amigo (*or* amiga)
      e. la oficina de la escuela
      f. los cuadernos de las chicas

1.8   a. del   f. de la
      b. de la   g. de las
      c. de la   h. de los
      d. de   i. del
      e. del   j. de

SECTION ONE (CONT.)

1.9   Example:

A: ¡Hola, Pedro! Yo voy al café.

B: ¿Qué deseas hacer en el café?

A: Yo deseo tomar una Coca-Cola.

B: Me gusta tomar una Coca-Cola también.

A: ¿Deseas ir al café conmigo?

B: Muy bien. ¿A qué hora?

A: Vamos a las dos.

B: Yo voy al café contigo. Hasta luego.

1.10
a. beach	g. post office
b. movie theater	h. market
c. store	i. city hall
d. downtown	j. home
e. library	k. city
f. church	l. museum

SECTION TWO

2.1   a. Es comerciante.

b. Es farmacéutico.

c. Es médica/enfermera/doctora.

d. Es historiadora.

e. Es actor/músico.

f. Es secretario/abogado/jefe/ hombre de negocios.

g. Es piloto.

h. Es profesora/maestra.

i. Es abogado.

j. Es escritora.

k. Es arquitecto/ingeniero.

l. Es veterinaria.

m. Es músico.

n. Es fotógrafa.

2.2   a. Es abogado.

b. Es médico.

c. El padre de Juan trabaja en una oficina en el centro, y el padre de Luis trabaja en el hospital y en una oficina.

d. Desea ser farmacéutico.

e. Desea ser historiador.

2.3   Example:

Juan: Mi padre es profesor.

Luis: ¿Ah, sí? ¿Dónde trabaja?

Juan: Trabaja en la universidad en el centro.

Luis: Mi padre es veterinario.

Juan: ¿Trabaja en la clínica? (clinic)

Luis: Sí, y en el campo también.

Juan: Deseo ser piloto. Voy a trabajar en el aeropuerto.

Luis: Deseo ser programador de computadoras y trabajar en una oficina.

2.4   1. a. Padre

b. policía

c. Busca a criminales y ayuda a las personas.

2. a. Madre

b. fotógrafa

c. Saca fotos de familias.

3. a. Tía Luisa

b. profesora

c. Enseña biología.

4. a. Tío Patricio

b. programador de computadoras

c. Trabaja en una compañía grande.

5. a. David

b. estudiante

c. Estudia para veterinario.

6. a. Daniela

b. mujer de negocios

c. Trabaja en una compañía grande.

7. a. Miguel

b. piloto

c. Viaja a muchas ciudades diferentes.

8. a. Anita

b. periodista

c. Escribe para un periódico pequeño.

9. a. Amparo

b. escritora

c. Escribe novelas de misterio.

2.5
a. manager	g. boss
b. business woman	h. architect
c. journalist	i. artist
d. secretary	j. writer
e. merchant	k. pharmacist
f. pilot	l. nurse

SECTION TWO (CONT.)

2.6 a. Noventa y nueve menos treinta y tres son sesenta y seis.
  b. Ochenta y dos menos cuarenta y tres son treinta y nueve.
  c. Cincuenta y ocho más diecisiete son setenta y cinco.
  d. Treinta por tres son noventa.
  e. Ochenta y siete menos treinta y cinco son cincuenta y dos.

2.7 a. cincuenta
  b. ochenta y ocho
  c. sesenta
  d. setenta y dos
  e. cincuenta y dos

2.8 a. 15   e. 86   i. 48
  b. 11   f. 20   j. 13
  c. 75   g. 94   k. 52
  d. 10   h. 100   l. 67

SECTION THREE

3.1 a. La mesa es vieja.
  b. El Sr. Vega es rico.
  c. La cocina es pequeña.
  d. Mi hermano es rubio.
  e. Raquel es delgada.
  f. La película es aburrida.
  g. Edmundo es simpático.

  i. pink, rosados
  j. German, alemanes
  k. talkative, habladoras
  l. charming, encantadores
  m. strong, fuertes
  n. Portuguese, portugueses
  o. difficult, difíciles

3.2 a. La Srta. López es amigable y paciente.
  b. Soy pobre.
  c. El garaje es muy grande.
  d. Mi hermana no es responable.
  e. El tapete es verde.
  f. Felipe es egoísta y pesimista.
  g. El libro no es interesante.

3.3 a. Mi tía es francesa.
  b. Tu abuelita es alemana, ¿no? (*or* ¿verdad?*)
  c. Tu sobrino es muy preguntón.
  d. Mi mamá es trabajadora.
  e. La bicicleta de Antonio es azul.
  f. La tarea es fácil.
  g. El papá de Julia no es muy hablador.

3.4 a. gray, grises
  b. hard-working, trabajadores
  c. Mexican, mexicanas
  d. purple, morados
  e. pretty, bonitas
  f. thin, delgados
  g. easy, fáciles
  h. blue, azules

3.5 a. Las tiendas son nuevas.
  b. Los museos son interesantes.
  c. La fiesta es aburrida.
  d. La película es tonta.
  e. Los hoteles son caros.
  f. El teatro es muy viejo, ¿verdad? (*or* ¿no?*)
  g. La bandera es roja, negra y amarilla.
  h. Las mochilas son anaranjadas y blancas.
  i. Los estudiantes no son perezosos.
  j. El Sr. Sato es japonés.

3.6 a. blond   h. nice
  b. short   i. friendly
  c. fun   j. selfish
  d. easy   k. weak
  e. small/little   l. exciting
  f. Chinese   m. German
  g. dark-skinned   n. young

3.7 a. Answers will vary. Boys need masculine adjectives and girls need feminine. Examples: Soy alto, rubio y deportista. (boy) Soy alta, rubia y deportista. (girl)

SECTION THREE (CONT.)

b. Answers will vary; adjectives should be masculine plural. Example: Mis amigos son interesantes, simpáticos y amigables.

c. Sí, soy responsable. / No, no soy responsable.

d. Sí, soy trabajador(a). / No, no soy trabajador(a).

e. Sí, mis padres son altos. / No, mis padres no son altos.

f. Mi dormitorio es grande. / Mi dormitorio es pequeño.

g. Mi casa es nueva. / Mi casa es vieja.

h. Soy bromista. / Soy serio/a.

3.8 a. varios estudiantes perezosos

b. unas (*or* algunas) casas nuevas

c. una flor roja

d. muchos libros interesantes

e. todo el invierno

f. una actriz francesa

g. pocos chicos trabajadores

h. unas (*or* algunas) lecciones fáciles

i. una piscina pequeña

j. todos los museos populares

3.9 Adult check

3.10 Example:

Ana: ¿Cómo es tu hermano, Elisa?

Elisa: Es bajo, rubio y guapo.

Ana: ¿Cuál es su profesión?

Elisa: Es un ingeniero importante. ¿Y tu hermano? ¿Cómo es?

Ana: Es simpático, interesante y trabajador.

Elisa: ¿Y su profesión?

Ana: Es un periodista fantástico en San Francisco.

SECTION FOUR

4.1 a. estoy
 b. estamos
 c. está
 d. estás
 e. están
 f. estamos
 g. están
 h. están
 i. están
 j. está

4.2 a. Mariana está contenta/alegre.

b. Estamos emocionados(as).

c. ¿Por qué estás frustrado/a?

d. Elena y Luisa están nerviosas.

e. La clase está sorprendida.

f. Los chicos están enojados.

g. El abogado está preocupado.

h. Los artistas están encantados.

i. Estoy muy cansado/a.

j. ¿Están Uds. enfermos?

4.3 a. ¿Dónde está el banco?
  Está cerca del teatro.

b. ¿Dónde está el café?
  Está al lado del correo.

c. ¿Dónde está la iglesia?
  Está detrás del estadio.

d. ¿Dónde está la tienda?
  Está al lado de la biblioteca.

e. ¿Dónde está el parque?
  Está delante del museo.

f. ¿Dónde está el restaurante?
  Está lejos del correo.

g. ¿Dónde está la iglesia?
  Está entre el estadio y el banco.

h. ¿Dónde está la tienda?
  Está al lado de la farmacia.

i. ¿Dónde está el supermercado?
  Está a través del café.

j. ¿Dónde está la plaza?
  Está frente al restaurante.

4.4 a. Pilar está triste y enferma.

b. Pilar va al médico.

c. Está cerca de la biblioteca.

SECTION FOUR (CONT.)

4.5 Example:

Ana: ¿Cómo estás?

Pilar: Estoy nerviosa.

Ana: ¿Porqué estás nerviosa?

Pilar: Tengo un examen en la clase de historia. Voy al museo.

Ana: ¿Estás preocupada?

Pilar: Sí. ¿Dónde está el museo?

Ana: Está detrás del supermercado. Voy al supermercado. Caminamos juntas.

Pilar: Gracias.

4.6 a. angry/mad
   b. nervous
   c. happy
   d. depressed
   e. sick
   f. confused
   g. tired
   h. disappointed
   i. jealous
   j. scared/frightened/afraid

SECTION FIVE

5.1 a. Está bien.
   b. Está contento.
   c. Va al cine con Isabel.
   d. Es bonita y simpática.
   e. Está en el Cine Colón.
   f. Es a las siete y media.
   g. Daniel, Isabel, Timo y Alicia van al cine.

5.2 Adult check

5.3 a. es
   b. está
   c. somos
   d. eres
   e. estoy
   f. están
   g. estás
   h. soy
   i. estamos
   j. son
   k. están
   l. son
   m. es
   n. somos
   o. está

5.4 Example:

A: ¡Hola, Carlos!

B: ¡Hola, Miguel! ¿Cómo estás?

A: Muy bien, gracias.

B: ¿Cómo es Pedro, el nuevo estudiante?

A: Es alto, moreno y simpático.

B: ¿De dónde es Pedro?

A: Es de Costa Rica.

B: ¿Cómo es la clase de español.

A: Es muy interesante.

B: Muy bien. ¡Adiós!

5.5 a. Es de Colombia.
   b. Está aquí por un año.
   c. Desea aprender inglés.
   d. Es alto y moreno.
   e. Está en la clase de inglés.
   f. Es difícil.
   g. Vive con la familia Douglas.
   h. La madre es enfermera y el padre es ingeniero.
   i. Se llaman Thomas y Mark.
   j. Van a mirar una película nueva.

SECTION SIX

6.1   a. He asks if Paco wants to go to the movies.

       b. He says no, that he doesn't want to see any movies.

       c. He asks if Paco wants to visit a friend.

       d. He says no, that he doesn't want to visit anyone now.

       e. He asks if Paco wants to eat at a café.

       f. He says no, that he never eats at a café.

       g. He doesn't want anything.

6.2   Adult check

6.3   a. I always visit my grandparents.
            No, nunca
            I never visit my grandparents.

       b. There's someone in the kitchen.
            No, nadie
            There's no one in the kitchen.

       c. I need to buy some notebooks.
            No, ningún
            I don't need to buy any notebooks.

       d. I'm going to learn something new today.
            No, nada
            I'm not going to learn anything new today.

       e. I'm going to help someone.
            No, nadie
            I'm not going to help anyone.

       f. You need some rulers.
            No, ninguna
            You don't need any rulers.

6.4   a. No compro nada.

       b. No voy con nadie.

       c. No ayuda nunca a mi hermano. *or*
            Nunca ayudo a mi hermano.

       d. No, no llevo ningún libro a la clase.

6.5   a. No estudio matemáticas.

       b. No vamos nunca al cine. / Nunca vamos al cine.

       c. No deseo nada.

       d. ¿Vas a comprar algo?

       e. ¿Escuchas siempre? / ¿Siempre escuchas?

       f. Necesito algunos libros.

       g. No sacamos ninguna foto.

       h. Alguien está aquí.

       i. Nadie trabaja el domingo.

       j. No necesitamos nada.

6.6   a. Es antipático.

       b. No, no termina nunca las lecciones. *or*
            No, nunca termina las lecciones.

       c. Siempre mira la televisión o trabaja en la computadora.

       d. Está en la biblioteca.

       e. Necesita algunos libros para una tarea de historia.

       f. No, no lee ningún libro.

       g. No, no hay nadie como Diego.

       h. Necesita trabajar.

       i. No desea aprobar nada.

       j. Sí, deseo aprobar las clases. *or*
            No, no deseo aprobar las clases.

SECTION SEVEN

7.1   Example:

A: Buenos días, Susana.

B: ¡Hola! ¿Adónde vas?

A: Voy a la clínica para ver a mi padre. Es dentista.

B: Yo voy a la biblioteca. Está cerca de la clínica.

A: ¿Deseas caminar conmigo?

B: Sí. ¿Cómo estás?

A: Muy bien, gracias. ¿Y tú?

B: Bien. ¿Cómo son las clases?

A: Son interesantes. La clase de matemáticas es muy difícil.

B: Bien. ¿Cómo es tu amiga Anita?

A: Es morena y guapa. Y es muy simpática también.

B: Llegamos a la biblioteca.

A: Adiós. Hasta mañana.

B: ¡Chao!

7.2   a. Daniela es muy simpática.

b. Van al cine.

c. Van al café.

d. No hay ningún asiento.

e. Van a las tiendas.

f. Hay cuatro amigos en el café.

g. Luis baila con Daniela.

h. Jorge baila con Teresa.

i. Habla del nuevo estadio de fútbol.

j. Van a estar allí en dos semanas.

k. Son los mejores.

l. Habla de la nueva biblioteca.

m. Hay un cuarto con varias computadoras.

n. Usa las computadoras para investigar las universidades.

o. Van a casa a las diez.

7.3   1. a
2. d
3. c

7.4   1. b
2. c
3. a

7.5   1. b
2. c
3. a
4. b
5. d

7.6   Adult check. In this section the answers will vary. Please check for subject and verb agreement as well as noun and adjective agreement.

SECTION EIGHT

8.1   1. e
2. c
3. f
4. a
5. b
6. d

SECTION NINE

9.1   1. a
2. d
3. a
4. d
5. b
6. a
7. d
8. c
9. b
10. c
11. c
12. c
13. d
14. a
15. d
16. a

SECTION NINE (CONT.)

17. d
18. c
19. a
20. d
21. b
22. b
23. c
24. b
25. c

9.2
  a. interesantes
  b. blanca
  c. alto, delgado
  d. amarillo
  e. grande
  f. moderna, bonita
  g. barato
  h. triste, famosa
  i. nueva, pequeño
  j. populares
  k. deliciosas, mexicano
  l. serio, difícil
  m. simpáticas
  n. importantes
  o. ricos
  p. excelente
  q. enferma
  r. agradables
  s. azul, negra
  t. pequeños, divertidos

9.3 Answers will vary. Examples of correct answers are given.
  a. Luis está en la iglesia ahora.
  b. La clase de inglés es a las diez de historia.
  c. El chico guapo es Arturo.
  d. Hay veinte estudiantes en la clase de historia.
  e. Es el (#) de (month).
  f. Leo (title).
  g. Es lunes, el cinco de marzo.
  h. Es alta y bonita.
  i. Están bien.
  j. Está enferma.

9.4 Answers will vary. Examples of correct answers are given.
  a. La iglesia está al lado de la escuela. (The church is beside the school.)
  b. El supermercado está al lado del correo. (The supermarket is next to the post office.)
  c. Las oficinas están cerca de la plaza. (The offices are near the town square.)
  d. El estadio está lejos de la escuela. (The stadium is far from the school.)
  e. El parque está entre la biblioteca y la tienda. (The park is between the library and the store.)

9.5 Answers will vary. Examples of correct answers are given.
  a. Es invierno/diciembre. (It's winter/December.) El chico está alegre. (The boy is happy.)
  b. Es primavera/abril/mayo. (It's spring/April/May.) Las flores son bonitas. (The flowers are pretty.)
  c. Es otoño/octubre. (It's fall/October.) Los chicos trabajan. (The boys work.)
  d. Es verano/junio/julio. (It's summer/June/July.) Las amigas nadan. (The friends swim.)
  e. Es agosto/septiembre. (It's August/September.) Los estudiantes van a la escuela. (The students are going to school.)

9.6
  a. setenta y tres
  b. cincuenta y ocho
  c. ochenta y nueve
  d. noventa y uno
  e. sesenta y dos
  f. cuarenta y siete
  g. treinta y cuatro

SECTION NINE (CONT.)

h. veinticinco

i. dieciséis

j. cien

9.7
a. Nadie termina el proyecto.
b. No, no trabajo nunca a las diez de la noche. / No, no trabajo a las diez de la noche. / No, nunca trabajo a las diez de la noche.
c. No compro nada.
d. No visito a nadie.
e. No voy nunca a Venezuela. / Nunca voy a Venezuela.

9.8
a. a la
b. del
c. al
d. a las
e. de la

9.9
a. Guatemala/Guatemala City
b. El Salvador/San Salvador
c. Honduras/Tegucigalpa
d. Nicaragua/Managua
e. Costa Rica/San Jose
f. Panama/Panama City

9.10   Answers will vary.

SECTION ONE

1.1 a. You would like/Would you like
    b. I like
    c. of course
    d. a pair of shoes
    e. the shoe store
    f. I would like
    g. Okay
    h. a jacket
    i. to leave
    j. to forget
    k. the pastry shop

1.2 Adult check

1.3 a. rosado   d. morado
    b. anaranjado   e. gris
    c. verde

1.4 Answers will vary. The following are examples of correct answers.
    a. Lleva jeans, una camisa roja, botas castañas, y una gorra blanca.
    b. Lleva una falda negra, una blusa amarilla, y zapatos de color café.
    c. Lleva un traje gris, una camisa blanca, una corbata azul, y lleva un impermeable negro.
    d. Lleva un traje de baño azul, sandalias amarillas, un sombrero rojo, y anteojos de sol.
    e. Lleva pantalones cortos azules, una camiseta blanca, calcetines blancos y zapatos de tenis azules, y lleva anteojos.

1.5 a. gusta
      I like the coat.
    b. gustan
      We like the shoes.
    c. gustan
      You like the T-shirts.
    d. gusta
      She likes the jacket.
    e. gustan
      They like the gloves.
    f. gusta
      You like the blouse.

    g. gustan
      I like the jeans.
    h. gusta
      You all like the skirt.
    i. gusta
      We like the cap.
    j. gustan
      Pepe likes the boots.

1.6 a. A él le gusta la camisa amarilla.
    b. A ella no le gusta la blusa verde ni el vestido negro.
    c. A ellas les gustan los sombreros azules.
    d. A Ud. le gustan los pantalones cortos rojos.
    e. A Uds. les gustan los suéteres blancos.

1.7 a. ¿Te gustarían los anteojos de sol?
    b. ¿Nos gustarían las camisetas azules o las camisetas verdes?
    c. ¿Le gustarían a ella los pantalones cortos amarillos?
    d. ¿Me gustarían los zapatos negros?
    e. ¿Les gustarían a ellos los sombreros azules?

1.8 a. white socks
    b. black suit
    c. red shoes
    d. yellow dress
    e. gray pants
    f. pink blouse
    g. green tie
    h. brown gloves
    i. orange shirt
    j. purple skirt

1.9 a. Van de compras.
    b. Le gusta mirar los pantalones cortos.
    c. Va a la playa.
    d. Necesita sandalias.
    e. Hay muchos colores.

1.10 Answers will vary.

1.11 Adult check

SECTION TWO

2.1   a. I don't know

       b. my

       c. your

       d. my

       e. his

       f. our

       g. half an hour

2.2   Adult check

2.3   a. mis

       b. su

       c. tu

       d. nuestras

       e. mi

       f. tus

       g. su

       h. su

       i. sus

       j. nuestro

2.4   a. su disco

       b. su familia

       c. sus primos

       d. sus hermanas

       e. su coche

       f. su abuela

       g. sus papeles

       h. sus amigas

2.5   a. su abogado

       b. nuestro médico/doctor

       c. su pueblo

       d. mi dentista

       e. tus cuadernos

       f. su escuela

       g. nuestras lecciones

       h. mis hermanos

       i. sus papeles

       j. sus abuelos/abuelitos

2.6   Translations may vary slightly.

       a. salimos

           We are leaving/going out at ten o'clock.

       b. traigo

           I am bringing my (the) spring jacket.

       c. hacen

           You guys always do your homework.

       d. pones

           You put the overcoat in the closet.

       e. salgo

           I go out with my friends.

       f. caen

           The leaves fall from the tree.

       g. traen

           You guys bring the t-shirts.

       h. pongo

           I set the table.

       i. hace

           Louis does the work.

       j. hago

           I am not doing anything. *or*

           I'm doing nothing.

2.7   a. he does

       b. I fall

       c. we bring

       d. you leave

       e. they set

       f. we go out

       g. you guys do

       h. I set

2.8   a. 10:30

       b. 10:40

       c. 10:50

       d. downtown

       e. a green dress; it's too expensive

       f. a present for her sister; tomorrow is her birthday

       g. a red and white t-shirt

       h. mystery and science fiction

       i. three

       j. a blue backpack

       k. drink Coke and eat sandwiches

       l. walk through the park

       m. 4:00

       n. very tired but happy (content)

SECTION TWO (CONT.)

2.9 Example:

A: ¡Hola, Susana!

B: ¡Hola! ¿Cómo estás?

A: Bien, gracias. Me gusta tu suéter azul.

B: Gracias. Voy de compras en el centro.

A: Me gustaría ir contigo.

B: Muy bien. Vamos a las dos de la tarde.

A: ¿Deseas ir a un restaurante mexicano?

B: Sí. Vamos a La Tortilla Blanca.

A: Muy bien. ¡Hasta pronto!

2.10 a. No, es el lápiz de Luis.

b. No, es el sombrero de Antonio.

c. No, son los zapatos de Ana.

d. No, son los libros del Sr. López.

e. No, es la chaqueta de Mariana.

2.11 a. Es nuestro cartel.

b. Es su disco compacto.

c. Es su revista.

d. Son sus anteojos de sol.

e. Son mis guantes.

2.12 a. (Yo) hago la tarea.

b. (Yo) pongo la mesa.

c. (Yo) traigo los sándwiches.

d. (Yo) salgo a las nueve.

e. (Yo) pongo los guantes aquí.

SECTION THREE

3.1 a. you want / do you want

b. you prefer / do you prefer

c. I prefer

d. it begins / does it begin

e. you think / do you think

3.2 **perder** – to lose

a. pierdo	perdemos
b. pierdes	perdéis
c. pierde	pierden
d. pierde	pierden
e. pierde	pierden

3.3 **querer** – to want

a. quiero	queremos
b. quieres	queréis
c. quiere	quieren
d. quiere	quieren
e. quiere	quieren

3.4 **preferir** – to prefer

a. prefiero	preferimos
b. prefieres	preferís
c. prefiere	prefieren
d. prefiere	prefieren
e. prefiere	prefieren

3.5 **comenzar** – to begin

a. comienzo	comenzamos
b. comienzas	comenzáis
c. comienza	comienzan
d. comienza	comienzan
e. comienza	comienzan

3.6 Adult check

3.7 a. entiende

Mario understands the lesson.

b. defienden

You (all) defend your ideas.

c. pierdo

I lose my blue notebook.

d. comenzamos

We begin to study our history.

e. prefieren

The boys prefer to work in the afternoon / evening.

f. piensas

You think about your decision.

g. gobierna

President Gómez governs the country.

h. preferimos

Paco and I prefer not to receive bad grades.

SECTION THREE (CONT.)

    i. cierro
      I close the door.

    j. piensan
      The boys think about their accident.

3.8   a. Comienza a las diez y cuarto.
     b. Estudian la historia de los Estados Unidos.
     c. Es importante para el presente y el futuro.
     d. Gobiernan de maneras diferentes.
     e. Defienden sus ideas.
     f. Empieza con una pregunta.
     g. Cierra con una discusión de la pregunta.
     h. Es muy interestante.

3.9   a. we understand
     b. they close
     c. I think
     d. he governs
     e. you begin
     f. she wants
     g. we prefer
     h. I feel

3.10 a. tenemos
     b. tienen
     c. tengo
     d. tienes
     e. tiene
     f. tenemos
     g. tienen
     h. tiene
     i. tienen
     j. tengo

3.11 a. vienen
     b. vengo
     c. venimos
     d. vienes
     e. viene
     f. venimos
     g. vienen
     h. vengo
     i. viene
     j. vienen

3.12 Answers will vary; check that they are logical and grammatically correct. Sample answers:
     a. Tengo dos hermanos.
     b. Venimos a la escuela a las ocho.
     c. Prefiero salir con mis amigos el sábado.
     d. Comienza a las diez y media.
     e. Pienso que es interesante.
     f. No, no entiendo francés.
     g. Los estudiantes quieren recibir buenas notas.
     h. Quiero comer ahora.

3.13 a. Carlos tiene mucha hambre.
     b. Marcos y Susana tienen razón.
     c. ¿Por qué tienes sueño?
     d. Uds. tienen que estudiar.
     e. ¿Cuántos años tienen tus hermanas?
     f. Tengo mucha sed.
     g. No tienes razón.
     h. La Srta. Machado tiene veintiséis años.
     i. No tenemos ganas de trabajar.

SECTION FOUR

4.1   a. can you / you can
       b. I play
       c. to eat lunch
       d. we are meeting
       e. I'll return
       f. I'm showing
       g. the game
       h. I remember
       i. they cost
       j. I don't know

4.2   **contar** – to count, to tell

a. cuento	contamos
b. cuentas	contáis
c. cuenta	cuentan
d. cuenta	cuentan
e. cuenta	cuentan

4.3   **mostrar** – to show

a. muestro	mostramos
b. muestras	mostráis
c. muestra	muestran
d. muestra	muestran
e. muestra	muestran

4.4   **dormir** – to sleep

a. duermo	dormimos
b. duermes	dormís
c. duerme	duermen
d. duerme	duermen
e. duerme	duermen

4.5   **recordar** – to remember

a. recuerdo	recordamos
b. recuerdas	recordáis
c. recuerda	recuerdan
d. recuerda	recuerdan
e. recuerda	recuerdan

4.6   Adult check

4.7   a. (yo) vuelo
       b. (nosotros) almorzamos
       c. (tú) duermes
       d. ellos vuelven
       e. él puede
       f. Uds. juegan

       g. cuesta
       h. (nosotros) encontramos
       i. ella muere
       j. ellas resuelven

4.8   a. volamos
       b. duerme
       c. juegas
       d. puedo
       e. recuerda
       f. devolvemos
       g. encuentran
       h. cuento
       i. cuesta
       j. almuerzas

4.9   a. she moves
       b. we can
       c. I dream
       d. they cost
       e. you find
       f. he sleeps
       g. they return
       h. you solve

4.10   Answers will vary. Sample answers are given.
       a. Yo recuerdo la fecha. Luis recuerda la fecha.
       b. Almuerzo a la una.
       c. Duermen en la alcoba.
       d. Volamos a Madrid.
       e. Cuesta cinco dólares.
       f. Muestro las fotos.
       g. Encontramos a Miguel en el parque.
       h. Vuelvo a las cuatro.
       i. El profesor resuelve el problema
       j. Podemos salir a las diez y media.

4.11   a. Do you like sports?
       b. I like football.
       c. Julia is a volleyball fan. (Julia is a fan of volleyball.)
       d. What sports does Miguel participate in?
       e. The basketball players are tall.
       f. My favorite sport is skiing.

SECTION FOUR (CONT.)

g. We like to watch soccer games.

h. Do you prefer swimming or golf?

i. We're track & field fans. (We're fans of track & field.)

j. Our basketball team almost never loses.

4.12 a. ¿Te gusta el fútbol americano?

b. David es aficionado al béisbol.

c. Preferimos el tenis.

d. No me gusta la gimnasia.

e. ¿Juegas fútbol? / ¿Juegas al fútbol?

f. Participo en el golf y el atletismo.

g. ¿Cuál es tu deporte favorito?

h. Somos atletas.

4.13 a. Seis chicos juegan fútbol.

b. Juegan fútbol en el parque.

c. Compran sándwiches y refrescos.

d. Mario sale a las dos porque recuerda que tiene que ayudar a su padre.

e. Regresan a sus casas a las cuatro.

4.14 Answers will vary. Sample answers are given.

a. Los chicos juegan fútbol americano. (The boys are playing football.)

b. Las chicas juegan tenis. (The girls are playing tennis)

c. La familia nada en la playa. (The family swims at the beach.)

d. Los hombres juegan básquetbol. (The men are playing basketball)

e. Las chicas hacen la gimnasia. (The girls are doing gymnastics.)

f. Los atletas corren mucho. (The athletes run a lot.)

g. Los amigos juegan béisbol. (The friends are playing baseball.)

h. A las chicas les gusta jugar volibol. (The girls like to play volleyball.)

i. Al hombre le gusta el esquí. (The man likes skiing.)

j. Los chicos juegan fútbol. (The boys are playing soccer.)

SECTION FIVE

5.1 a. Pido

b. ¡Qué bueno!

c. pides

d. que puedo llevar

e. Sabe tu abuela

f. Sé que

g. ¡Qué agradable!

h. repite

i. los mismos regalos

j. algo diferente

5.2 Adult check

5.3 **medir** – to measure

a. mido	medimos
b. mides	medís
c. mide	miden
d. mide	miden
e. mide	miden

5.4 **repetir** – to repeat

a. repito	repetimos
b. repites	repetís
c. repite	repiten
d. repite	repiten
e. repite	repiten

5.5 **servir** – to serve

a. sirvo	servimos
b. sirves	servís
c. sirve	sirven
d. sirve	sirven
e. sirve	sirven

5.6 a. mido

b. servimos

c. piden

d. repites

e. mide

SECTION FIVE (CONT.)

5.6 (cont.)

    f. sirven

    g. pide

    h. repite

    i. repetimos

    j. sirvo

5.7   a. Mom says that I can't go to the party.

    b. My friends say that the test is easy.

    c. Do you always tell the truth?

    d. I almost never say lies.

    e. My teachers say that I should study more.

    f. Robert and I tell a lot of jokes.

5.8   a. Ellos sirven la comida a las seis.

    b. Repetimos las palabras nuevas.

    c. Pido dinero.

    d. Ellos dicen la verdad.

    e. Papá mide la sala.

    f. ¿Pides regalos?

    g. Servimos tacos y refrescos.

    h. Repito la respuesta.

5.9   a. sabe

        Lara knows how to write well.

    b. saben

        The boys know how to play soccer.

    c. sé

        I know that I need to study.

    d. sabemos

        We know how to cook well.

    e. sabes

        You know how to speak Spanish, right?

5.10 a. conozco

        I know Mr. Lopez.

    b. ¿Conoces

        Do you know Venezuela? / Are you familiar with Venezuela?

    c. conocemos

        We know the English teacher.

    d. conoces

        You know Luis, don't you?

    e. conocen

        Do you guys know the secretary?

5.11 a. sé

        I know how to speak Spanish.

    b. conoces

        You know Manuel.

    c. conocemos

        We know Madrid. / We're familiar with Madrid.

    d. saben

        You (guys) know the answers.

    e. concoce

        Anthony knows the city well.

    f. conozco

        I know all of my neighbors.

    g. sabes

        You know what time the concert starts.

    h. sabemos

        We don't know how to sew.

    i. sabe

        Do you know where Mrs. Soto is?

    j. conocen

        They know the new girls.

5.12 Example:

    A: Carlos, ¿sabes dónde está la biblioteca?

    B: Sí, yo sé. Está cerca del museo en el centro.

    A: ¿Conoces al Sr. Gómez en la biblioteca?

    B: No, no conozco al Sr. Gómez.

    A: El Sr. Gómez dice que la biblioteca tiene muchos libros.

    B: Sí, es verdad. Paco, ¿vas a la biblioteca?

    A: Sí, necesito encontrar un libro.

    B: ¿Puedo ir contigo a la biblioteca?

    A: Sí. ¿Puedes ir por dos horas?

    B: Sí, pero tengo que volver a las seis.

SECTION SIX

6.1   Answers will vary. Make sure facts agree with the material presented in the text.

SECTION SEVEN

7.1   Example:

A: ¡Hola, Cecilia! ¿Quieres ir de compras conmigo?

B: Sí, vamos. ¿A qué hora?

A: Vamos a la una y media.

B: Muy bien. Yo quiero comprar una falda azul.

A: Necesito comprar un regalo.

B: ¿Para quién es el regalo?

A: Es para mi hermana Claudia.

B: Necesito volver a las cinco.

A: Está bien.

7.2   Example:

A: Mario, ¿qué deportes te gusta jugar?

B: Me gusta jugar básquetbol, béisbol y tenis. ¿Y a ti?

A: Me gusta jugar fútbol, básquetbol y golf. ¿Quieres jugar básquetbol ahora?

B: Sí. ¿Dónde vamos a jugar?

A: En el parque.

B: ¿Quiénes van a jugar con nosotros?

A: Carlos, Tomás, Jorge y Pancho.

B: ¡Fantástico!

7.3   Example:

A: Anita, ¿conoces a Manuel, el nuevo estudiante?

B: No, pero Carmen conoce a Manuel.

A: Yo sé que él es de San Diego.

B: Está en mi clase de inglés.

A: Sé que él juega fútbol.

B: Sí, pienso que juega muy bien.

A: Tengo que salir ahora.

B: Adiós.

7.4   a. F – Los dos tienen un examen en la clase de inglés.

b. V

c. F – Estudian dos horas.

d. F – Juegan fútbol con sus amigos.

e. V

f. F – Van a la heladería para un helado.

g. V

h. F – Caminan por el parque.

i. V

j. V

7.5   Example:

Hola Carlos,

Me gusta mucho el béisbol. En la escuela hay equipos de fútbol, volibol, y béisbol. Yo juego béisbol en el parque. Mi amigo Tomás juega fútbol. A veces nosotros jugamos volibol.

Tu amigo,

Pedro

7.6   Example:

Mi familia va a la playa. Mi madre lee el periódico. Mis hermanos quieren nadar. Mi hermana Elena se cae. Ella no puede caminar conmigo. Mi amigo Luis juega volibol por veinte minutos. Luis tiene sed. No quiere jugar más. Prefiere nadar y caminar. Nosotros volvemos a nuestra casa a las cinco de la tarde.

7.7   a. Arturo juega básquetbol.

b. Los niños tienen hambre.

c. Tenemos ganas de jugar tenis.

d. Los estudiantes tienen razón.

e. María quiere comprar una falda y una blusa.

f. Voy a comprar el suéter azul o la camisa roja.

g. Conoces al maestro (*or* profesor) nuevo, ¿no? (*or* ¿verdad?)

h. Ellos prefieren la natación.

i. Los estudiantes repiten las palabras.

j. Ella tiene que encontrar los guantes.

SECTION SEVEN (CONT.)

7.8   Answers will vary. The following are examples of correct answers.

a. Jugamos tenis el sábado.
b. Prefiero poner la ropa an el armario.
c. Pienso que el béisbol es divertido.
d. Raúl cierra la puerta.
e. Tengo cinco vestidos.
f. Prefiero la chaqueta azul.
g. Duermo mucho.
h. Sí, sé resolver el problema.
i. Sí, tengo éxito en la escuela.
j. Sí, digo siempre la verdad.

7.09   1. b
       2. a

7.10   1. c
       2. a

7.11   1. c
       2. b
       3. b

7.12   1. a
       2. b
       3. b

SECTION EIGHT

8.1   1. la sala
         a. el sofá
         b. el sillón
         c. la lámpara
       2. la cocina
         a. el refrigerador
         b. la estufa
         c. el lavaplatos
       3. el comedor
         a. la mesa
         b. la silla
         c. el tapete
       4. la alcoba/el dormitorio/la recámara
         a. la cama
         b. la cómoda
         c. el armario
       5. el (cuarto de) baño
         a. la bañera
         b. el lavabo
         c. el inodoro

8.2   a. mi abuela/mi abuelita
       b. mi abuelo/abuelito
       c. mi tía
       d. mi tío
       e. mi hermano
       f. mi hermana
       g. mi primo
       h. mi prima
       i. mi sobrino
       j. mi nieta

8.3   a. lunes, el cuatro de julio
       b. miércoles, el primero de agosto
       c. domingo, el veinticuatro de diciembre
       d. Son las cinco y media.
       e. Es mediodía.
       f. Son las cuatro menos cuarto (quince).
       g. Treinta y tres por dos son sesenta y seis.
       h. Cuarenta y cuatro más treinta y nueve son ochenta y tres.
       i. Cincuenta y seis más veintidós son setenta y ocho.
       j. Noventa y ocho menos ochenta y cuatro son catorce.

8.4   1. la iglesia
       2. el supermercado
       3. la tienda
       4. la biblioteca
       5. el banco
       6 el estadio
       7. el café
       8. el hotel
       9. la plaza
       10. el restaurante

SECTION EIGHT (CONT.)

8.5
1. el estudiante (the student)
2. el escritorio (the desk)
3. la bandera (the flag)
4. el mapa (the map)
5. el sacapuntas (the pencil sharpener)
6. la pizarra (the blackboard)
7. el borrador (the eraser)
8. la tiza (the chalk)
9. el cartel (the poster)
10. la computadora (the computer)

8.6
1. el papel (the paper)
2. el lápiz (the pencil)
3. el bolígrafo/la pluma (the pen)
4. el cuaderno (the notebook)
5. la cinta (the tape)

8.7
a. va
   Mario is going to the store.
b. podemos
   We can leave now.
c. duermes
   You sleep nine hours.
d. visitan
   You guys visit your grandparents.
e. salgo
   I'm going out (leaving) with my friends.
f. leen
   Ricardo and Jorge read the magazine.
g. queremos
   José and I never want to study.
h. tengo
   I have a red shirt.
i. vives
   You live near the school.
j. juegan
   The boys play baseball.
k. sirve
   You serve the woman.

l. estoy
   I'm tired.
m. eres
   You are very tall.
n. está
   Pablo is in the pool.
o. deciden
   Antonio and Alicia decide to work.

8.8
a. está
   Raúl is sick.
b. es
   The car is red.
c. eres
   You are my friend.
d. están
   My parents are at the bank.
e. son
   Tomás and Francesca are from Costa Rica.

8.9
a. del, al
b. del, a la
c. de los, a las
d. de las, a los
e. de, al

8.10
a. alto, rubio
   Carlos is tall and blond.
b. inteligentes, simpáticos
   Luis and Arturo are intelligent and nice.
c. francesa, bonita
   The French girl is pretty.
d. españolas, viejas
   The Spanish churches are very old.
e. divertidos, interesantes
   Gabriela and Pablo are fun and interesting.

SECTION ONE

1.1   a. chicken and rice
      b. steak
      c. ham
      d. potatoes
      e. a vegetable salad
      f. it sounds good
      g. paella
      h. the waiter
      i. How may I help you?
      j. the specialty of the day
      k. veal
      l. the same for me

1.2   Adult check

1.3   Answers will vary; check that they are logical and gramatically correct. English translations for the phrases are below.
      a. For breakfast I prefer to eat
      b. For lunch I prefer to eat
      c. For dinner I prefer to eat
      d. With dinner I prefer to drink
      e. With breakfast I prefer to drink
      f. After school I have a snack of
      g. When I am very hungry, I eat
      h. For dessert, I really like
      i. My favorite food is
      j. I like to prepare

1.4   a. el tenedor, la cuchara, el cuchillo
      b. la mesa, las sillas
      c. el mantel, la servilleta
      d. el vaso
      e. la taza

1.5   Example:
      Tú: Sí, es muy bueno. Me gusta comer aquí.
      Tú: Voy a pedir la carne asada con papas y habichuelas.
      Tú: Quiero un refresco.
      Tú: Sí, quiero postre.
      Tú: Prefiero helado.

1.6   Example:
      Tú: Buenas noches. ¿Qué desea Ud.?
      Tú: Hoy tenemos la ternera o las chuletas de cerdo.
      Tú: Muy bien. ¿Y de beber?
      Tú: ¿Algo más?

1.7   a. beans   g. roast beef
      b. rice   h. bacon
      c. eggs   i. oranges
      d. banana   j. seafood
      e. cheese   k. bread
      f. fish   l. carrots

SECTION TWO

2.1 a. to take a walk
     b. through
     c. What a good idea!
     d. too much
     e. It's good that
     f. often
     g. over there
     h. the benches
     i. the fountain
     j. to sit on
     k. boats

2.2 a. damos
        We are taking a walk through the country.
     b. doy
        I thank my grandmother.
     c. dan
        They give the gifts to their cousins.
     d. das
        You give the papers to the teacher.
     e. da
        The building faces the street.

2.3 a. veo
        I see my friend, George.
     b. ve
        You see the pretty flowers.
     c. ves
        You see Danielle's photos.

     d. vemos
        We see our grandparents.
     e. ve
        Alicia sees the red dress.

2.4 a. conduce
        My father drives the car.
     b. traducen
        The students translate the words.
     c. parece
        Mariana seems ill.
     d. agradecemos
        We thank God each day.
     e. produzco
        I produce good work.
     f. reconoces
        You recognize Mr. Chavez from his photo.
     g. obedecemos
        We obey our parents.
     h. ofrece
        My brother offers to take us to the concert.
     i. aparecen
        The children appear at my door at six in the morning.
     j. desaparece
        My money always disappears quickly.

SECTION THREE

3.1 Adult check

3.2 a. a headache
     b. very loud
     c. What a pity!
     d. a sore foot
     e. What a pain!
     f. teeth
     g. How horrible!

3.3 a. los ojos
     b. los oídos
     c. *either one:* la mano / los dedos
     d. las piernas, los pies

     e. la nariz
     f. la boca

3.4 a. el cuello
     b. los pies
     c. la cabeza
     d. los pies
     e. el dedo
     f. el cuello
     g. la cabeza
     h. las manos
     i. las orejas
     j. las piernas

SECTION THREE (CONT.)

3.5 a. Maria has a sore leg. *or* Maria's leg hurts.
b. You (guys) have sore feet. *or* Your feet ache/hurt.
c. We have a stomachache.
d. I have a toothache.
e. Your hand hurts. *or* You have a sore hand.
f. Hector has an earache.
g. My toe hurts. *or* I have a sore toe.
h. You have a backache.
i. You have a neckache.
j. We have sore shoulders. *or* Our shoulders ache/hurt.

3.6 Translations may vary since doler has more than one possible translation.
a. duele; I have an earache.
b. duele; Does your head hurt?

c. duelen; His arms hurt.
d. duelen; The boys' legs hurt.
e. duele; Do you guys have a stomachache?
f. duelen; Our knees are very sore.
g. duelen; My feet don't hurt.
h. duele; Carmen has a sore throat.
i. duelen; Why do your hands hurt?
j. duele; My nephew has a toothache.
k. duelen; My grandpa's back and neck are sore.

3.7 a. throat
b. head
c. feet
d. legs
e. arms
f. back
g. fingers
h. (inner) ear
i. tooth (molar)
j. shoulders
k. neck
l. eyes

SECTION FOUR

4.1 a. we are going to
b. to take a trip
c. through
d. finally
e. it seems
f. I think so.
g. please
h. postcards
i. places
j. the borders
k. the waterfalls
l. there is, there are
m. places
n. unforgettable
o. I hope so.

4.2 a. She's packing suitcases because the family is taking a trip to the beach.
b. She's excited because she really likes going to the beach.
c. When are we going to the beach? Can I play in the sand? Can I swim in the ocean?

d. Please don't ask so many questions. I'm very busy.
e. She goes to her room to choose the clothes she'll need for the trip.
f. She's happy because now she can work.

4.3 a. quiere decir
b. Creo que sí./Creo que no.
c. echar una carta al correo
d. salen bien (mal)
e. estar de pie
f. echar de menos

SECTION FIVE

5.1
a. feet
b. a mile
c. five thousand two hundred
d. a field
e. three hundred
f. fifty thousand
g. cost
h. twenty thousand
i. stars
j. the sky
k. millions
l. pounds
m. a ton
n. two thousand
o. so many

5.2
a. 509
b. 11.280
c. 47.691
d. 703.125
e. 1.800.060
f. 31.915
g. 14.054.000
h. 78.016

5.3
a. seis mil ochocientos treinta
b. un millón tres mil setecientos cincuenta y dos
c. veinticuatro mil novecientos sesenta y uno
d. novecientos ochenta y siete
e. siete mil cuatrocientos sesenta y tres

f. trescientos cincuenta y dos millones seiscientos setenta y un mil quinientos treinta y ocho
g. setecientos ochenta y cinco mil setenta y tres
h. trescientos treinta y tres mil cuatrocientos cuarenta y cuatro
i. veintitrés mil cuatrocientos noventa y cinco
j. novecientos setenta y cinco mil doscientos cuarenta y seis

5.4
a. 720
b. 3.811
c. 100.405
d. 99.000
e. 1.562
f. 75.900
g. 1.038.000
h. 247.000.000
i. 14.006
j. 53.570

5.5
a. cien amigos
b. ciento noventa
c. cuatrocientas casas
d. quinientas personas
e. cien ideas

5.6
a. un millón de estrellas
b. tres millones de años
c. mil días
d. ochenta semanas
e. cuarenta y cinco horas

SECTION SIX

6.1
a. Venezuela
Caracas
b. Colombia
Bogota
c. Ecuador
Quito
d. Peru
Lima
e. Bolivia
La Paz, Sucre
f. Paraguay
Ascuncion
g. Uruguay
Montevideo
h. Argentina
Buenos Aires
i. Chile
Santiago

6.2
1. h
2. a
3. i
4. b
5. c
6. g
7. e
8. d
9. b and f
10. a
11. f
12. i
13. g
14. c
15. d
16. c
17. d
18. e
19. b
20. a and h

SECTION SEVEN

7.1   1. b
2. c
3. a
4. b
5. a

7.2   Answers will vary; check that they are logical and grammatically correct.
Examples:
a. Sí, desayuno todas las mañanas.
b. Ceno con mi familia.
c. Mi postre favorito es el helado.
d. Sí, me gusta la comida mexicana.
e. No, no puedo cocinar bien.
f. No, no tengo hambre ahora.
g. Sí, veo la tele demasiado.
h. Conduzco bien.
i. Sí, hago un viaje todos los veranos.
j. Sí, salgo bien en los exámenes de ciencias.

7.3   1. c
2. b

7.4   1. a
2. c

7.5   1. a
2. b

7.6   Example:
A: Buenos días, Carlos.
B: Buenos días. ¿Cómo estás?
A: No muy bien. Tengo dolor de cabeza.
B: ¡Qué lástima! ¿Por qué?
A: Estudio mucho para el examen de matemáticas.
B: Debes dormir.
A: Sí. Adiós.
B: Hasta luego.

7.7   Example:
A: ¿Cuántos días hay en un año?
B: Hay trescientos sesenta y cinco días. ¿Cuántos libros hay en la biblioteca?
A: Hay dos mil quinientos libros. ¿Cuántas millas hay entre Los Ángeles y Nueva York?
B: No sé. ¿Cuántos pies hay en una milla?
A: Hay cinco mil quinientos ochenta pies. ¿Cuántas personas hay en Los Ángeles?
B: Hay veinte millones de personas.
A: No, hay treinta millones novecientos mil cuatrocientos setenta y ocho personas.

SECTION EIGHT

8.1   a. pongo
b. pone
c. hago
d. hacemos
e. salgo
f. sales
g. caigo
h. caen
i. traigo
j. traen

8.2   a. tengo
b. vamos
c. puedes

d. recuerdan
e. pienso
f. juegan
g. cierras
h. entendemos
i. pido
j. sirven

8.3   a. conozco
b. sabemos
c. saben
d. conoces
e. sabe

SECTION EIGHT (CONT.)

8.4   Suggested answers:
   a. Lleva zapatos, pantalones, una camisa, y una gorra. (He is wearing shoes, pants, a shirt, and a cap.)
   b. Lleva un vestido, sandalias y un sombrero. (She is wearing a dress, sandals and a hat.)
   c. Lleva un traje, una corbata, una camisa y zapatos. (He is wearing a suit, tie, shirt and shoes.)
   d. Lleva jeans, un suéter, y botas. (She is wearing jeans, a sweater, and boots.)
   e. Lleva un abrigo, unos pantalones, y zapatos. (He is wearing an overcoat, pants and shoes.)

8.5   a. los ojos
   b. la nariz
   c. la boca
   d. los hombros
   e. el estómago
   f. la mano
   g. los dedos
   h. la pierna
   i. la rodilla
   j. el pie
   k. los dedos del pie

8.6   a. mil novecientos noventa y nueve
   b. mil quinientos ochenta y cuatro
   c. dos mil siete
   d. mil setecientos sesenta y tres
   e. dos mil veintiuno

8.7   a. mis
   b. nuestros
   c. tu
   d. su
   e. sus

8.8   a. Me duele el estómago.
   b. Nos duelen los pies.
   c. A Pedro le duele la garganta.
   d. ¿Te duelen los hombros?
   e. A ellos les duelen los brazos.

SECTION ONE

1.1   a. I feel
       b. do you feel
       c. do you go to bed
       d. I go to bed
       e. I fall asleep
       f. do you wake up
       g. I wake up
       h. I get up
       i. I wash my face
       j. I brush my teeth
       k. I get dressed
       l. do you put on makeup
       m. I put on makeup
       n. do you leave
       o. I leave
       p. I need to leave

1.2   a. me levanto   nos levantamos
           te levantas   os levantáis
           se levanta   se levantan

       b. me despierto   nos despertamos
           te despiertas   os despertáis
           se despierta   se despiertan

       c. me veo   nos vemos
           te ves   os veis
           se ve   se ven

       d. me siento   nos sentamos
           te sientas   os sentáis
           se sienta   se sientan

       e. me duermo   nos dormimos
           te duermes   os dormís
           se duerme   se duermen

1.3   a. What time do you (all/guys) wake up?
       b. We usually get up between 6:00 and 6:30.
       c. I have fun/have a good time/enjoy myself when I go out with my friends.
       d. Are you going to stay home tonight?
       e. Nora sits close to Luisa.
       f. I put on a sweater when I'm cold.
       g. I feel happy when I get a good grade.
       h. The children look scared.
       i. Toña shaves her legs.

       j. Why doesn't Alicia ever put on makeup?
       k. I get a haircut every two months.
       l. You should brush your teeth two times a day.
       m. Julieta needs to dry her hair.
       n. We don't like to go to bed early.

1.4   a. ¿Cómo te sientes?
       b. Sancho se ve cansado.
       c. Eva se pone a dieta cada verano.
       d. Me cambio de ropa.
       e. Nos vestimos.
       f. Ellos se lavan las manos.
       g. No me voy a quedar en casa. *or*
           No voy a quedarme en casa.
       h. Nos necesitamos preparar. *or*
           Necesitamos prepararnos.
       i. Uds. se deben quitar los zapatos. *or*
           Uds. deben quitarse los zapatos.
       j. ¿Te gusta levantarte temprano o tarde?

1.5   a. he feels   f. they comb
       b. they wash   g. she leaves
       c. I have fun   h. we put on makeup
       d. we fall down   i. you get undressed
       e. you go to bed   j. I shave

1.6   a. te levantas; You get up very early.
       b. se acuestan; They go to bed at midnight.
       c. me quedo; I stay at home when I'm sick.
       d. ponerme; I'm going to go on a diet.
       e. nos sentamos; Manuel and I sit near the window.
       f. despertarse; Pepita doesn't like to wake up early.
       g. dormirse; The baby is going to fall asleep soon.
       h. Te diviertes; Do you have fun at school?
       i. se sienten; They're not going to the party because they don't feel well.
       j. te ves; You look worried.

SECTION TWO

2.1
a. no
b. sí
c. sí
d. no
e. sí
f. sí
g. no
h. sí
i. no
j. no
k. sí
l. sí

2.2
a. sí
b. no
c. sí
d. sí
e. no
f. no
g. no
h. no
i. sí
j. no
k. sí
l. no

SECTION THREE

3.1
a. What's the weather like in Puerto Rico?
b. What's the weather like in the fall?
c. It's really cold today.
d. Does it rain much in Mexico?
e. The weather's good now, isn't it?
f. I'm not going to go out because the weather's bad.
g. What do you like to do when it's hot?
h. It's 14 degrees below zero.
i. The low is 7 degrees.
j. It's 43 degrees.

3.2 Answers may vary slightly for some of the weather sentences.
a. Hace mal tiempo. Es de sesenta y cinco grados.
b. Hace viento. Es de cuarenta y dos grados.
c. Hace sol. Es de ochenta grados.
d. Está nublado. Es de treinta y un (*not* uno) grados.
e. Hace calor. Es de cien grados.
f. Está nevando. Es de veinticuatro grados.
g. Hace buen tiempo. Es de setenta y cinco grados.
h. Está lloviendo. Es de cincuenta y un (*not* uno) grados.
i. Hace frío. Es de doce grados.

3.3 Answers will vary, depending on where students live. Check that they are logical and grammatically correct.
Sample answers:
a. Hace viento y fresco en el otoño.
b. Hace mucho calor y sol en el verano.

c. Sí, llueve mucho en la primavera.
d. No, no nieva mucho en el invierno.
e. Me gusta dar un paseo cuando hace buen tiempo.
f. Veo la tele cuando hace mal tiempo.
g. Llevo pantalones cortos, una camiseta y sandalias cuando hace mucho calor.
h. Llevo un suéter, pantalones, un abrigo y guantes cuando hace mucho frío.

3.4
a. No hace mucho sol hoy.
b. No está lloviendo ahora.
c. Está nublado, ¿no? (*or* ¿verdad?)
d. Hace fresco y viento en octubre.
e. Siempre nieva en enero.
f. ¿Hace mucho frío?
g. ¿Qué tiempo hace en marzo?
h. Es de (*or* Hace) trece grados bajo cero.
i. La temperatura máxima es de (*or* hace) sesenta y nueve grados.

3.5
a. It's nice out / The weather is good.
b. It rains.
c. It's hot.
d. It's sunny.
e. It's very windy.
f. It's cloudy.
g. It's cool.
h. It's snowing.
i. It's cold.
j. It's raining.

3.6
a. sí
b. no
c. sí
d. sí
e. sí
f. no
g. sí
h. no
i. no

214

SECTION FOUR

4.1   –mente

4.2   –o changed to –a (masculine changed to feminine)

4.3   a. fría
      b. fríamente

4.4   a. perfecta
      b. perfectamente

4.5   no

4.6   a. fácilmente; easily
      b. probablemente; probably
      c. completamente; completely
      d. correctamente; correctly
      e. posiblemente; possibly
      f. exactamente; exactly
      g. generalmente; generally / usually
      h. totalmente; totally
      i. tranquilamente; calmly
      j. frecuentemente; frequently
      k. recientemente; recently
      l. solamente; only

4.7   a. Probablemente vamos a la piscina hoy.
      b. Nuestra escuela es completamente nueva.
      c. David frecuentemente llega tarde.
      d. Ellos generalmente almuerzan al mediodía.
      e. Tengo exactamente diez dólares.
      f. La Sra. Rivas siempre habla tranquilamente.

4.8   a. I don't like this shirt.
      b. Are you going to buy these shoes?
      c. What's that boy's name? / What's the name of that boy?
      d. Those girls over there are from Mexico.
      e. That movie is very boring.
      f. These sandals are too expensive.
      g. That car over there is Mr. Sosa's.
      h. How much do those books cost?

4.9   a. ¿Quién es ese hombre?
      b. Quiero comprar estos guantes.
      c. Aquellas casas son nuevas.
      d. Esta computadora cuesta quinientos dólares.
      e. ¿Te gusta esa corbata?
      f. Aquel sombrero es muy feo.
      g. Debes leer este libro.
      h. ¿Cuánto cuestan esas faldas?

4.10 a. these apples
      b. those sunglasses over there
      c. that girl
      d. this melon
      e. those books
      f. this movie
      g. that museum over there
      h. that alarm clock
      i. these pants
      j. that woman over there

NO ACTIVITIES FOR SECTION FIVE

SECTION SIX

6.1
a. da; Pepita goes for a walk almost every day.
b. veo; I don't see anyone.
c. Vas; Are you going to the library with me?
d. llegan; They always arrive on time.
e. tienen; The students have to study a lot.
f. vivimos; My family and I live near the post office.
g. está; Where is the market?
h. soy; I'm tall and blonde.
i. vienen; What time are you (all/guys) coming to the party?
j. dicen; My parents say that I can't go to the game.
k. hago; I take a trip each summer.
l. quiere; Rachel doesn't want to go out tonight.
m. almuerza; He eats lunch at noon.
n. cuestan; How much do these sunglasses cost?
o. sé; I don't know the name of that boy.

6.2
a. tres
b. ciento uno
c. catorce
d. diecisiete
e. cien
f. quinientos
g. cuatrocientos
h. cero
i. treinta y siete
j. diez mil

6.3
a. el tenedor
b. la cuchara
c. el cuchillo
d. el desayuno
e. el almuerzo
f. la cena
g. la bebida
h. el arroz
i. los frijoles
j. el pan
k. los plátanos
l. las naranjas
m. la leche
n. los mariscos
o. el pescado
p. el pollo
q. el queso
r. las uvas
s. las zanahorias
t. la cebolla

6.4
a. ¿Tienes sed?
b. No tenemos hambre ahora.
c. Los niños tienen sueño.
d. ¿Cuántos años tiene tu hermana?
e. Tengo miedo de las arañas.
f. Ellos no tienen razón.
g. ¿Quién tiene razón? *or* ¿Quiénes tienen razón?
h. Catalina tiene mucho frío.
i. ¿Tienes ganas de jugar fútbol?
j. La Srta. Rivas tiene mucho éxito.

6.5
a. gustan; I don't like peas.
b. le; Enrique likes to play basketball.
c. mí, gustan; Matthew and I don't like tests.
d. ellas, gusta; They like to dance and to sing.
e. gusta, ni; I don't like corn or lettuce.
f. ti, los; You like sports, don't you?
g. les; You (all/guys) like swimming, don't you?
h. gustan, y; I like track and gymnastics.

SECTION SEVEN

7.1　a.　me peino　　　nos peinamos
　　　　　te peinas　　　os peináis
　　　　　se peina　　　se peinan

　　　b.　me pongo　　　nos ponemos
　　　　　te pones　　　os ponéis
　　　　　se pone　　　se ponen

　　　c.　me caigo　　　nos caemos
　　　　　te caes　　　os caéis
　　　　　se cae　　　se caen

　　　d.　me visto　　　nos vestimos
　　　　　te vistes　　　os vestís
　　　　　se viste　　　se visten

　　　e.　me voy　　　nos vamos
　　　　　te vas　　　os vais
　　　　　se va　　　se van

7.2　a.　el espejo　　　g.　la toalla
　　　b.　el jabón　　　h.　la secadora
　　　c.　el maquillaje　　i.　el cepillo
　　　d.　el despertador　　j.　el champú
　　　e.　la ducha　　　k.　el pelo
　　　f.　la pasta de dientes　l.　los dientes

7.6　a.　nos bañamos
　　　b.　te diviertes
　　　c.　se acuestan
　　　d.　se cepilla
　　　e.　me lavo
　　　f.　se seca
　　　g.　se quitan
　　　h.　nos sentimos
　　　i.　se afeita
　　　j.　te ves
　　　k.　se maquillan
　　　l.　nos duchamos
　　　m.　se sientan
　　　n.　se duerme
　　　o.　se despierta

7.4　Answers will vary; check that they are logical and grammatically correct. Sample answers:

　　　a.　Generalmente me levanto a las siete.
　　　b.　Me gusta despertarme tarde.
　　　c.　Prefiero ducharme.
　　　d.　No, no me voy a quedar en casa esta noche. *or* No, no voy a quedarme en casa esta noche.
　　　e.　Me siento frustrado/a cuando saco una mala nota.
　　　f.　Sí, siempre me divierto cuando salgo con mis amigos.

7.5　a.　Generalmente me acuesto tarde.
　　　b.　¿A qué hora te despiertas?
　　　c.　Nos sentamos al lado de Daniel.
　　　d.　Victoria se ve preocupada.
　　　e.　Ellos deben cambiarse de ropa. *or* Ellos se deben cambiar de ropa.
　　　f.　Necesitas peinarte. *or* Te necesitas peinar.
　　　g.　A Margarita le gusta maquillarse.
　　　h.　Vamos a ponernos a dieta. *or* Nos vamos a poner a dieta.

7.6　a.　Hace mucho viento.
　　　b.　No hace mucho calor hoy.
　　　c.　¿Está nevando?
　　　d.　Hace buen tiempo, ¿no? (*or* ¿verdad?)
　　　e.　¿Qué tiempo hace en la primavera?
　　　f.　Llueve mucho en junio.
　　　g.　¿Cuál es la temperatura?
　　　h.　Es de (*or* Hace) ochenta y seis grados.
　　　i.　Es de (*or* Hace) siete grados bajo cero.

SECTION SEVEN (CONT.)

7.7 a. elegantemente; elegantly
  b. cruelmente; cruelly
  c. celosamente; jealously
  d. útilmente; usefully
  e. felizmente; happily
  f. ordinariamente; ordinarily
  g. bien; well (Remember that the adverbs for **bueno** and **malo** are not formed with -**mente**.)
  h. mal; badly,

7.8 1. a   6. c
  2. d   7. d
  3. a   8. b
  4. c   9. d
  5. d   10. b

7.9 a. Voy a pedir este postre.
  b. ¿Te gusta ese impermeable?
  c. Esas botas son demasiado caras.
  d. Aquellas chicas/muchachas son mexicanas.
  e. Voy a comprar estos calcetines.
  f. Aquel coche/carro/auto es del Sr. Vega.
  g. Tatiana va a comprar esa secadora.
  h. Estas uvas son deliciosas.

7.10 a. F
  b. F
  c. F
  d. F
  e. F

7.11 a. She wants to wear jeans and a t-shirt.
  b. She doesn't like to get up early.
  c. They'll go for a walk after they eat lunch.
  d. It's downtown.
  e. Ramona will drive her car.

SECTION ONE

1.1
a. el permiso de conducir
b. tomar el autobús
c. ir a pie
d. montar en bici
e. el próximo mes
f. viajar por avión
g. ir en barco
h. ¿De veras?
i. ¿Con qué frecuencia?

1.2
a. What's the name of this street?
b. Our hotel is close to the sea.
c. How often do you drive to school?
d. Tomorrow we're going boating.
e. That motorcycle over there is Paco's.
f. We live on Salinas Street.
g. Whose bicycle is it?
h. You should walk on the sidewalk.
i. At what time does the train arrive?
j. The bus stop is across from the museum.

1.3
a. ¿Dónde está mi permiso de conducir?
b. ¿Con qué frecuencia tomas el autobús?
c. ¿Prefieres volar o conducir? (*or* manejar)
d. ¿Te gusta montar en bici?
e. Ellos van en tren.
f. La tienda está en la Calle Rivera.
g. Vamos a viajar por barco.
h. Esa bicicleta es de Conchita.

1.4
a. un barco
b. un avión
c. caminar
d. un autobús
e. un tren
f. conducir
g. un avión
h. un coche
i. pasear
j. un caballo

1.5
a. motorcycle
b. subway
c. airplane
d. on foot
e. horse
f. bike
g. truck
h. bus

1.6
a. sí
b. no
c. sí
d. sí
e. no
f. no
g. no
h. sí
i. no
j. sí
k. sí
l. no

SECTION TWO

2.1
a. They're going to rent a car.
b. Salvador doesn't like to go camping.
c. When are you and your family going on vacation?
d. Do you prefer to swim or to sunbathe?
e. I don't know how to ski.
f. Josefina is tired and wants to rest now.
g. Why don't you ever bargain in the markets?
h. I take a lot of pictures when I travel.

2.2
a. a t-shirt
b. red
c. 200 pesos
d. 100 pesos
e. 180 pesos
f. 120 pesos
g. 150 pesos

2.3 Suggested answer: To help stabilize their economy, to promote international business, trade and tourism.

2.4
a. Suggested answer: It makes travel and business among those countries much easier; it gives them a stronger and more stable currency, which helps their economy.
b. Suggested answer: It makes travel much easier because travelers visiting those countries do not have not to keep changing money or trying to figure out what the exchange rate it.

SECTION THREE

3.1 Suggested choices: turista, pasaporte, mapa, ruinas, pirámide, cámara, reservación

3.2
a. vender – to sell
vendedor – vendor
b. viajar – to travel
viajero – traveler

3.3
a. Excuse me. Can you tell me where an ATM is?
b. The restrooms are straight ahead.
c. What's the name of that pyramid?
d. How much is the bill?
e. We need another key.
f. Do you know where my wallet is?
g. Travel agents are familiar with many countries.
h. The hotel doesn't have an elevator.
i. Are you lost?
j. Can you tell me where the subway station is?

3.4
a. la maleta
b. España
c. el camarero
d. el aeropuerto
e. la pirámide
f. la tarjeta de crédito
g. el correo
h. el mercado

3.5
a. Disculpe. ¿Puede Ud. decirme dónde está la plaza?
b. Los ascensores están a la derecha.
c. ¿Dónde está mi boleto?
d. ¿Vas a comprar unas (*or* algunas) postales? (*or* tarjetas postales)
e. La agencia de viajes está a la izquierda de la farmacia.
f. Debes comprar un mapa.
g. ¿Tienes cheques de viajero o una tarjeta de crédito?
h. La cámara está en mi mochila.

3.6
a. no
b. no
c. sí
d. sí
e. sí
f. sí
g. no
h. sí
i. sí

SECTION FOUR

4.1
a. son; Those men are very strong.
b. estás; Why are you angry?
c. es; My aunt is a journalist.
d. está; Pancho isn't at home now.
e. somos; My brother and I are rather (quite, fairly) short.
f. soy; I'm from the United States.
g. es; The money is Magdalena's.
h. es; My birthday is January 13th.
i. están; The forks are dirty.
j. está; My suitcase is under (beneath) the bed.
k. es; What time is it?
l. estamos; Evita and I are a little tired.
m. eres; You're too serious.
n. están; These stores are closed on Sundays.
o. son; Where are you (all/guys) from?

SECTION FIVE

5.1   a. ayudando, helping
        b. estudiando, studying
        c. bebiendo, drinking
        d. trabajando, working
        e. abriendo, opening
        f. pidiendo, asking for/ordering
        g. cerrando, closing
        h. almorzando, eating lunch
        i. jugando, playing
        j. haciendo, doing/making
        k. saliendo, leaving/going out
        l. leyendo, reading
        m. regateando, bargaining
        n. descansando, resting
        o. corriendo, running
        p. dando, giving
        q. viendo, seeing/watching

5.2   Adult check

5.3   a. What are the children doing?
        b. Are you listening?
        c. We're waiting for the bus.
        d. I can't play soccer with you because I'm studying.
        e. Miguel is sleeping.
        f. Dad is reading the newspaper.
        g. I'm looking for an ATM.
        h. They are serving the dessert.
        i. We don't want to go out now because we're resting.
        j. Nora is drinking a soda because she's really thirsty.

5.4   a. estoy escribiendo; I'm writing a letter now.
        b. viajan; My grandparents travel each summer.
        c. está hablando; Felix is happy because he's talking with his girlfriend.

        d. habla; Felix is happy when he talks with his girlfriend.
        e. estamos comiendo; I can't talk because my family and I are eating.
        f. toman; How often do you guys sunbathe?
        g. está hablando; Jorge is talking with the teacher now.
        h. están mirando; Why are you guys watching TV now?
        i. llega; Anita arrives late sometimes.
        j. vives; Where do you live?
        k. están visitando; My parents aren't here because they're visiting some friends.
        l. enseña; Who teaches science at your school?
        m. vuelvo; I usually return home at 4:30.
        n. corremos; We run a lot in physical education class.

5.5   a. Nado bastante bien.
        b. Los chicos (*or* muchachos) están jugando fútbol americano.
        c. ¿Quién está hablando? *or* ¿Quiénes están hablando?
        d. Generalmente llegamos a las ocho.
        e. Silvia no trabaja los domingos.
        f. ¿Cocinas mucho?
        g. Uds. viven cerca del parque, ¿no? (*or* ¿verdad?)
        h. ¿Qué estás mirando?
        i. Nunca leo revistas.
        j. ¿Por qué no estás estudiando?

5.6   a. dancing
        b. riding a horse
        c. writing a letter
        d. preparing dinner
        e. using the computer

SECTION FIVE (CONT.)

5.6 (cont.)

  f. opening the window

  g. answering the question

  h. setting the table

  i. washing the dishes

  j. driving

  k. packing the suitcases

  l. taking a walk

5.7   a. Timoteo se está afeitando. / Timoteo está afeitándose.

   b. Los niños se están durmiendo. / Los niños están durmiéndose.

  c. ¿Te estás lavando el pelo? / ¿Estás lavándote el pelo?

  d. Me estoy quitando la chaqueta. / Estoy quitándome la chaqueta.

  e. Ellos se están poniendo los zapatos. / Ellos están poniéndose los zapatos.

  f. Nos estamos peinando. / Estamos peinándonos.

  g. Carlota se está cepillando los dientes. / Carlota está cepillándose los dientes.

  h. Hugo se está cambiando de ropa. / Hugo está cambiándose de ropa.

SECTION SIX

6.1   a. computer; it

   b. books; them

   c. grandparents; them

   d. Teresa; her

   e. Spanish; it

   f. Octavio and Celia; them

   g. magazines; them

   h. man; him

6.2   a. Uso la computadora. (computadora)

   b. ¿Tienes tus libros? (libros)

   c. Visitamos a nuestros abuelos. (abuelos)

   d. La Srta. Morales ayuda a Teresa. (Teresa)

   e. Estudiamos español. (español)

   f. Emilia siempre invita a Octavio y Celia. (Octavio y Celia)

   g. Paca lee revistas. (revistas)

   h. No conozco a ese hombre. (hombre)

6.3   a. la maleta; la

   b. los zapatos; los

   c. las mujeres; las

   d. mi tío; lo

   e. nuestras sobrinas; las

   f. un periódico; lo

   g. una naranja; la

   h. el Sr. García; lo

   i. los tenedores; los

   j. los estudiantes; los

6.4   a. La   e. Lo

   b. Los   f. los

   c. Los   g. las

   d. la   h. lo

6.5   a. Nunca lo pido.

   b. La ves demasiado.

   c. Ella las escribe.

   d. El Sr. Ramos los vende.

   e. ¿La conoces?

   f. Los lavo.

   g. Papá lo lee todos los días.

   h. No los veo.

   i. Generalmente la pongo.

   j. Las visito.

6.6   a. Lo necesito.

   b. No los comemos.

   c. Nuria la bebe (*or* toma).

   d. Las ayudamos.

   e. ¿Lo tienes?

   f. Mi hermano casi nunca los compra.

   g. ¿Las llevas?

   h. Lo conocemos muy bien.

6.7   a. la   f. lo

   b. los   g. Los

   c. lo   h. la

   d. las   i. Lo

   e. la   j. las

SECTION SIX (CONT.)

6.8   a. ¿Puedes ayudarlo ahora?
         ¿Lo puedes ayudar ahora?
      b. Voy a mirarlas.
         Las voy a mirar.
      c. Necesitamos comprarlos.
         Los necesitamos comprar.
      d. ¿Debo dejarla?
         ¿La debo dejar?
      e. ¿Quieres visitarlas?
         ¿Las quieres visitar?
      f. A ellos les gusta comprarlos.
      g. Estamos esperándolo.
         Lo estamos esperando.
      h. Estoy buscándola.
         La estoy buscando.
      i. Me gusta llevarlas.
      j. Debes obedecerlos.
         Los debes obedecer.

6.9   1. c; She likes to eat it.
      2. b; You need to wash them.
      3. b; We don't see her.
      4. a; I don't want to write them.
      5. c; Do you have it?
      6. a; I don't know them very well.
      7. c; We're looking for it.
      8. c; I take them to school.

SECTION SEVEN

7.1   a. No, we're not going to take it.
         autobús
         It could be attached to **tomar**: No, no
         vamos a tomarlo.
      b. You have to obey her.
         Sra. Vallejo
         It could be attached to **obedecer**: Tienes
         que obedecerla.
      c. you should do it
         tarea
         It could be in front of **debes**: la debes
         hacer
      d. you should listen to her
         Sra. Vallejo
         It could be in front of **debes**: la debes
         escuchar
      e. You know him.
         Sr. Quintana
      f. Yes, I know him.
         Sr. Quintana

7.2   a. Mamá nos lleva
      b. ella nos espera
      c. Te veré
      d. me ves
      e. ella te ayuda
      f. nos saluda

7.3   a. me
      b. te
      c. nos
      d. yes

7.4   a. I don't understand you.
      b. They visit us sometimes.
      c. I can't call you today.
      d. Dad is waiting for us.
      e. Why don't (*or* won't) you help me?
      f. Felipe wants to invite you to the party.
      g. My friends help me a lot.
      h. Can you take us downtown?
      i. Are you listening to me?
      j. Mr. Linares is looking for you.

SECTION SEVEN (CONT.)

7.5   a. No te puedo llamar hoy.
    b. Papá está esperándonos.
    c. Felipe quiere invitarte a la fiesta.
    d. ¿Puedes llevarnos al centro?
    e. ¿Me estás escuchando?
    f. El Sr. Linares está buscándote.

7.6   a. los   f. te, me
    b. la   g. las
    c. Nos, los h. la
    d. lo   i. Nos, los
    e. Me, te   j. lo

7.7   a. El Sr. Nolasco siempre me ayuda.
    b. Lourdes no la tiene.
    c. Vamos a comprarlas. *or*
       vamos a comprar.
    d. ¿Debo comprarlo? *or*
       ¿Lo debo comprar?
    e. ¿Las ves?
    f. Sancho no lo conoce.
    g. ¿Puedes esperarnos? *or*
       ¿Nos puedes esperar?
    h. Me gusta escucharla.
    i. Estamos buscándolos. *or*
       Los estamos buscando.
    j. Vamos a visitarte el sábado. *or*
       Te vamos a visitar el sábado.

SECTION EIGHT

8.1   a. 11   h. 9
    b. 7   i. 1
    c. 13   j. 3
    d. 10   k. 6
    e. 2   l. 12
    f. 4   m. 5
    g. 14   n. 8

8.2   a. the southwestern part
    b. the Iberian Peninsula
    c. Portugal
    d. the Pyrenees
    e. Madrid; in the center
    f. on the northeastern coast; it's Spain's second largest city and principal port
    g. a British territory located near Spain's southern-most point
    h. Morocco; Ceuta and Melilla
    i. 17
    j. the Canary Islands and the Balearic Islands
    k. the Guadalquivir River; in the southern autonomous community of Andalusia
    l. Castilian, Catalan, Galician and Basque
    m. Castilian
    n. a language derived from Latin
    o. Galician
    p. Catalan
    q. Basque

SECTION NINE

9.1
a. Where are they from?
b. What are your favorite foods?
c. Who is that man over there?
d. What do you feel like doing tonight?
e. How many pyramids are there?
f. Why don't you want to visit the ruins?
g. Where are we going tomorrow?
h. Where is the pool?
i. When are you going to go on vacation?
j. How much does a stamp cost?
k. What are your cousins like?
l. What is your favorite restaurant?

9.2
a. ¿Cuál es tu postre favorito?
b. ¿Quiénes son esas mujeres?
c. ¿Qué vas a comprar?
d. ¿Cuánto cuestan los boletos?
e. ¿Dónde está un cajero automático?
f. ¿Por qué no vas a dejar una propina?
g. ¿Cuándo vamos a la playa?
h. ¿Cuántos pasajeros hay?
i. ¿Cómo vas a la escuela?
j. ¿De dónde es nuestro guía?

9.3
a. inexpensive; baratos
b. young; jóvenes
c. exciting; emocionantes
d. red; rojos
e. dark-skinned; morenas
f. green; verdes
g. blonde; rubias
h. easy; fáciles
i. talkative; habladores
j. fun, amusing; divertidos
k. weak; débiles
l. poor; pobres
m. selfish; egoístas
n. English; ingleses
o. yellow; amarillos

9.4
a. Mi tío es muy deportista.
b. Nuestros abuelos (*or* abuelitos) son bastante viejos.
c. Mis tías son altas y delgadas.
d. Tu hermano mayor es muy guapo.
e. Los papás (*or* padres) de Carmen son muy trabajadores.
f. La hermana de Daniel es un poco perezosa.
g. Nuestras sobrinas son demasiado preguntonas.

9.5
a. la biblioteca
b. la iglesia
c. el pueblo
d. el aeropuerto
e. el ayuntamiento
f. el cine
g. el abogado
h. la enfermera
i. la escritora
j. el periodista
k. la gerente
l. el comerciante
m. el jefe
n. la ingeniera
o. deprimido
p. enojado
q. triste
r. preocupado
s. cansado
t. decepcionado
u. asustado
v. enfermo

SECTION TEN

10.1   Answers will vary; check that they are logical and grammatically correct. Sample answers:

a. Camino a la escuela.

b. Voy de vacaciones cada año.

c. Tomo el autobús a veces.

d. Prefiero volar.

e. Monto en bici mucho.

f. Sí, tengo un pasaporte. / No, no tengo pasaporte.

g. Sí, paso mucho tiempo con mis amigos.

h. Me gusta viajar con mi familia.

10.2
a. El (*or* La) guía está hablando.

b. Los turistas están tomando (*or* sacando) fotos.

c. Estoy buscando los boletos.

d. Felipe está cambiando dinero.

e. Estamos haciendo cola.

f. Noelia está esquiando en el agua.

g. ¿Qué estás comiendo?

h. No me estoy divirtiendo. *or* No estoy divirtiéndome.

i. Diana se está preparando. *or* Diana esta preparándose.

j. Ellas se están maquillando. *or* Ellas están maquillándose.

10.3
a. toman; They always take the elevator.

b. llamas; How often do you call your grandparents?

c. está haciendo; Maria is packing the suitcases now.

d. salgo; I feel frustrated when I fail (*or* do badly on) a test.

e. estamos limpiando; Linda and I can't go out because we're cleaning the house.

f. Manejas; Do you drive well or badly?

10.4
a. ¿Las conoces?

b. Lo necesito.

c. Ellos no nos creen.

d. Beatriz me llama casi todos los días.

e. Lo debemos alquilar. *or* Debemos alquilarlo.

f. ¿Te gusta comerlos?

g. Te estamos esperando. *or* Estamos esperándote.

h. ¿La vas a hacer? *or* ¿Vas a hacerla?

10.5
a. ¿Estamos perdidos?

b. ¿Puede Ud. decirme dónde está la parada del autobús?

c. La estación del tren está en la Calle Ortega.

d. Nuestra casa está a la izquierda de la biblioteca.

e. El mercado está todo derecho.

SECTION ONE

1.1 a. fruit; fruit store; apples, oranges and grapes
b. bread; panadería; bakery
c. fish; fish store
d. heladería; ice cream store
e. chairs, tables and dressers; muebles = furniture, mueblería = furniture store
f. Ale's aunt; flowers; florería = flower store; florista = florist

1.2 Adult check

1.3 a. fish
b. meat
c. bread
d. fruit
e. pastries
f. ice cream
g. books
h. flowers
i. shoes
j. milk
k. paper

1.4 a. a fish store/fish market
b. a butcher shop
c. a bakery/bread store
d. a fruit store
e. a pastry shop
f. an ice cream shop
g. a book store
h. a flower shop
i. a shoe store
j. a dairy store
k. a stationery store

1.5 a. a fisherman
b. a butcher
c. a baker
d. a fruit vendor
e. a pastry chef
f. an ice cream vendor
g. a book vendor
h. a florist
i. a shoe maker (*or* shoe salesman)
j. a milkman
k. a stationer

1.6 a. frutería
b. lechería
c. peluquería
d. pescadería
e. carnicería
f. mueblería
g. librería
h. papelería

1.7 a. sí
b. no
c. sí
d. sí
e. no
f. sí
g. no
h. no
i. no
j. sí
k. no
l. no

SECTION TWO

2.1 a. Estoy escribiéndole una carta a Abuelita.
b. ¿Qué vas a darle a Mamá?
c. Voy a darle un collar.
d. Le voy a dar un libro.
e. ¡Siempre le das un libro a Mamá!
f. Quiero comprarle algo especial.
g. Le quiero comprar unas herramientas.
h. Nunca les doy nada a ellos.
i. Mamá les manda una tarjeta.
j. Les debemos escribir una carta.
k. Tú puedes escribirles.

2.2 a. *Le* refers to one person and *les* refers to more than one.
b. Directly in front of the conjugated verb
c. Directly in front of the conjugated verb or attached to the infinitive or present participle
d. a. Le estoy escribiendo una carta a Abuelita.
b. ¿Qué le vas a dar a Mamá?
j. Debemos escribirles una carta.
k. Tú les puedes escribir.
e. Yes

227

SECTION TWO (CONT.)

2.3 1. DO – pluma; IO – Marta
2. DO – regalo; IO – abuelita
3. DO – tarea; IO – estudiantes
4. DO – consejos; IO – Tito y Sancho
5. DO – tarjeta; IO – ellos
6. DO – carta; IO – Sara
7. DO – verdad; IO – Uds.
8. DO – dinero; IO – Nuria

2.4 English translations may vary slightly;
e.g., I always offer my friends advice;
I always offer advice to my friends.
   a. les; I always offer my friends advice.
   b. Les; We're going to send a postcard to our grandparents.
   c. Les; Can you lend your tape player to Catalina and Silvia?
   d. le; I need to buy my aunt a present.
   e. les; I never tell my parents lies. (I never lie to my parents.)
   f. les; I'm telling you guys the truth!
   g. le; Why don't (won't) you lend Viviana your car?
   h. Les; I'm going to serve them the dessert.
   i. les; Mr. Mijares always explains the lesson to the students.
   j. le; Do you like to write letters to your boyfriend?

2.5 a. Felipe les da buenos consejos a Uds.
   b. La Srta. Huerta les enseña francés a ellos.
   c. Ellos le muestran sus fotos a Carlota.
   d. Les pedimos dinero a nuestros papás (*or* padres).
   e. Le decimos la verdad a nuestra mamá.

   f. Voy a venderle mi bici a Felipe. / Le voy a vender mi bici a Felipe.
   g. Estoy haciéndole un sándwich a mi sobrino. / Le estoy haciendo un sándwich a mi sobrino.
   h. No puedes decirles el secreto a tus hermanas. / No les puedes decir el secreto a tus hermanas.
   i. No nos gusta prestarle nuestro carro a él.
   j. Tere va a venderle su computadora a Luisa. / Tere le va a vender su computadora a Luisa.

2.6 a. Hugo le da (*or* regala) flores a su novia.
   b. Les escribimos cartas a nuestros primos.
   c. ¿Siempre les dices la verdad a tus maestros?
   d. Emilia les ofrece consejos a sus amigos.
   e. No puedo prestarles cincuenta dólares a Uds. *or* No les puedo prestar cincuenta dólares a Uds.
   f. Necesitamos comprarle un regalo a Pepe. *or* Le necesitamos comprar un regalo a Pepe.
   g. Estoy mostrándoles mis fotos a ellos. *or* Les estoy mostrando mis fotos a ellos.
   h. ¿Te gusta leerle cuentos a tu hermanito?

SECTION THREE

3.1   Answers may vary slightly; e.g. Mrs. Guevara teaches us accounting. / Mrs. Guevara teaches accounting to us.

    a. Mrs. Guevara teaches us accounting.

    b. Why won't you tell me the secret?

    c. The waiter is bringing us more forks.

    d. We're going to tell you the news.

    e. Will you buy me a soda (soft drink)?

    f. Yolanda is going to buy you a present.

    g. My brother doesn't like to lend me money.

    h. Your boyfriend buys you a lot of presents.

    i. Diego always gives us good advice.

    j. Will you read me the letter?

3.2   a. DO – contabilidad; IOP – nos

    b. DO – secreto; IOP – me

    c. DO – tenedores; IOP – nos

    d. DO – noticias; IOP – te

    e. DO – refresco; IOP – me

    f. DO – regalo; IOP – te

    g. DO – dinero; IOP – me

    h. DO – regalos; IOP – te

    i. DO – consejos; IOP – nos

    j. DO – carta; IOP – me

3.3   a. Me, te

    b. Nos, les

    c. te, me

    d. les, nos

    e. Le, me

    f. Nos, les

    g. me, te

    h. Nos, les

3.4   Spanish answers will vary; check that they are logical and grammatically correct.

    a. How often do you buy presents for your friends?
       A veces les compro regalos a mis amigos.

    b. Do you always give your mom a card for her birthday?
       Sí, siempre le doy una tarjeta a mi mamá para su cumpleaños.

    c. Do you ask your parents for advice?
       Sí, les pido consejos a mis papás.

    d. Do your friends lend you money?
       No, mis amigos no me prestan dinero.

    e. Are you talking to me?
       No, no estoy hablándote. *or*
       No, no te estoy hablando.

    f. Can you bring me a pencil?
       Sí, puedo traerte un lápiz. *or*
       Sí, te puedo traer un lápiz.

    g. Do your teachers give you a lot of homework?
       No, mis maestros no me dan mucha tarea.

    h. Do you tell secrets to your friends?
       Sí, les digo secretos a mis amigos.

3.5   a. Ellos no nos ofrecen consejos.

    b. El Sr. Cabrera me explica la tarea.

    c. ¿Me prestas tu mochila?

    d. ¿Quién les enseña química a Uds.?

    e. Siempre le mostramos nuestras fotos a Elisa.

    f. Gregorio me va a vender su moto. *or*
       Gregorio va a venderme su moto.

    g. La camarera te está trayendo otro cuchillo. *or* La camarera está trayéndote otro cuchillo.

    h. No me gusta leerle cuentos a mi hermanita.

    i. No te quiero decir las noticias. *or*
       No quiero decirte las noticias.

    j. Daniela nos debe escribir una carta. *or*
       Daniela debe escribirnos una carta.

SECTION FOUR

4.1   a. She doesn't have enough money.
     b. twenty dollars
     c. She wants to know if it works okay.
     d. She already lent it to her cousin.
     e. next week

4.2   a. Te la vendo.
     b. ¿Me la vendes?
     c. Te lo presto.
     d. Ya se lo presté.
     e. ¿Cuándo te lo va a devolver?
     f. Va a devolvérmelo.
     g. Luego te lo presto.

4.3   a. The indirect object pronoun comes before the direct object pronoun.
     b. directly in front of the conjugated verb
     c. directly in front of the conjugated verb or attached to the infinitive
     d. Add a written accent mark to its last syllable.
     e. It changes to *se*.

4.4   Adult check

4.5   a. The teacher explains the lesson to the students.
        La maestra se la explica.
     b. The boys describe the accident to the police officer.
        Los chicos se lo describen.

c. The waiter brings us the drinks.
   El camarero nos las trae.
d. The mother reads a story to her son.
   La madre se lo lee.
e. My grandparents always send me a card.
   Mis abuelos siempre me la mandan.
f. We're telling you the truth.
   Te la estamos diciendo. *or*
   Estamos diciéndotela.
g. Can you lend me your backpack?
   ¿Puedes prestármela? *or*
   ¿Me la puedes prestar?
h. Are you going to show us your pictures?
   ¿Nos las vas a mostrar? *or*
   ¿Vas a mostárnoslas?
i. You should ask your parents for money.
   Debes pedírselo. *or* Se lo debes pedir.
j. We're going to give the gifts to our cousins.
   Se los vamos a dar. *or*
   Vamos a dárselos.
k. Do you like to teach Spanish to your little sister?
   ¿Te gusta enseñárselo?
l. Pepita is reading us the letter.
   Pepita está leyéndonosla. *or*
   Pepita nos la está leyendo.

SECTION FIVE

5.1   a. The beauty shop (barbershop) is to the left of the furniture store.
     b. The bakery is very close to the butcher shop.
     c. The jewelry store is next to (beside) the book store.
     d. You shouldn't run inside the house.
     e. I don't like to get up before 8:00.
     f. There are many stores in our neighborhood.
     g. Do you want to walk through the park?
     h. Dad is outside of the garage.

5.2   a. Mi casa está cerca de la escuela.
     b. ¿Quieres estudiar conmigo?
     c. Me gusta acostarme después de la medianoche.
     d. Voy a pedir mariscos en vez de bistec.
     e. La parada del autobús está delante del museo.
     f. Vamos a comer sin ti.

5.3   a. in front of the window
     b. next to (beside) the dresser
     c. to the left of the closet
     d. between the sofa and the bookshelf

SECTION FIVE (CONT.)

5.3 (cont.)
- e. on top of the refrigerator
- f. under (beneath) the bathroom sink
- g. to the right of the bathtub
- h. on the end table
- i. behind the armchair
- j. far from the rug

5.4 Adult check; base the picture on the following translation of the directions.
- a. There's a window in the center of the bedroom.
- b. There's a rug in front of the window.
- c. A bed is to the right of the window.
- d. There are two books on the bed.
- e. There's a dresser to the left of the window.
- f. A night table is to the right of the bed.
- g. There's an alarm clock on the night table.
- h. A bookshelf is to the left of the dresser.
- i. There's a backpack in front of the dresser.
- j. The door is to the left of the bookshelf.

SECTION SIX

6.1
- a. dentro de ella
- b. alrededor de ellos
- c. delante de nosotros
- d. de ellas
- e. para ti
- f. por él
- g. en vez de nosotras
- h. con él
- i. sin mí
- j. al lado de ella
- k. cerca de ustedes
- l. conmigo
- m. después de usted
- n. frente a ella

6.2
- a. La zapatería está enfrente de ella.
- b. La frutería está entre la pastelería y la florería (*or* floristería).
- c. Hay muchos árboles detrás de él.
- d. Los boletos no están en mi billetera (*or* cartera).
- e. Tus anteojos están encima de él.
- f. El lavaplatos está a la derecha del fregadero.
- g. No vivimos cerca de ellos.
- h. Gregorio va a jugar fútbol con nosotros.
- i. Las flores son para ella.
- j. Tu tarea está al lado de ellos.
- k. ¿Quién se sienta delante de ti?
- l. Alicia estudia con Orlando en vez de mí.

SECTION SEVEN

7.1
1. c
2. b
3. c
4. a
5. d
6. c
7. b
8. a
9. d
10. b
11. d
12. c
13. a
14. c

7.2 Translations may vary slightly.
- a. salir; I want to rest instead of going out.
- b. termina; Lunch ends at 1:00 exactly.
- c. desayunar; Dad reads the paper after eating breakfast.
- d. trabajar; In spite of working a lot, Tito doesn't have a lot of money.
- e. servir; You should serve the paella like this.
- f. ayudo; I'll gladly help you.
- g. visita; Julieta visits us frequently.
- h. comer; Before eating, you should wash your hands.

SECTION SEVEN (CONT.)

i. volver; Upon returning home, I eat a sandwich.

j. tener; In order to be successful, I have to be hardworking.

7.3 a. Ayudamos en casa.

b. El concierto empieza (*or* comienza) a las ocho en punto.

c. Vamos a quedarnos (*or* Nos vamos a quedar) en casa a causa de la tormenta.

d. Los estudiantes repiten el vocabulario en voz alta.

e. Este vestido está de moda.

f. Hay un examen mañana; por eso necesito estudiar.

g. Por fin entiendo (*or* comprendo) la lección.

h. Al llegar a la escuela, busco a mis amigos.

SECTION EIGHT

8.1 a. Galicia

b. the Moors

c. the plaza

d. the tertulia

e. Castile

f. paseo

g. Leon

h. the church and the government building

i. Andalusia

j. Asturias

SECTION NINE

9.1 (Wording may vary slightly.)

a. Van al centro porque necesitan ir de compras.

b. La fiesta es para su madre.

c. Van a la carnicería primero.

d. Compran los adornos en la papelería.

e. Visitan cinco tiendas.

f. No tienen regalo.

g. Miguel corre a la librería y le compra un libro a su madre.

h. Empieza a las siete.

i. Se siente muy sorprendida y alegre.

j. Están contentos porque a su madre le gustan mucho la fiesta y el libro.

9.2 (Translations may vary slightly.)

a. We'll bring our friends the drinks.
Se las traemos.

b. Paco prepares a special dinner (supper) for me.
Paco me la prepara.

c. I'll bring you a present.
Te lo traigo.

d. Will you give me your CD player?
¿Me la regalas?

e. Sometimes I give advice to my little brother.
A veces se los doy.

f. Why won't you buy me that shirt?
¿Por qué no me la compras?

g. Are you going to show the postcard to Joaquin?
¿Se la vas a mostrar? *or*
¿Vas a mostrársela?

h. Noelia can't tell you guys the news.
Noelia no se las puede decir. *or*
Noelia no puede decírselas.

i. Are you telling us a lie?
¿Nos la estás diciendo? *or*
¿Estás diciéndonosla?

j. Sergio is going to sell his car to his neighbor.
Sergio se lo va a vender. *or*
Sergio va a vendérselo.

SECTION NINE (CONT.)

9.3	1. c
	2. c
	3. a

9.4	1. c
	2. d
	3. d
	4. b

9.5	1. No
	2. No
	3. Sí
	4. No
	5. No

9.6	1. No
	2. No
	3. Sí
	4. Sí
	5. No

SECTION ONE

1.1 a. He teaches science.
    b. He's Kiko's science teacher.
    c. Mrs. Castro; yes, Paco knows her.
    d. She's the swimming coach.

1.2 a. él es más estricto que la Sra. Escobar
    b. Es más interesante que el Sr. Olmos
    c. pero menos interesante que la Sra. Contreras
    d. ¿Es tan amable como la Sra. Orozco?
    e. es más amable que
    f. ¡Ella es más alta que el Sr. Galindo y el Sr. Olmos!
    g. Pero no es tan alta como el Sr. Bustamante.

1.3 a. tan … como
    b. más … que
    c. menos … que

1.4 Adult check

1.5 a. caras; The potatoes are less expensive than the seafood.
    b. delicioso; The dessert is more delicious than the candy.
    c. divertidos; Skiing and golf are as fun as soccer.
    d. paciente; I'm less patient than my sister.
    e. enojada; I think that Mom is as angry as Dad (is).
    f. aburrido; Baseball is more boring than volleyball.
    g. pequeña; The kitchen is smaller than the dining room.
    h. bonitas; Carolina and Cristina are as pretty as their mom.
    i. egoísta; Who is more selfish, Felipe or Teresa?
    j. habladores; Manuel and I are less talkative than you (are).

1.6 a. Patricia es más seria que sus hermanos.
    b. La primavera es más agradable que el invierno.
    c. Jorge y yo somos tan amigables como ellos.
    d. La gimnasia es menos emocionante que el tenis.
    e. ¡Eres tan pesimista como Enrique!
    f. Eres tan preguntona como los niños.
    g. El fútbol americano y el básquetbol son más populares que el atletismo.
    h. Estos zapatos son menos caros que esas botas.

1.7 Answers will vary. Check that they are grammatically correct (verb forms, adjective agreement, word order, etc.). Also be sure students used only the given adjectives and items and used each comparative at least twice.
    Sample answers:
    a. Los frijoles son menos deliciosos que el chocolate.
    b. El fútbol es tan interesante como el fútbol americano.
    c. El español es tan fácil como el inglés.
    d. Los perros son más inteligentes que los gatos.
    e. Mi papá es más alto que yo.
    f. Soy más bromista que mi mejor amigo.
    g. Mi papá es tan paciente como mi mamá.
    h. Soy más deportista que mis amigos.
    i. Mis abuelos son menos estrictos que mis padres.
    j. Abraham Lincoln es tan famoso como Winston Churchill.

1.8 a. Who is older, you or your boyfriend?
    b. Which is better, swimming or track and field?
    c. Are you younger than your brother?
    d. Yolanda isn't as good as her sister at sports.
    e. My cousins are younger than I am.
    f. This movie is worse than that one.
    g. My niece is older than my nephews.

SECTION ONE (CONT.)

1.8 (cont.)

    h. They are as young as we are.

    i. Rebeca is as good as I am at basketball.

    j. Geography homework isn't as bad as accounting homework.

1.9

    a. ¿Quién es mayor, tu papá o tu mamá?

    b. ¿Cuál es peor, la tarea de matemáticas o la tarea de historia?

    c. Somos mayores que Ernesto.

    d. El Sr. Trujillo es tan viejo como el Sr. Estrada.

    e. Uds. son menores que Diego, ¿verdad? (*or* ¿no?)

    f. Soy mejor que mi hermano en las ciencias.

    g. Estos libros son tan malos como esos libros.

    h. Tu hermanita es tan joven como mi sobrino.

    i. Los amigos son mejores que el dinero.

    j. Somos tan buenos como tú en la geometría.

1.10

a. sí		g. sí	
b. no		h. no	
c. no		i. sí	
d. sí		j. sí	
e. sí		k. no	
f. sí		l. no	

SECTION TWO

2.1

    a. mi clase más fácil

    b. el maestro más talentoso de la escuela

    c. el maestro más popular

    d. sus clases son las más divertidas

    e. el maestro menos estricto

    f. las maestras más pacientes

    g. el maestro menos paciente de la escuela

2.2

    a. It's art because that's her easiest class. She says Mr. Linares is the most talented teacher in the school.

    b. He's the most popular teacher in the school and his classes are the most fun.

    c. They are the most patient teachers.

    d. He's the least patient teacher in the school.

2.3   Adult check

2.4

    a. What is your most difficult class?

    b. Who are the most popular girls in the school?

    c. Who is the most talented player on the basketball team?

    d. Emilia is the prettiest girl.

    e. Those shoes over there are the least elegant in the store.

    f. Pineapple is the most delicious fruit.

    g. The biggest building in the town is the hospital.

    h. Bacon is the least expensive meat in the butcher shop.

    i. I think that gray and orange are the ugliest colors.

    j. You are the least responsible person in the class!

2.5

    a. The most famous person in the world is....

    b. The hardest-working student (male) in Spanish class is....

    c. The hardest-working student (female) in Spanish class is....

    d. The least exciting sports are....

    e. The tallest boys in the class are....

    f. My easiest class is....

    g. The most delicious dessert is....

    h. The most inexpensive restaurant in my town is....

    i. The biggest city in the world is....

    j. The least interesting movie is....

2.6   Adult check

SECTION TWO (CONT.)

2.7.
a. Carlos es el chico (*or* muchacho) más amigable de la escuela.
b. Susana y Linda son las más talentosas.
c. El tenis y el golf son los deportes menos populares de nuestra escuela.
d. El Sr. Quintana es el entrenador más estricto.
e. Alicia es la jugadora más baja del equipo.
f. Armando es el más fuerte.
g. La historia es la clase menos difícil.
h. Diana y Fernando son los estudiantes menos habladores.
i. Guillermo es el niño más preguntón.
j. Esa tienda es la más nueva del vecindario.

2.8
a. Who is the worst actress?
b. Who are the best writers?
c. Our dad is the oldest in the family.
d. My little sister is the youngest in the family.
e. Juan Carlos is the best athlete in the school.
f. I'm the worst student in the class.
g. The oldest are Guadalupe and Nico.
h. Are you the youngest?

2.9
Answers will vary; check that they are logical and grammatically correct. Sample answers:
a. El mejor atleta es Tiger Woods.
b. La mejor atleta es Venus Williams.
c. Las peores clases son la química y la literatura.
d. La mayor de la clase es Isabel.
e. El menor de la clase es Rodrigo.
f. El peor deporte es el tenis.
g. El mayor de mi familia es mi abuelito.
h. La menor de mi familia es mi hermana.
i. Las peores comidas son los frijoles y el pescado.
j. Las mejores actrices son Halle Berry y Salma Hayek.

2.10
a. sí
b. no
c. no
d. sí
e. no
f. no
g. no
h. sí
i. sí
j. sí
k. no
l. no

SECTION THREE

3.1
a. manejo manejamos
manejas manejáis
maneja manejan

b. estudio estudiamos
estudias estudiáis
estudia estudian

c. desayuno desayunamos
desayunas desayunáis
desayuna desayunan

d. como comemos
comes coméis
come comen

e. comprendo comprendemos
comprendes comprendéis
comprende comprenden

f. creo creemos
crees creéis
cree creen

g. vivo vivimos
vives vivís
vive viven

h. abro abrimos
abres abrís
abre abren

i. escribo escribimos
escribes escribís
escribe escriben

3.2 Adult check

SECTION THREE (CONT.)

3.3
a.
soy	somos
eres	sois
es	son

b.
estoy	estamos
estás	estáis
está	están

c.
voy	vamos
vas	vais
va	van

d.
tengo	tenemos
tienes	tenéis
tiene	tienen

e.
hago	hacemos
haces	hacéis
hace	hacen

f.
digo	decimos
dices	decís
dice	dicen

g.
sé	sabemos
sabes	sabéis
sabe	saben

h.
conozco	conocemos
conoces	conocéis
conoce	conocen

i.
doy	damos
das	dais
da	dan

j.
pongo	ponemos
pones	ponéis
pone	ponen

k.
salgo	salimos
sales	salís
sale	salen

l.
veo	vemos
ves	veis
ve	ven

3.4 Adult check

3.5
a.
juego	jugamos
juegas	jugáis
juega	juegan

b.
empiezo	empezamos
empiezas	empezáis
empieza	empiezan

c.
quiero	queremos
quieres	queréis
quiere	quieren

d.
pienso	pensamos
piensas	pensáis
piensa	piensan

e.
duermo	dormimos
duermes	dormís
duerme	duermen

f.
puedo	podemos
puedes	podéis
puede	pueden

g.
vuelvo	volvemos
vuelves	volvéis
vuelve	vuelven

h.
pido	pedimos
pides	pedís
pide	piden

i.
sirvo	servimos
sirves	servís
sirve	sirven

3.6 Adult check

3.7
a.
me levanto	nos levantamos
te levantas	os levantáis
se levanta	se levantan

b.
me acuesto	nos acostamos
te acuestas	os acostáis
se acuesta	se acuestan

c.
me despierto	nos despertamos
te despiertas	os despertáis
se despierta	se despiertan

d.
me divierto	nos divertimos
te diviertes	os divertís
se divierte	se divierten

e.
me visto	nos vestimos
te vistes	os vestís
se viste	se visten

SECTION THREE (CONT.)

3.7 (cont.)

f. me siento   nos sentimos
    te sientes   os sentís
    se siente   se sienten

g. me caigo   nos caemos
    te caes   os caéis
    se cae   se caen

h. me quito   nos quitamos
    te quitas   os quitáis
    se quita   se quitan

3.8   Adult check

3.9
a. regresan; They return home at 4:30.
b. tiene; Pedro is very thirsty.
c. conduzco; I almost always drive to school.
d. llevamos; We wear jewelry once in a while.
e. me quito; I take off my sweater if I'm hot.
f. está; The library isn't close to the store.
g. abres; Why don't you open the window?
h. ven; You guys watch TV too much.
i. pierde; Our team almost never loses.
j. cuesta; How much does that shirt cost?
k. se acuesta; Carmen goes to bed at 10:00 when there's school.
l. pedir; I'm going to order seafood or ham.

m. llegan; The students arrive late sometimes.
n. salgo; I usually do badly on (fail) chemistry tests.
o. vive; Who lives in that house over there?
p. levantarnos; We like to get up late on Saturdays.
q. vienen; At what time are you guys coming to the party?

3.10
a. contesto; I answer a lot of questions in class.
b. recibe; She receives a lot of presents for her birthday.
c. Sacan; Do you guys take a lot of pictures?
d. debes; You should study more.
e. almuerzan; They eat lunch at noon.
f. creo; I think that we're lost.
g. se ve; Dad looks very angry.
h. es; Mr. Zapata is a journalist.
i. duermen; The children sleep eight hours each night.
j. traigo; I always bring a notebook and a pencil to class.
k. vas; How often do you go to the movies?

SECTION FOUR

4.1
a. ¿Cómo te llamas?
b. ¿De dónde eres?
c. ¿Cuándo es tu cumpleaños?
d. ¿Cuántos años tienes?
e. ¿Dónde vives?
f. ¿Cómo vas a la escuela?
g. ¿Con qué frecuencia juegas deportes?
h. ¿Qué te gusta hacer?
i. ¿Cómo eres?

j. ¿Quién es tu maestro/profesor (or maestra/profesora) de matemáticas?
k. ¿Por qué estudias español?
l. ¿Cuál es tu estación favorita?
m. ¿Bailas bien o mal?
n. ¿Viajas mucho?
o. ¿Qué vas a hacer mañana?
p. ¿A qué hora almuerzas?
q. ¿Cuántos hermanos tienes?

SECTION FOUR (CONT.)

4.2   Answers will vary; check that they are logical and grammatically correct. Sample answers:

a. Me llamo Jessica.
b. Soy de Texas.
c. Mi cumpleaños es el primero de agosto.
d. Tengo dieciséis años.
e. Vivo en Chicago.
f. Tomo el autobús a la escuela.
g. Juego deportes casi todos los días.
h. Me gusta esquiar y nadar.
i. Soy alta, amigable y trabajadora.(Boys needs masculine adjectives; girls need feminine adjectives.)
j. La Sra. Galindo es mi maestra de matemáticas.
k. Estudio español porque quiero visitar España.
l. Mi estación favorita es el verano.
m. Bailo bien.
n. Sí, viajo mucho.
o. Voy a estudiar y jugar básquetbol mañana.
p. Almuerzo a las once y media.
q. Tengo dos hermanos.

4.3   Adult check

SECTION FIVE

5.1
a. I see
b. they give
c. we wear
d. she travels
e. I lose
f. they cost
g. we go to bed
h. I bring
i. you can
j. he knows
k. we show
l. you guys know

5.2
a. sí
b. no
c. no
d. no
e. sí
f. sí
g. no
h. sí
i. no
j. no
k. no
l. sí

5.3
a. yellow
b. sad
c. thin
d. old
e. expensive
f. big
g. sick
h. strong
i. jealous
j. tired
k. boring
l. blue
m. selfish
n. blond

5.4   Answers will vary; check that they are logical and grammatically correct. Sample answers:

a. Estudio mucho.
b. Sí, canto bien.
c. Como dulces a veces.
d. Desayuno a las siete y media.
e. Prefiero levantarme tarde.
f. Voy a ver la tele esta noche.
g. Mi comida favorita es el helado.
h. Mis padres se llaman John y Mary.
i. No, no siempre hago mi tarea.
j. Debo ayudar en casa más.
k. No, no vivo cerca de mis abuelos.
l. Sí, mis amigos me dan regalos.

5.5
a. 48
b. 13
c. 111
d. 260
e. 527
f. 30,000
g. 950
h. 100
i. 12,700
j. 379
k. 14,600
l. 815

5.6
1. B
2. D
3. C
4. A
5. D
6. C
7. B
8. D
9. B
10. C

SECTION SIX

6.1 Grade based on grammatical correctness, degree of difficulty, originality, variety (no repetitive sentences), and adherence to the assigned topic and length requirement. It should be noted that students are being tested on a variety of vocabulary and grammatical structures here: family vocabulary, stating names and ages, describing, agreement, and so on. Students should not just have long lists of names and ages or short, "safe" sentences that show little or no mastery of a variety of vocabulary and grammatical structures.

SECTION SEVEN

7.1   a. Los dos amigos se llaman Jorge y Luis.
    b. Es sábado.
    c. Jorge no quiere ir al cine.
    d. No quiere ir al cine porque no hay ninguna película interesante.
    e. Hace muy buen tiempo.
    f. Jorge tiene que volver a casa antes de las cinco.
    g. Pierre es un estudiante de intercambio de Francia.
    h. Es muy amigable y juega fútbol muy bien.

7.2   Adult check

7.3   Wording may vary slightly for some answers.
    a. Linda se siente bien pero también un poco nerviosa.
    b. Va a trabajar en la oficina de la doctora Chávez.
    c. Va a trabajar un día cada semana.
    d. Linda empieza a trabajar a las siete y media.
    e. Termina a las cuatro.
    f. Necesita despertarse a las seis.
    g. Va a acostarse temprano porque no quiere estar cansada.
    h. Va a llamar a Ana y decirle todo a ella.

7.4   Adult check

7.5   Adult check

SECTION EIGHT

8.1
a. martes, jueves
b. viernes, domingo
c. invierno, verano
d. noviembre, enero
e. julio, septiembre
f. doce, catorce
g. noventa y nueve, ciento uno
h. setenta y ocho; ochenta
i. novecientos noventa y nueve; mil uno
j. diez, doce
k. veintinueve, treinta y uno
l. el primero de junio; el tres de junio

8.2
a. green; verdes
b. inquisitive; preguntones
c. French; francesas
d. red; rojos
e. handsome/good-looking; guapos
f. selfish; egoístas
g. weak; débiles
h. Japanese; japoneses
i. athletic; deportistas
j. poor; pobres
k. new; nuevas
l. ugly; feos
m. young; jóvenes
n. Spanish; españoles
o. kind; amables

8.3
a. Gloria trabaja en esa tienda.
b. ¿Quién vive (*or* Quiénes viven) en aquella casa?
c. Estos guantes cuestan cuarenta dólares.
d. Esos libros son de Carmen.
e. Aquel muchacho (*or* chico) es el novio de Emilia.
f. Estas carteras (*or* billeteras) son bastante caras.
g. ¿Te gustan aquellos recuerdos?
h. No voy a comprar esta bolsa.
i. Me gusta ese vestido.
j. Esas ruinas son muy interesantes.

8.4
a. mi; I don't have my key.
b. su; Mr. Martínez eats breakfast with his family each morning.
c. tu; When are you going to finish your homework?
d. nuestros; We go out with our friends every weekend.
e. sus; They're going to visit their grandchildren.
f. su; Do you have your passport?
g. mis; I give advice to my sisters.
h. tus; Do you receive many presents from your grandparents?
i. nuestra; We should call our aunt.
j. sus; Miguel almost never obeys his teachers.

SELF TEST 1

1.01   20

1.02   Sample answer: enhanced job opportunities with international corporations and businesses working with immigrants

1.03   Sample answer: There are many immigrants from other countries, particularly from Spanish-speaking countries, and bilingual people are needed in social
services, fire and police departments, and education.

1.04   words in English and Spanish with similar meaning, spelling, and pronunciation that are derived from Latin or Greek

1.05   a group of words that are related

1.06   Example: The baker bakes baked goods in a bakery.

1.07   Examples:
    a. Study in small amounts of time.
    b. Use your new vocabulary often.
    c. Do not get upset when you make mistakes.

1.08   a. a person, place, thing or idea
    b. a word used to describe a noun
    c. an action or state of being
    d. takes the place of a noun
    e. a word used to describe an adjective, verb, or another adverb

1.09   Answers will vary. Examples:
    a. ball
    b. red
    c. throw
    d. it
    e. quickly

1.010   Michael / noun
        rides / verb
        the / definite article
        bike / noun
        quickly / adverb
        to / preposition
        school / noun

SELF TEST 2

2.01   one

2.02   Sample words:
    a. a; like the a in father   casa, palabra
    b. e; like the ay in day   serie, mes
    c. i; like the ee in see   fin, inglés
    d. o; like the o in ocean   océano, otoño
    e. u; like the oo in booth   uva, mucha

2.03   Sample words:
    a. -ai / ay   aire, hay
    b. -ei / ey   seis, treinta, rey
    c. -oi / oy   oiga, hoy
    d. -au   causa, auto
    e. -eu   Europa, deuda

2.04   Sample words:
    a. ll = llamo
    b. rr = perro
    c. cc = acción

2.05   Sample words:
        (ch) ocho, churro
        (ll) llamo, ella, ellos
        (rr) tierra, perro

2.06   words that have similar meaning, spelling, and pronounciation
        (Any word from page 5, such as actor, autor, accidente, clase, profesor, fruta)

2.07   Check the letter on page 8.

242

SELF TEST 3

3.01   a.   a – ma – ri – llo
         b.   ar – tis – ta
         c.   es – tre – lla
         d.   sor – pre – sa
         e.   mu – cha – cha

3.02   a.   for – mal
         b.   a – den – tro
         c.   en – ton – ces
         d.   fac – ul – tad
         e.   le – gum – bre

3.03   a.   lápiz
         b.   jardín
         c.   inglés
         d.   café
         e.   césped

3.04   Any order; examples will vary.
accent (í) – sí
tilde (ñ) – niño
dieresis (ü) – bilingüe
inverted question mark (¿) – ¿Cómo?
inverted exclamation point (¡) – ¡Hola!

SELF TEST 4

4.01   a.   Close your books, please.
         b.   Take out your homework
         c.   Listen, please.
         d.   Raise your hand.
         e.   Go to the board.

4.02   a.   Contesten.
         b.   No sé.
         c.   Repita, por favor. / Repitan, por favor.
         d.   Gracias.
         e.   Sí, señor.

4.03   a.   Siéntense.
         b.   Miren.
         c.   Saquen un lápiz.
         d.   De nada.
         e.   Abran sus libros

4.04   1.   c
         2.   e
         3.   d
         4.   b
         5.   a

SELF TEST 5

5.01   Any order:
         a.   tú – informal, one person
         b.   usted (Ud.) – formal, one person
         c.   vosotros – informal, plural (Spain only)
         d.   ustedes (Uds.) – plural

5.02   a. tú
         b. usted
         c. tú
         d. ustedes
         e. vosotros
         f. ustedes

         g. tú
         h. tú
         i. usted

5.03   a. Sr.
         b. Srta.
         c. Sra.

SELF TEST 6

6.01   1. c
      2. d
      3. e
      4. b
      5. a

6.02   a. Buenos días.
      b. Buenas noches.
      c. Buenas tardes.
      d. ¡Hola!
      e. Mucho gusto.

6.03   a. Adiós.
      b. Chao.
     *c. Hasta la vista.
     *d. Hasta luego.
      e. Hasta mañana.
      * These answers may be switched.

6.04   1. d
      2. b
      3. a
      4. e
      5. c

SELF TEST 7

7.01   a. días
          usted / Ud.
          gracias
          tú
          Así
          Hasta
      b. llamas
          llamo
          dónde
          Soy
      c. se
          gusto
          mío

7.02   a. De nada.
      b. ¡Hola!
      c. Buenas tardes.
      d. amigo
      e. ¡Adiós!
      f. español
      g. inglés

SELF TEST 8

8.01   a. Caracas
       b. Buenos Aires
       c. Quito
       d. La Paz/Sucre
       e. Lima
       f. Santiago
       g. Bogota
       h. Asuncion
       i. Montevideo

8.02   a. Mexico City
       b. Tegucigalpa
       c. Panama City
       d. Managua
       e. San Juan
       f. San Salvador
       g. Havana
       h. Guatemala City
       i. Santo Domingo
       j. San Jose

8.03   Spain, Madrid

8.04   Teacher check.
       Refer to information in the LIFEPAC.

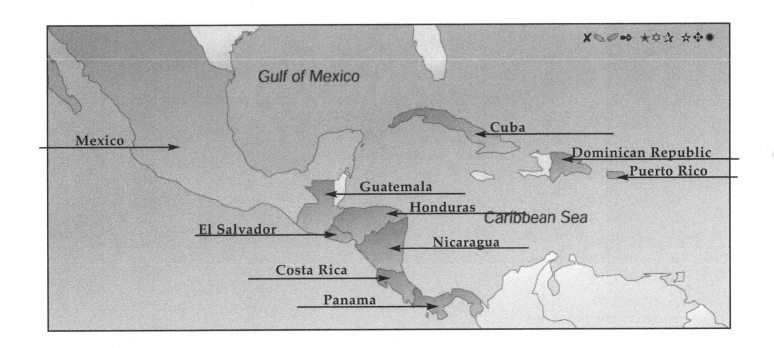

SELF TEST 1

1.01
a. cuatro pupitres
b. tres estudiantes
c. un cartel
d. siete cintas
e. nueve bolígrafos (*or* plumas)
f. ocho libros
g. dos mapas
h. diez banderas
i. cinco sillas
j. seis reglas

1.02
a. Dos más seis son ocho.
b. Tres más siete son diez.
c. Cinco más cuatro son nueve.

1.03
a. la profesora
b. la mochila
c. la pizarra
d. la computadora
e. el papel

SELF TEST 2

2.01
1. d   4. b
2. c   5. e
3. a

2.02
a. M; los papeles
b. M; los lápices
c. F; las chicas
d. F; las lecciones
e. M; los pupitres

2.03
a. of course
b. always
c. with me
d. together
e. also; too
f. there is/are

2.04
a. el francés
b. la historia
c. la música

SELF TEST 3

3.01
a. Ud.   f. tú
b. tú   g. Ud.
c. Uds.   h. tú
d. Uds.   i. Uds.
e. Ud.   j. tú

3.02
a. él   f. ellos
b. ella   g. ellas
c. ellos   h. él
d. ellas   i. ella
e. nosotros j. nosotros/nosotras

SELF TEST 4

4.01
a. estudia
b. tomamos
c. escucha
d. preparas
e. llevo
f. cantan
g. deseamos
h. practican
i. ayuda
j. miran

4.02
a. I visit, I do visit, I am visiting
b. we prepare, we do prepare, we are preparing
c. you enter, you do enter, you are entering

4.03
a. to end/to finish
b. to arrive
c. to look (at)/to watch
d. to explain
e. to answer

SELF TEST 4 (CONT.)

f. to take / to have (a drink)

g. to work

h. to speak / to talk

i. to sing

j. to study

SELF TEST 5

5.01   a. ¿Estudia Raúl la biología?

b. ¿Canta Ud. bien?

c. ¿Practican Tomás y Carmen mucho?

d. ¿Termina Lucía la historia?

e. ¿Enseñas tú la química?

5.02   a. Jorge desea regresar, ¿no?

b. Edmundo busca el libro, ¿no?

c. Nosotros terminamos las ciencias, ¿no?

d. Yo explico las matemáticas, ¿no?

e. Tú necesitas un lápiz, ¿no?

5.03   a. Eduardo pregunta, ¿verdad?

b. Tú sacas fotos, ¿verdad?

c. Yo contesto la pregunta, ¿verdad?

d. Nosotros pagamos, ¿verdad?

e. Uds. escuchan la música, ¿verdad?

5.04   Any of the following choices are correct:

a. No, no preparo la historia. / No, yo no preparo la historia.

b. No, no enseña la Biblia. / No, la profesora no enseña la Biblia. / No, ella no enseña la Biblia.

c. No, no visitamos la clase. / No, nosotros no visitamos la clase.

d. No, no necesito una pluma. No, yo no necesito una pluma.

e. No, no regresan. / No, Daniel y David no regresan. / No, ellos no regresan.

(NO SELF TEST 6)

SELF TEST 7

7.01   1. g   6. c

2. b   7. h

3. e   8. a

4. f   9. i

5. d   10. j

7.02   the Rio Grande

7.03   three – Oriental, Occidental and del Sur

7.04   Mayan

7.05   the remains of the ancient Aztec Indian capital upon which Mexico City was built

7.06   Any two:

United States, Guatemala and Belize

7.07   visiting zoos and museums

7.08   the main square of Mexico City

7.09   the Virgin of Guadalupe

7.10   Paseo de la Reforma

7.011   Any three – Mazatlan, Colima, Cancun, Merida, Chichen-Itza, Veracruz, and Tampico

SELF TEST 1

1.01   a.   la casa
        b.–c. Any two: el árbol, la puerta,
             la ventana, la flor

1.02   a.   la sala
        b.–c. Any two:
             el sofá
             el sillón
             la mesita
             la lámpara
             el tapete
             el televisor
             el librero

1.03   a.   la cocina
        b.–c. Any two:
             la estufa
             el refrigerador
             el microondas
             el fregadero
             el lavaplatos

1.04   a.   el dormitorio/la alcoba/la recámara
        b.–c. Any two:
             la cama
             la cómoda
             el espejo
             el armario/el ropero

1.05   a.   el comedor
        b.–c. Any two:
             la mesa
             la silla
             la ventana

1.06   a.   el cuarto de baño/el baño
        b.–c. Any two:
             la bañera
             el inodoro
             el lavabo
             el espejo
             la ventana

1.07   a.   el garaje
        b.–c. Any two:
             el coche (el carro, el auto)
             las herramientas
             la bicicleta

1.08   a. las   f. los
        b. la   g. el
        c. el   h. la
        d. los   i. las
        e. la   j. la

1.09   a. los árboles
        b. los garajes
        c. las cocinas
        d. los espejos
        e. los refrigeradores
        f. los televisores
        g. las flores
        h. las mesas
        i. los señores
        j. los sillones

SELF TEST 2

2.01   a. una
        b. un
        c. unos
        d. una
        e. un
        f. unos
        g. unas
        h. unas
        i. un
        j. una

2.02   a. veintiocho
        b. treinta y uno
        c. quince
        d. veintidós
        e. veintiséis
        f. trece
        g. diecinueve
        h. catorce
        i. veinticuatro
        j. diecisiete

SELF TEST 3

3.01   a. es; Paco is David's brother.

b. somos; We are cousins.

c. soy; I'm Maria's aunt.

d. eres; You're Mr. Gomez's son.

e. es; Luisa is my niece.

f. son: You (guys/all) are Ana's parents, aren't you?

g. son; Raul and Thomas are brothers.

h. somos; Angela and I are cousins.

i. son; Arthur and Conchita are husband and wife (are married).

j. es; You are Ana's grandfather, aren't you?

3.02   a. ¿Qué visitan los chicos?

b. ¿Dónde trabaja el padre?

c. ¿Cuántos libros hay?

d. ¿Quién lleva los libros?

e. ¿Cómo es la escuela?

SELF TEST 4

4.01   a. viernes, el primero de enero

b. domingo, el catorce de marzo

c. jueves, el ocho de diciembre

d. martes, el veintidós de julio

e. miércoles, el cinco de noviembre

f. lunes, el treinta de septiembre

g. sábado, el diecisiete de abril

h. domingo, el veinte de febrero

i. martes, el tres de mayo

j. jueves, el veintinueve de octubre

4.02   a. Son las tres y veinticinco de la tarde.

b. Son las seis y cuarto (*or* quince) de la tarde.

c. Son las siete y media (*or* treinta) de la tarde.

d. Es la una y cinco de la madrugada.

e. Son las cinco menos veinticinco de la mañana.

f. Son las once y diez de la mañana.

g. Son las nueve y dieciocho de la noche.

h. Es mediodía. / Son las doce de la tarde.

i. Son las dos de la madrugada.

j. Son las ocho menos cinco de la noche (*or* tarde).

SELF TEST 5

5.01   a. como   f. vive

b. salen   g. bebo

c. escribes   h. abre

d. leen   i. vende

e. cubrimos   j. rompen

5.02   Answers will vary; check that they are logical and grammatically correct.
Sample answers:

a. Salgo para la escuela a las ocho.

b. Aprendemos español en la escuela.

c. Raúl escribe muy bien.

d. Alicia comprende la lección.

e. Leo cuatro libros en un mes.

5.03   a. (Nosotros) vivimos en California.

b. Uds. aprenden francés.

c. (Yo) asisto a la fiesta.

d. Ellos comen al mediodía.

e. Paco no comprende.

(NO SELF TEST 6 OR 7)

SELF TEST 8

8.01   the United States

8.02   president, six

8.03   Senate, Chamber of Deputies

8.04   Any order: Spanish, mixed Spanish and Indian, Indian

8.05   Christmas, December 16, January 6

8.06   Mary and Joseph's journey to Bethlehem

8.07   decorated clay jar filled with fruit and candy

8.08   midnight mass

8.09   January 6th, Three Kings

8.010   a band of traveling musicians

8.011   the Mexican Hat Dance

8.012   clothes

8.013   foods

8.014   bullfight

8.015   Either order: Aztecs, Mayas

8.016   Aztec

8.017   Mayan

8.018   Aztecs

8.019   gods

8.020   Mayan

SELF TEST 1

1.01　a.　la biblioteca
　　　b.　el museo
　　　c.　el correo
　　　d.　el restaurante
　　　e.　el estadio
　　　f.　el cine
　　　g.　el hotel
　　　h.　el banco
　　　i.　el aeropuerto
　　　j.　la plaza
　　　k.　el parque
　　　l.　la oficina
　　　m.　el supermercado
　　　n.　la escuela
　　　o.　la iglesia

1.02　a.　voy
　　　b.　vamos
　　　c.　vas
　　　d.　va
　　　e.　van
　　　f.　vamos

1.03　a.　al
　　　b.　a
　　　c.　al
　　　d.　a la
　　　e.　a las
　　　f.　a los

1.04　a.　de
　　　b.　del
　　　c.　de los
　　　d.　de
　　　e.　del
　　　f.　de las

SELF TEST 2

2.01　(Only answer is needed for each.)
　　　a.　el pianista, el músico
　　　b.　el médico, el enfermero, el doctor
　　　c.　el policía
　　　d.　el profesor
　　　e.　el escritor
　　　f.　el piloto
　　　g.　el programador de computadoras
　　　h.　el hombre de negocios, el secretario,
　　　　　el jefe, el gerente
　　　i.　el veterinario
　　　j.　el actor
　　　k.　el farmacéutico
　　　l.　el periodista
　　　m.　el historiador
　　　n.　el artista
　　　o.　el comerciante

2.02　a.　Cien menos treinta y cinco son sesenta
　　　　　y cinco.
　　　b.　Noventa y cuatro menos cuarenta y
　　　　　uno son cincuenta y tres.
　　　c.　Ochenta y nueve menos quince son
　　　　　setenta y cuatro.
　　　d.　Cuarenta y cuatro más y treinta y tres
　　　　　son setenta y siete.
　　　e.　Noventa y nueve menos cincuenta y
　　　　　dos son cuarenta y siete.
　　　f.　Sesenta y seis más veintidós son
　　　　　ochenta y ocho.

SELF TEST 3

3.01

	MS	MP	FS	FP
1.	**rubio**	rubios	rubia	rubias
2.	fuerte	**fuertes**	fuerte	fuertes
3.	alemán	alemanes	**alemana**	alemanas
4.	trabajador	trabajadores	trabajadora	**trabajadoras**
5.	viejo	**viejos**	vieja	viejas
6.	azul	azules	**azul**	azules
7.	paciente	pacientes	paciente	**pacientes**
8.	**nuevo**	nuevos	nueva	nuevas
9.	famoso	**famosos**	famosa	famosas
10.	elegante	elegantes	elegante	**elegantes**

3.02　a. una playa bonita
　　　b. unos (*or* algunos) hermanos mexicanos
　　　c. muchas clases divertidas
　　　d. un profesor aburrido
　　　e. todos los médicos (*or* doctores) simpáticos

　　　c. inteligentes, elegante
　　　d. francesa, bonita
　　　e. difíciles, aburridas
　　　f. famosa, enorme
　　　g. trabajadora, grande
　　　h. jóvenes, encantadora
　　　i. rubia, blanca
　　　j. serio, italiano

3.03　a. excelente, nuevo
　　　b. mexicana, vieja

SELF TEST 4

4.01　a. están
　　　b. está
　　　c. estoy
　　　d. estás
　　　e. están
　　　f. está
　　　g. estamos
　　　h. están
　　　i. está
　　　j. estamos

4.02　a. Está cansado. (He is tired.)
　　　b. Están tristes. (They are sad.)
　　　c. Está enojada. (She is angry.)
　　　d. Están contentos/alegres. (They are happy.)

　　　e. Está enfermo. (He is sick.)
　　　f. Están sorprendidas. (They are surprised.)
　　　g. Está asustado. (He is scared.)

4.03　Sample answers; accept others as long as they're logical and grammatically correct.
　　　a. La casa está delante de la iglesia. La iglesia está detrás de la casa. (The house is in front of the church. The church is behind the house.)
　　　b. El museo está al lado de la tienda. La tienda está al lado del museo. (The museum is next to the store. The store is next to the museum.)

SELF TEST 4 (CONT.)

c. El supermercado está lejos del estadio. El estadio está lejos del supermercado.
(The supermarket is far from the stadium. The stadium is far from the supermarket.)

d. La biblioteca está entre el café y el correo.
(The library is between the cafe and the post office.)

e. La chica está debajo de la mesa.
(The girl is underneath the table.)

f. El chico está dentro de la casa.
(The boy is inside the house.)

g. Las mujeres están a través de la tienda.
(The women are across from the store.)

h. Los libros están encima de/sobre la mesa.
(The books are on the table.)

SELF TEST 5

5.01
a. Son
b. es
c. estoy
d. están
e. es
f. estás
g. estamos
h. son
i. eres
j. son
k. está
l. es
m. es
n. soy
o. están

5.02
a. Soy estudiante.
b. Son las siete y media.
c. (Ellos) Están en el correo.
d. Ana es rubia.
e. Estoy cansado/a.

SELF TEST 6

6.01
1. b
2. c
3. d
4. a
5. e

6.02
a. No, no preparo las lecciones.
b. No, no visito a nadie.
c. No, no viajamos nunca. *or* Nunca viajamos.
d. No, la profesora no explica ninguna lección.
e. No, no compran nada.

6.03
a. I don't want anything.
b. We never go out.
c. No one studies.
d. They don't go to any concerts.
e. You all never ask.
f. I don't want to read anything now.
g. The teacher teaches something important.
h. Mark always finishes at two o'clock.
i. Someone is here.
j. I need some books.

(NO SELF TEST 7, 8, OR 9)

SELF TEST 1

1.01 Answers will vary. The items of clothing may be described in any order. Sample answers:
   a. La mujer lleva una falda azul, una blusa amarilla y zapatos de color café. (The woman is wearing a blue skirt, a yellow blouse, and brown shoes.)
   b. El hombre lleva pantalones grises, una camisa verde y zapatos negros. (The man is wearing gray pants, a green shirt, and black shoes.)
   c. El chico lleva jeans, una camiseta roja, y zapatos de tenis. (The boy is wearing jeans, a red T-shirt, and sneakers.)
   d. La chica lleva un traje de baño verde y anteojos de sol. (The girl is wearing a green bathing suit and sunglasses.)
   e. Los dos chicos llevan pantalones cortos rojos, camisetas azules, gorras azules y sandalias. (The two boys are wearing red shorts, blue T-shirts, blue caps, and sandals.)

1.02
   a. gusta
   b. gusta
   c. gustan
   d. gusta
   e. gustan

1.03 Any three of these suggested articles of clothing:
   a. Llevo un abrigo, guantes, botas, un sombrero, pantalones, un suéter.
   b. Llevo pantalones cortos, una camiseta, un traje de baño, sandalias, un sombrero, anteojos de sol.
   c. Lleva un vestido, una falda, una blusa, medias, un sombrero.
   d. Lleva un traje, una camisa, una corbata, unos zapatos, unos calcetines.

SELF TEST 2

2.01
   a. mi
   b. nuestros
   c. tu
   d. su
   e. su
   f. nuestras
   g. su
   h. mis
   i. sus
   j. tus
   k. nuestra
   l. su
   m. mi
   n. tus
   o. sus

2.02
   a. pongo
   b. hacemos
   c. caen
   d. pone
   e. salgo
   f. hago
   g. sales
   h. traigo
   i. salen
   j. ponemos

SELF TEST 3

3.01
   a. quiere
   b. tenemos
   c. vienen
   d. confiesas
   e. defendemos
   f. pierdo
   g. empieza
   h. cierra
   i. comienzan
   j. gobierna

   f. ¿Entiendes (or Comprendes) la lección?
   g. Prefiero salir a las siete.
   h. Tenemos mucho frío.
   i. Él siempre pierde su cuaderno.
   j. Uds. quieren salir, ¿verdad? (or ¿no?)

3.02
   a. Tengo hambre.
   b. Venimos al mediodía.
   c. ¿Cuántos años tiene Pablo?
   d. ¿Vienes a la fiesta?
   e. La clase empieza (or comienza) pronto.

3.03
   a. I am right.
   b. Susana doesn't understand.
   c. We are coming to church.
   d. They prefer pizza.
   e. You are successful.

SELF TEST 4

4.01   a.   el volibol
       b.   el fútbol
       c.   el tenis
       d.   el básquetbol/el baloncesto
       e.   la natación
       f.   el béisbol
       g.   el fútbol americano
       h.   la gimnasia
       i.   el esquí
       j.   el atletismo

4.02   a.   juegan
          The boys play volleyball.
       b.   almuerza
          The family eats lunch at one o'clock.
       c.   podemos
          We can leave at five thirty.

       d.   duermo
          I sleep eight hours.
       e.   cuenta
          The clerk (employee) counts the money.
       f.   encuentras
          You find your shoes in the living room.
       g.   vuelan
          You all are flying to Madrid.
       h.   recordamos
          Mario and I don't remember the answer.
       i.   vuelven
          The Ayalas are returning to Puerto Rico.
       j.   cuesta
          The blouse costs twenty dollars.

SELF TEST 5

5.01   a.   pide
       b.   sirven
       c.   repites
       d.   mido
       e.   decimos
       f.   sabes
       g.   conozco
       h.   pedimos
       i.   repiten
       j.   sé

5.02   Answers may vary; check that they are logical and grammatically correct.

Examples:
a.   Mi madre sirve la comida en el comedor.
b.   Sí, pido dinero a veces.
c.   Sí, sé bailar bien.
d.   No, no siempre digo la verdad.
e.   Sí, conozco a la Sra. Chávez.

5.03   a.   They know
       b.   I say, I tell
       c.   We serve
       d.   You measure
       e.   I know

SELF TEST 6

6.01   Puerto Rico, Cuba and the Dominican Republic

6.02   Cuba

6.03   the Dominican Republic

6.04   Example: Dinner guests eat alone. After they have had their fill the males of the home eat. Women usually eat standing in the kitchen.

6.05   Puerto Rico

6.06   two famous Spanish forts in Puerto Rico

6.07   Cuba

6.08   the Dominican Republic

6.09   the governor of Puerto Rico

6.010   Any three: boating, swimming, fishing, tennis, golf, basketball, and baseball.

(NO SELF TEST 7 OR 8)

SELF TEST 1

1.01 1. la cebolla
2. el queso
3. el azúcar
4. el arroz
5. la mantequilla
6. el batido
7. la hamburguesa
8. la pimienta
9. el postre
10. la mermelada

1.02 1. F
2. C
3. B
4. F
5. C
6. B
7. F
8. L
9. L
10. F

1.03 Answers will vary; check that they are logical and grammatically correct.
Sample answers:
a. Voy a pedir una hamburguesa y papas fritas.
b. Desayuno a las ocho menos veinte.
c. Mi bebida favorita es leche.
d. Prefiero el jamón.
e. Prefiero tomar un refresco cuando tengo mucha sed.
f. Me gusta comer cereal y fruta para el desayuno.
g. No me gusta comer frijoles ni arroz.
h. Prefiero beber agua después de correr mucho.
i. Me gusta comer sopa cuando tengo mucho frío.
j. Como un sándwich para la merienda.

SELF TEST 2

2.01 a. veo
b. vemos
c. ves
d. ve
e. ven

2.02 a. damos
b. doy
c. das
d. da
e. dan

2.03 a. obedezco
b. traducimos
c. conoces
d. desobedecen
e. conduce

2.04 a. Tito parece muy preocupado.
b. Conduzco a la escuela cada día.
c. ¿Reconoces al hombre?
d. Ellos traducen muchas palabras.
e. ¿Qué ves?
f. No veo a Vicente.
g. Doy un paseo casi todos los días.

SELF TEST 3

3.01
a. los ojos
b. la cabeza
c. las orejas/los oídos
d. la nariz
e. la boca
f. el cuello/la garganta
g. los brazos
h. las piernas
i. las rodillas
j. los dedos del pie

3.02
a. Tengo dolor de pies.
Me duelen los pies.
b. Él tiene dolor de pierna.
A él le duele la pierna.
c. Tenemos dolor de cabeza.
Nos duelen la cabeza.
d. Tienes dolor de oído.
Te duele el oído.
e. Ellos tienen dolor de brazos.
A ellos les duelen los brazos.

SELF TEST 4

4.01
1. h
2. f
3. j
4. i
5. a
6. d
7. c
8. e
9. b
10. g

d. Sí, hago muchos viajes.
e. Luis sale bien en la clase de inglés .
f. Lara echa de menos a su mamá.
g. Necesito hacer una maleta cuando hago un viaje.
h. Salgo bien en los exámenes de español.
i. Creo que sí (no).
j. No, no hago muchas preguntas en clase.

4.02 Answers will vary. Examples:
a. Quiere decir "hello."
b. Hago un viaje a (place).
c. Estoy de pie cerca de la puerta.

SELF TEST 5

5.01
a. cinco mil seiscientos ochenta y dos
b. ochenta y nueve mil quinientos treinta y uno
c. ciento cuatro mil cuatrocientos noventa y cinco
d. cuatro millones trescientos setenta y cinco mil novecientos treinta y cuatro
e. setenta y tres mil doscientos ocho

5.02
a. mil días
b. un millón de sitios/lugares
c. quinientos dólares
d. cien horas
e. trescientos noventa y siete

SELF TEST 6

6.01   a. Venezuela
           Caracas
       b. Colombia
           Bogota
       c. Ecuador
           Quito
       d. Peru
           Lima
       e. Bolivia
           La Paz, Sucre
       f. Paraguay
           Asuncion
       g. Uruguay
           Montevideo
       h. Argentina
           Buenos Aires
       i. Chile
           Santiago

6.02   a. Argentina
       b. Uruguay
       c. Colombia
       d. Bolivia
       e. Peru
       f. Paraguay
       g. Chile
       h. Venezuela
       i. Ecuador
       j. Argentina, Paraguay, Chile, and
           Uruguay

SELF TEST 1

1.01
1. m
2. f
3. g
4. h
5. l
6. k
7. d
8. i
9. a
10. e
11. b
12. j
13. c

1.02
me baño   nos bañamos
te bañas   os bañáis
se baña   se bañan

1.03
a. ¿Te duchas por la mañana o por la noche?
b. Mamá se ve muy enojada.
c. Enrique y Tito se sienten enfermos hoy.
d. No me gusta quedarme en casa.
e. ¿Te cortas el pelo cada mes?

(NO SELF TEST 2)

SELF TEST 3

3.01
a. Hace fresco hoy.
b. Hace mucho sol
c. No hace viento.
d. ¿Está nublado?
e. Hace buen tiempo, ¿no? (*or* ¿verdad?)
f. Hace muy mal tiempo.
g. ¿Qué tiempo hace?
h. ¿Cuál es la temperatura?
i. Es de (*or* Hace) treinta y nueve grados.
j. Es de (*or* Hace) once grados bajo cero.

3.02
a. Llueve; It rains a lot in the fall.
b. Está nevando; Is it snowing now?
c. está lloviendo; I'm going to stay at home because it's raining.
d. llueve; Sometimes it rains in the winter.
e. nieva; It almost never snows here.

SELF TEST 4

4.01
a. absolutamente; absolutely
b. sinceramente; sincerely
c. personalmente; personally
d. fácilmente; easily
e. perfectamente; perfectly
f. profesionalmente; professionally
g. prácticamente; practically
h. claramente; clearly
i. ciertamente; certainly
j. obedientemente; obediently

4.02
a. No me gustan estos zapatos.
b. ¿Vas a comprar esa camisa?
c. ¿Quién es aquella mujer?
d. Esas botas son muy caras.
e. Aquellos chicos (*or* muchachos) son de España.
f. ¿Te gusta este libro?
g. Ese cuaderno es de Roberto.

SELF TEST 5 (CONT.)

5.01
a. Inca
b. Maya
c. Maya
d. Inca
e. Maya
f. Aztec
g. Inca
h. Maya
i. Aztec
j. Maya
k. Aztec

5.02 Examples:
a. Chinampas were floating gardens created by the Aztecs. They were built of pilings and reed mats filled with material from the lake floor.
b. A quipu was a tool used by the Incas to record numerical data. It was a cord with colored strings tied to it, each with a series of knots.
c. Huacas were sacred places and things worshiped by the Incas.
d. An arbyllus was a pottery jar made by the Incas with a pointed bottom. It balanced upright when filled.
e. Codices were books written by the Aztecs and the Mayas. They were destroyed by the Spaniards.
f. Tlachti was a ritual game played by the Aztecs, using a hard rubber ball which was to be tossed through a stone ring. The losers were sacrificed.

5.03 Incas

5.04 vicuña

5.05 gold and silver

5.06 physical labor

5.07 It cleared the land, but it also caused the soil to wear out too quickly.

5.08 They were short with straight black hair. Many painted their bodies black, red, or blue, and some had tattoos.

5.09 smallpox

5.010 The Mayas used the cacao bean to make chocolate, while the Aztecs used it to make an intoxicating chocolate beverage.

5.011 Trading was done using the barter system—goods were traded for other goods.

5.012 Each person was connected to a clan, but marriages were arranged outside the clan. The clans owned land and operated schools for both girls and boys.

5.013
a. Andes
b. Mayas
c. Aztecs
d. Mayas
e. Francisco Pizarro
f. Mocetzuma II
g. cacao
h. Incas

SELF TEST 1

1.01   a. The store is far from the bus stop.
       b. How often do you travel by plane?
       c. Whose truck is that?
       d. The subway station is on Juarez Street.
       e. We always fly when we travel to Mexico.

1.02   a. Vivo en la Avenida Hidalgo.
       b. ¿Cómo vas a la escuela?
       c. ¿Te gusta montar en bici?
       d. Damos un paseo (*or* Paseamos) todos los días.
       e. Voy a España el próximo mes.

SELF TEST 2

2.01   a. Why don't you rent a car?
       b. I don't like to wait (stand) in line.
       c. Do you want to rest or go shopping now?
       d. Do you prefer to go camping or stay home?
       e. My cousin doesn't spend a lot of money when she travels.

2.02   a. ¿Con qué frecuencia vas de vacaciones?
       b. Nos gusta esquiar en el agua.
       c. Debemos dejar una propina.
       d. Necesito cambiar dinero hoy.

2.03   a. No   e. No
       b. Sí   f. Sí
       c. Sí   g. Sí
       d. No

SELF TEST 3

3.01   a. país; My favorite country is Costa Rica.
       b. guía; The guide explains the history of the pyramid.
       c. sellos; We're going to buy stamps at the post office.
       d. pasaporte; You need your passport to pass through customs.
       e. vendedor; I'm going to bargain with the vendor.
       f. cartera; You should put your money in your wallet.
       g. ascensor; The elevator is to the left.
       h. cámara; I need my camera to take pictures.

3.02   a. ¿Puede Ud. decirme dónde están los servicios?
       b. El parque está todo derecho.
       c. Ellos no están perdidos.
       d. Vamos a las ruinas hoy.
       e. Debes comprar un mapa.
       f. ¿Necesitamos una reservación?

(NO SELF TEST 4)

SELF TEST 5

5.01   a. descansando; resting
       b. aprendiendo; learning
       c. abriendo; opening
       d. leyendo; reading
       e. durmiendo; sleeping

5.02   a. toma; Barbara almost never takes the bus.
       b. Viajan; Do you guys travel a lot or a little?
       c. estamos esperando; We can't go with you because we're waiting for Pepe.

SELF TEST 5 (CONT.)

5.02 (cont.)

    d. está usando; Who is using the computer now?

    e. como; I eat a sandwich when I'm hungry.

    f. viven; They live far from the school.

5.03 Both choices are listed for all answers; be sure students used the same choice for *a* & *b* and the other choice for *c* & *d*.

    a. Cecilia se está duchando. / Cecilia está duchándose.

    b. Me estoy mirando en el espejo. / Estoy mirándome en el espejo.

    c. ¿Te estás acostando? / ¿Estás acostándote?

    d. Nos estamos quitando las botas. / Estamos quitándonos las botas.

SELF TEST 6

6.01 a. la   d. las

      b. las   e. los

      c. lo   f. la

6.02 a. Rita lo prepara.

      b. ¿Quién la sabe?

      c. Necesitamos comprarlas. Las necesitamos comprar.

      d. ¿Estás escuchándola? ¿La estás escuchando?

      e. No lo veo.

      f. Voy a llamarlos. Los voy a llamar.

6.03 a. Jaime nunca los lleva.

      b. No lo tengo.

      c. ¿Las ves ahora?

      d. Nos gusta comerlo.

      e. Voy a leerla. *or* La voy a leer.

SELF TEST 7

7.01 a. lo

      b. Nos, los

      c. las

      d. los

      e. me, te

7.02 a. No lo conozco muy bien.

      b. ¿Por qué no me crees?

      c. El Sr. Salinas está buscándote. *or* El Sr. Salinas te está buscando.

      d. No nos gusta comerlas.

      e. Vamos a invitarte a la fiesta. *or* Te vamos a invitar a la fiesta.

      f. Casi nunca lo pido.

SELF TEST 1

1.01   a. mueblería
      b. papelería
      c. frutería
      d. pescadería
      e. carnicería
      f. dulcería
      g. lechería
      h. peluquería
      i. panadería
      j. librería

1.02   a. joyero
      b. pastelero
      c. heladero
      d. zapatero
      e. florista / florero

1.03   Answers will vary; check that they are logical and grammatically correct.
Sample answers:
      e. Como dulces todos los días.
      f. No, no conozco a todos mis vecinos.
      g. Sí, me gusta pescar.
      h. No, no tengo muchas joyas.

SELF TEST 2

2.01   a. A veces les pido dinero a mis papás (*or* padres).
      b. El Sr. Ruiz les enseña ciencias a los estudiantes.
      c. ¿Vas a hacerle un sándwich a Juan? ¿Le vas a hacer un sándwich a Juan?
      d. No me gusta escribirles cartas a ellos.
      e. Estamos diciéndoles la verdad a Uds. Les estamos diciendo la verdad a Uds.

2.02   a. No les digo mentiras a mis amigos.
      b. ¿Le compras regalos a tu hermana?
      c. ¿Puedes prestarle diez dólares a él? *or* ¿Le puedes prestar diez dólares a él?
      d. Carlos está leyéndoles un cuento a los niños. *or* Carlos les está leyendo un cuento a los niños.
      e. ¿Te gusta mandarle tarjetas a Julia?

SELF TEST 3

3.01   a. Nos, les
      b. Me, te
      c. te, me
      d. Les, nos
      e. le, le

3.02   Answers will vary; check that they are logical and grammatically correct.
Sample answers:
      a. El Sr. Ortega me enseña matemáticas.
      b. Sí, les digo secretos a mis amigos.
      c. Casi nunca le compro regalos a mi papá.
      d. Sí, mis padres me dan consejos.

3.03   a. La Sra. Garza nos da tarea todos los días.
      b. ¿Me vas a mandar una postal? *or* ¿Vas a mandarme una postal?
      c. No te puedo prestar diez dólares. *or* No puedo prestarte diez dólares.
      d. Siempre les decimos la verdad a ellos.

SELF TEST 4

4.01   a. I almost never give flowers to my mom.
Casi nunca se las doy.
      b. I offer advice to my friends.
Se los ofrezco.
      c. Do you ask your parents for money?
¿Se lo pides?
      d. Mrs. Secada explains the assignment to us.
La Sra. Secada nos la explica.
      e. Will you buy me a ticket?
¿Me lo compras?

SELF TEST 4 (CONT.)

4.01 (cont.)

    f. The waitress is going to bring you the dessert.
        La camarera te lo va a traer. *or*
        La camarera va a traértelo.

    g. I like to write letters to my aunt.
        Me gusta escribírselas.

    h. Can you lend me your key?
        ¿Puedes prestármela? *or*
        ¿Me la puedes prestar?

    i. Are you telling us the truth?
        ¿Estás diciéndonosla? *or*
        ¿Nos la estás diciendo?

    j. We should show them our pictures.
        Debemos mostrárselas. *or*
        Se las debemos mostrar.

(NO SELF TEST 5)

SELF TEST 6

6.01   a. para él
        b. conmigo
        c. delante de ellos
        d. de nosotros
        e. lejos de ella
        f. debajo de él
        g. encima de él
        h. en vez de ti

        i. después de usted
        j. sin ellas

6.02   a. La cama está a la izquierda de la cómoda.
        b. El sofá está entre las ventanas.
        c. La mueblería está cerca de la peluquería.
        d. Tu chaqueta está detrás del sillón.
        e. Tus zapatos están al lado de la puerta.

SELF TEST 7

7.01   1. c   4. d
        2. a   5. b
        3. c   6. d

7.02   (Translations may vary slightly.)
        a. ser; Marcos wants to be a butcher instead of a barber.
        b. levantarse; Catalina doesn't arrive on time because she gets up late.
        c. visitan; Our neighbors visit us often.

        d. terminar; After finishing your homework, you can watch TV.
        e. cenamos; Generally my family and I eat dinner (*or* supper) together.

7.03   a. Necesitas ir a casa en seguida.
        b. Por fin entendemos (*or* comprendemos) la tarea.
        c. ¡Hay turistas por todas partes!
        d. Al entrar en la casa, me quito la chaqueta.

SELF TEST 8

8.01   1. d
        2. e
        3. b
        4. a
        5. c

8.02   1. d
        2. a
        3. c
        4. e
        5. b

8.03   Answers will vary. Make sure answers agree with information presented in text.

SELF TEST 1

1.01
a. perezosas; Barbara and Maria are lazier than Octavio.
b. nueva; The library is as new as the movie theater.
c. optimistas; Javier and I are more optimistic than Lorenzo.
d. responsable; Virginia is less responsible than I am.
e. buena; Sofia is as good as I am in math.
f. emocionantes; Golf and swimming are less exciting than soccer.

1.02
a. Mi abuelita es más baja que mi mamá.
b. Nuestros vecinos son más ricos que nosotros.
c. Julieta es menos seria que tú.
d. Mi tío es menor que mi papá.
e. Soy peor que Pedro en el esquí.
f. Daniel y yo somos tan malos como Miguel en la química.

SELF TEST 2

2.01
a. That building over there is the newest in the town.
b. The most pleasant season is spring.
c. The least exciting sports are golf and swimming.
d. Roberto is the most selfish person that I know.
e. The worst player on the team is Santiago.

2.02
a. El Sr. Silva es el mejor maestro (*or* profesor) de la escuela.
b. Mi mamá es la mayor de nuestra familia.
c. Mis clases más fáciles son el español y el inglés.
d. La estudiante menos responsable es Carmen.
e. ¿Quién es el (*or* la) menor de la clase?

(NO SELF TESTS FOR UNITS 3–8)

SELF TEST 9

9.01
a. F
b. F
c. F
d. V
e. F
f. V
g. F
h. V
i. V
j. F

9.02
1. h
2. e
3. c
4. d
5. j
6. g
7. i
8. b
9. f
10. a

Spanish I Test Key – Unit 1

1.
   1. c   4. c
   2. a   5. a
   3. c   6. b

2. (If students miss one letter in a word, take off ½ point; if they miss two or more letters in a word, take off the full point.)
   a. playa
   b. viajar
   c. gasto
   d. calle
   e. nariz

3. Answers will vary for a – c; check that they are logical and grammatically correct.
   a. Me llamo (Juan).
   b. Bien. / Mal. / Así, así. / Regular. / etc.
   c. Soy de (California).
   d. Nada en particular.

4. Answers will vary. Any answers that show understanding of the paragraphs on page 2 of the LIFEPAC are acceptable.

5.
   a. a person, place, thing, or idea
   b. an action or state of being
   c. a word used to describe a noun
   d. a word used to describe an adjective, a verb, or another adverb
   e. a word that indicates the relation of a noun to a verb, adjective, or another noun
   (English examples will vary.)

6. Any order:
   a. accent (é)
   b. tilde (ñ)
   c. inverted exclamation point (¡)
   d. inverted question mark (¿)
   e. dieresis (ü)

7.
   a. e – <u>jem</u> – plo
   b. to – ca – <u>dis</u> – cos
   c. pes – ca – <u>dor</u>
   d. es – pa – <u>ñol</u>
   e. <u>lá</u> – piz

8.
   a. Vayan a la pizarra.
   b. Abran sus libros.
   c. Repitan.
   d. No sé. / No entiendo. / ¿Cómo?
   e. Levanten la mano.

9.
   a. tú
   b. ustedes
   c. usted
   d. vosotros
   e. tú

10.
   a. Paco: ¡Hola, Daniel! ¿Cómo **estás**?
      Daniel: **Muy** bien, gracias. ¿Y **tú**?
      Paco: ¡Fantástico!

   b. Alicia: Hola. Me **llamo** Alicia. ¿Y tú?
      Pilar: Me llamo Pilar. ¿De **dónde** eres?
      Alicia: **Soy** de Buenos Aires. ¿Y tú?
      Pilar: Soy **de** Lima.

   c. Sra. Chávez: Buenos **días**. ¿Cómo están **ustedes (Uds.)**?
      Sra. López: Muy bien, **gracias**.
      Sra. Ayala: Bien. ¿Y usted?
      Sra. Chávez: Muy bien, gracias.

11.

	Country	Capital
a.	Spain	**Madrid**
b.	Venezuela	**Caracas**
c.	**Honduras**	Tegucigalpa
d.	**Costa Rica**	San Jose
e.	Argentina	**Buenos Aires**
f.	**Ecuador**	Quito
g.	Chile	**Santiago**
h.	Paraguay	**Asuncion**
i.	**Nicaragua**	Managua
j.	**Uruguay**	Montevideo

12.
   a. Cuba   k. Ecuador
   b. Puerto Rico   l. Venezuela
   c. Mexico   m. Guatemala
   d. Chile   n. El Salvador
   e. Argentina   o. Uruguay
   f. Bolivia   p. Panama
   g. Peru   q. Paraguay
   h. Nicaragua   r. Honduras
   i. Costa Rica   s. Dominican Republic
   j. Colombia

1.
   a. Sí, (yo) estudio el español.
   b. Sí, (nosotros) caminamos a la escuela.
   c. Sí, (yo) deseo entrar en la clase.
   d. Sí, (los estudiantes) practican el francés.
   e. Sí, (yo) necesito el lápiz.

2.
   a. No, (yo) no ayudo a la profesora.
   b. No, (los estudiantes) no contestan las preguntas.
   c. No, (nosotros) no cantamos en español.
   d. No, (yo) no saco fotos.
   e. No, (la profesora) no explica las matemáticas.

3.
   a. F, S
   b. M, P
   c. M, S
   d. F, P

4.
   a. saca; He takes pictures.
   b. trabajamos; We work together.
   c. bailas; You dance very well.
   d. caminan; They don't walk much (a lot).
   e. necesito; I need the pen.
   f. usa; Maria uses the computer.

5.
   a. una nota
   b. la música
   c. profesor

6.
   a. 1. The students study the lesson.
      2. ¿Estudian los estudiantes la lección?
      3. Los estudiantes estudian la lección, ¿no? (*or* ¿verdad?)
   b. 1. You travel a lot.
      2. ¿Viaja Ud. mucho?
      3. Ud. viaja mucho, ¿no? (*or* ¿verdad?)
   c. 1. Mr. Vega teaches English.
      2. ¿Enseña el Sr. Vega inglés?
      3. El Sr. Vega enseña inglés, ¿no? (*or* ¿verdad?)

7.
   a. el cartel
   b. la pizarra
   c. la bandera
   d. el libro
   e. el mapa
   f. la mochila
   g. la regla
   h. el sacapuntas
   i. el escritorio
   j. la silla

8.
   1. Tres más cuatro son siete.
   2. Cinco más uno son seis.
   3. Diez menos dos son ocho.

9. Examples:
   1. Yo preparo la lección de matemáticas.
   2. Mateo y yo trabajamos juntos en la clase de química.
   3. Yo practico el español con Arturo.
   4. Nosotros cantamos en la clase de música.
   5. Tú contestas las preguntas de historia.

10.
   a. Mexico City
   b. the Yucatan Peninsula *or* Chichén Itzá
   c. the Sierra Madre Mountains *or* Mazatlán and Tampico
   d. the Baja California *or* Peninsula of Lower California
   e. the Central Plateau *or* Monterrey

1. a. 6:00 d. 3:40
    b. 8:30 e. 1:50
    c. 9:15 f. 11:05

2. a. Leo mucho. / Leo poco.
    b. Hoy es el (number) de (month).
    c. Vivo en (place).
    d. Escribo bien. / Escribo mal.
    e. Soy de (place).

3. a. la cocina
    b. la estufa
    c. el refrigerador
    d. el fregadero

4. a. la sala
    b. el sillón
    c. el sofá
    d. la mesita

5. a. el dormitorio/ la alcoba/la recámara
    b. la cama
    c. la cómoda
    d. el armario/ el ropero

6. a. el comedor
    b. la mesa
    c. la silla
    d. la ventana

7. a. el cuarto de baño/el baño
    b. la bañera
    c. el inodoro
    d. el lavabo

8. a. abuela / abuelita
    b. tío
    c. sobrina
    d. hermano
    e. nieta

9. a. Son las cuatro de la tarde.
    b. Son las nueve menos cuarto (*or*
       quince) de la noche.
    c. Son las once y diez de la mañana.
    d. Son las doce y media (*or* treinta) de la
       tarde.

10. a. sábado, el cinco de mayo
    b. viernes, el doce de agosto
    c. lunes, el primero de noviembre
    d. miércoles, el treinta de enero

11. a. comprendo; I don't understand French.
    b. contestamos; We answer the question.
    c. abre; The teacher opens the window.
    d. somos; Carlos and I are friends.
    e. llegas; Why do you always arrive late?
    f. viajan; They travel in the spring.
    g. trabaja; Where does Mr. Garcia work?
    h. salimos; Anita and I go out (*or* leave)
       at six.
    i. aprenden; The students learn a lot.
    j. lees; What do you read?

12. a. Flores
    b. Vega
    c. Ortiz

13. 1. c
    2. b
    3. a
    4. d
    5. a
    6. d
    7. b
    8. a

1. a. pool   d. post office
    b. store   e. movie theater
    c. library   f. church

2. a. lazy   d. poor
    b. short   e. easy
    c. inexpensive   f. young

3. a. estamos   Paco and I are surprised.
    b. está   The boss is very angry.
    c. soy   I am very hard-working.
    d. están   The markets are close to the
                  pharmacy.
    e. es   Marta's house is yellow and
                  white.
    f. Son   It's 4:40.
    g. somos   My cousin and I are blond.
    h. estás   Why are you sad?

4. a. española
    b. ingleses
    c. vieja
    d. azules
    e. interesante

5. a. al   del
    b. al   de la
    c. a la   del
    d. a la   de los

6. a. cuarenta y seis
    b. ochenta y nueve
    c. noventa y dos
    d. setenta y tres
    e. cincuenta y cinco

7. a. No, no voy a leer nada.
    b. No, no estudio con nadie.
    c. No, no hay ningún diccionario.
    d. No, nunca hablo francés. / No, no
        hablo nunca francés.

8. 1. d
    2. c
    3. f
    4. a
    5. b
    6. g
    7. e
    8. f
    9. c
    10. e

9. a. Vive en un pueblo.
    b. Es médico.
    c. Trabaja en la nueva biblioteca.
    d. Va a la biblioteca.
    e. Es ingeniero.
    f. Trabaja para el gobierno.
    g. Su tía Elena es arquitecta.
    h. Estudia para ser abogado.
    i. Son viejos.
    j. Van a España y Francia.

1. a. white shirt   d. red dress
    b. blue suit   e. yellow raincoat
    c. black socks   f. purple skirt

2. a. I think   e. you can
    b. he begins   f. she shows
    c. we know   g. they count
    d. they return   h. I close

3. a. entiendo; I don't understand the lesson.
    b. servimos; We serve the food (*or* the meal) at noon.
    c. puedes; You can dance very well.
    d. piensa; She thinks that soccer is interesting.
    e. comienza; The game starts at 7:30.
    f. duermen; My brothers sleep a lot.
    g. vuelven; At what time do you (guys/all) return?
    h. jugamos; Pedro and I play basketball.
    i. pierde; The volleyball team almost never loses.
    j. quiero; I want to eat lunch now.

4. a. sus
    b. su
    c. nuestra
    d. tus
    e. mi

5. a. Tenemos que estudiar.
    b. Tengo ganas de leer.
    c. Mariana tiene mucho frío.
    d. Ellos tienen sueño.
    e. Roberto tiene quince años.
    f. ¿Tienes hambre ahora?

6. a. salgo   e. conozco
    b. venimos   f. caen
    c. dices   g. sé
    d. trae   h. ponen

7. a. I don't like the gray shoes.
    b. He likes to participate in track (& field).
    c. Do you like the green tie?
    d. They like the brown gloves.
    e. We like swimming.

8. a. V   f. F
    b. F   g. F
    c. V   h. V
    d. V   i. V
    e. V

1.
   a. chicken
   b. fish
   c. beans
   d. oranges
   e. onion
   f. rice
   g. cheese
   h. carrots

2.
   a. tooth (molar)
   b. throat
   c. legs
   d. (inner) ear
   e. head
   f. back
   g. arms
   h. hand

3.
   a. quinientos cuarenta y ocho
   b. mil cincuenta y dos
   c. treinta y siete mil novecientos sesenta y tres
   d. setecientos veintinueve mil catorce
   e. cinco millones ochocientos setenta

4.
   a. hace; Mario asks a lot of questions.
   b. salgo; I do badly on (fail) math tests.
   c. damos; Rita and I go for a walk every day.
   d. veo; I don't see my friends.
   e. da; The church faces the market.
   f. hacen; They're taking a trip to Spain.
   g. obedezco; I almost always obey my parents.
   h. tiene; Sancho has sore shoulders. (Sancho's shoulders hurt/ache.)

5.
   a. Enjoy your meal!
   b. the knife
   c. the napkin
   d. the cup
   e. The check, please.
   f. the fork

6.
   a. V
   b. F
   c. V
   d. V
   e. V
   f. F
   g. F
   h. V
   i. F

7. Answers will vary; check that they are logical and grammatically correct.
   Examples:
   a. Mi bebida favorita es leche.
   b. Desayuno a las siete y media.
   c. Me gusta el jamón.
   d. No, no tengo hambre ahora.
   e. Ceno con mi familia.

8.
   1. h
   2. b
   3. e
   4. a
   5. f
   6. i
   7. c
   8. e
   9. d
   10. b

1.
   a. they sit
   b. he washes
   c. we wake up
   d. you shave
   e. I go to bed
   f. he leaves
   g. you fall down
   h. we put on makeup

2. Answers may vary; check that they are logical and grammatically correct.
   Examples:
   a. Me levanto a las siete.
   b. No, no me corto el pelo cada mes.
   c. Sí, me divierto en la escuela.
   d. Prefiero ducharme.

3.
   a. se ven; They look angry.
   b. me duermo; I fall asleep very late.
   c. nos sentimos; Marcos and I don't feel well.
   d. ponerte; Are you going to go on a diet?
   e. se sienta; Who sits here?
   f. quedarnos; We don't want to stay home tonight.

4.
   a. la toalla
   b. el espejo
   c. el despertador
   d. el peine
   e. el cepillo de dientes
   f. el jabón

5.
   a. Hace mucho frío.
   b. ¿Qué tiempo hace?
   c. No está nublado.
   d. ¿Está nevando ahora?
   e. Llueve mucho en abril.
   f. Es de (*or* Hace) once grados bajo cero.

6.
   a. perfectamente; perfectly
   b. frecuentemente; frequently
   c. generalmente; generally/usually
   d. sinceramente; sincerely
   e. bien; well

7.
   a. ¿Te gustan estos guantes?
   b. Voy a comprar esa mochila.
   c. Aquel coche (*or* carro/auto) es del Sr. Soto.
   d. Aquellas chicas (*or* muchachas) son de México.
   e. ¿Quién es ese hombre?

8.
   1. n
   2. l
   3. j
   4. b
   5. k
   6. e
   7. m
   8. o
   9. c
   10. f

1.
a. no   e. no   h. no
b. no   f. sí   i. sí
c. sí   g. sí   j. no
d. no

2. Answers will vary; check that they're logical and grammatically correct. Sample answers:
   a. Casi nunca tomo un taxi.
   b. Sí, me gusta montar en bici.
   c. Conduzco bien.
   d. Prefiero esquiar en el agua.
   e. Sí, tengo una tarjeta de crédito.

3.
a. We should walk on the sidewalk.
   b. The pool is to the right of the church.
   c. That bike over there is my brother's.
   d. We don't like to wait (stand) in line.
   e. The travelers want to see the ruins.
   f. Can you tell me where the restrooms are?
   g. Customs is straight ahead.
   h. I think that we're lost.

4.
a. gasto; I spend a lot of money when I travel.
   b. está descansando; Dad is resting now.
   c. regatean; They almost never bargain.
   d. estás leyendo; What are you reading now?
   e. llegamos; Silvia and I arrive late sometimes.

5.
a. No lo veo.
   b. Las leemos.
   c. No la conozco.
   d. Nunca nos ayudas.
   e. No me gusta comerlos.
   f. ¿Debo llamarte? *or* ¿Te debo llamar?
   g. Consuelo está esperándome. *or* Consuelo me está esperando.

6.
a. sí   f. no
b. sí   g. no
c. sí   h. no
d. no   i. no
e. sí   j. sí

7.
1. i   6. m
2. k   7. e
3. b   8. a
4. o   9. n
5. g   10. j

8. Grade based on grammatical correctness, degree of difficulty, originality (be sure students don't just copy sentences found elsewhere in the test), variety (no repetitive sentences), and adherence to the assigned topic.

1.
   a. sí
   b. sí
   c. no
   d. sí
   e. sí
   f. no
   g. sí
   h. no
   i. sí
   j. no

2. Answers will vary; check that they're logical and grammatically correct.
   Sample answers:
   a. No, no conozco a todos mis vecinos.
   b. Sí, vivo cerca de la escuela.
   c. Como dulces a menudo.
   d. No, no me gusta pescar.
   e. Sí, hay muchos árboles alrededor de mi casa.

3.
   a. Me, te
   b. Nos, les
   c. te, me
   d. Le, le

4.
   a. Sometimes I ask my parents for money. A veces se lo pido.
   b. They almost always send us postcards. Ellos casi siempre nos las mandan.
   c. Will you lend me your backpack? ¿Me la prestas?
   d. Do you like to buy presents for your friends? ¿Te gusta comprárselos?
   e. Are we going to leave a tip for the waitress? ¿Vamos a dejársela? *or* ¿Se la vamos a dejar?

5.
   a. contigo
   b. sin nosotros
   c. de ellos
   d. para mí
   e. después de él
   f. detrás de ella

6.
   1. c
   2. a
   3. d
   4. c
   5. d
   6. b
   7. b
   8. a
   9. d
   10. c

7. Answers will vary; check that they are logical and grammatically correct.
   Sample answers:
   a. A veces les ofrezco consejos a mis amigos.
   b. Sí, le doy un regalo a mi mamá para su cumpleaños.
   c. Sí, mis maestros me dan mucha tarea.
   d. No, mis abuelos no me escriben mucho.

8.
   a. F
   b. V
   c. F
   d. V
   e. F
   f. F
   g. V
   h. V
   i. V

1.
   a. sí
   b. no
   c. no
   d. sí
   e. no
   f. sí
   g. sí
   h. no
   i. no

2. Answers will vary; check that they are logical and grammatically correct.
   Sample answers:
   a. Mi papá es mayor.
   b. Mi hermano es la persona más alta de mi familia.
   c. Quiero ver la tele ahora.
   d. Generalmente me despierto a las siete.
   e. Me gusta almorzar con mis amigos.

3.
   a. Susana es más baja que Victoria.
   b. Somos tan deportistas como Octavio.
   c. Eres menos responsable que Tito.
   d. Santiago es el estudiante más perezoso de la clase.
   e. La Sra. Secada es la mejor maestra (*or* profesora).

4.
   a. conozco; I don't know all my neighbors.
   b. pierde; Our team loses once in a while.
   c. Puedes; Can you help me?
   d. beben; How often do you guys drink milk?
   e. se acuesta; Daniel goes to bed at 10:00 when there's school (when there are classes).
   f. tiene; That man is very successful.
   g. dice; Julio always tells the truth to his parents.
   h. nos levantamos; We get up at 7:00 when there's school (when there are classes).
   i. hago; I take a trip each summer.
   j. están; The children are sleeping.

5.
   a. F
   b. F
   c. F
   d. V
   e. F
   f. F
   g. F
   h. V

6. Grade based on grammatical correctness, originality & variety (e.g., not using the same adjective or infinitive more than once, not using only the sample words and phrases), and adherence to the assigned topic and guidelines.
   Sample:
   Me llamo Becky. Soy de Colorado. Tengo dieciséis años. Mi cumpleaños es el veinte de abril. Soy rubia, bonita y habladora. Me gusta ir de compras y sacar fotos. Generalmente me despierto a las siete y media. Prefiero salir con mis amigos en vez de quedarme en casa. Mi clase favorita es español porque es fácil y muy interesante. Este verano voy a viajar y trabajar.

Spanish I Alternate Test Key – Unit 1

1.
1. c 4. b
2. a 5. b
3. c 6. c

2. (If students miss one letter in a word, take off ½ point; if they miss two or more letters in a word, take off the full point.)
   a. hombro
   b. feliz
   c. joven
   d. soñar
   e. llena

3. Answers will vary; check that they are logical and grammatically correct.
   a. Bien. / Mal. / Así, así. / Regular. / etc.
   b. Me llamo (Sara).
   c. Soy de (Chicago).
   d. Bien. / Mal. / Así, así. / Regular. / etc.

4. Suggested answers, any order:
   a. You can learn more about other people and cultures.
   b. You can get a better job if you are bilingual.
   c. You can help other people who don't speak English.

5. Suggested answers, any order: international corporate worker, social services worker, teacher

6. a. an action or state of being
   b. a word that indicates the relation of a noun to a verb, adjective or another noun
   c. a person, place, thing or idea
   d. a word that takes the place of a noun
   e. a word used to describe an adjective, a verb, or another verb
   English examples will vary.)

7. Any three in any order:
   accent (á)
   tilde (ñ)
   dieresis (ü)
   inverted question mark (¿)
   inverted exclamation point (¡)

8. a. jun – tos
   b. de – ci – dir
   c. al – re – de – dor
   d. pa – la – bra
   e. oc – tu – bre

9. a. tú
   b. Uds./ustedes
   c. Ud./usted
   d. tú
   e. Uds./ustedes

10. a. Cómo
       gracias
    b. llamo
       dónde
       Soy

11. a. Santiago
    b. Guatemala City
    c. Buenos Aires
    d. Madrid
    e. Managua
    f. Lima
    g. Asuncion
    h. La Paz/Sucre
    i. Quito
    j. Montevideo
    k. San Jose
    l. Caracas
    m. Tegucigalpa
    n. San Juan
    o. Mexico City

12. a. Escriban su nombre.
    b. Saquen la tarea.
    c. Vayan a la pizarra.
    d. ¿Qué tal?
    e. Mucho gusto.
    f. Buenas noches.
    g. Hasta luego. / Hasta la vista.
    h. No entiendo.

1. a. Sí, (yo) bailo bien.
    b. Sí, (yo) hablo inglés.
    c. Sí, (nosotros) preparamos la lección.
    d. Sí, (los estudiantes) terminan la tarea.
    e. Sí, (yo) trabajo mucho.

2. a. No, (yo) no busco el cuaderno.
    b. No, (nosotros) no miramos la televisión.
    c. No, (yo) no necesito la pluma.
    d. No, (el profesor) no enseña español.
    e. No, (yo) no compro el libro.

3. a. Cinco más dos son siete.
    b. Tres más uno son cuatro.
    c. Nueve menos uno son ocho.

4. a. él
    b. ellas
    c. ella
    d. nosotros
    e. ellos
    f. ellas

5. a. F, P
    b. M, P
    c. M, S
    d. F, S

6. a. 1. Anita listens to (the) music.
       2. ¿Escucha Anita la música?
       3. Anita escucha la música, ¿no?
          (*or* ¿verdad?)
    b. 1. The students look at the chalkboard.
       2. ¿Miran los estudiantes la pizarra?
       3. Los estudiantes miran la pizarra,
          ¿no? (*or* ¿verdad?)
    c. 1. You need the book.
       2. ¿Necesita Ud. el libro?
       3. Ud. necesita el libro, ¿no?
          (*or* ¿verdad?)

7. a. llevas; You carry the backpack. (Take
       may also be used instead of carry.)
    b. estudio; I don't study chemistry.
    c. practicamos; Laura and I practice French.
    d. contesta; The student answers the question.
    e. trabajan; You (*or* All of you / You guys) work a lot.
    f. necesita; He needs the pen also.

8. 1. e
    2. h
    3. i
    4. f
    5. b
    6. k
    7. c
    8. j
    9. a
    10. g

9. a. of course
    b. to go down; to lower
    c. to arrive
    d. then
    e. the pencil eraser
    f. to cut
    g. to ride
    h. together

1. a. 5:10   d. 9:55
    b. 7:30   e. 4:15
    c. 12:00   f. 10:35

2. a. Bailo bien. / Bailo mal.
    b. Me llamo (name).
    c. Estudio mucho. / Estudio poco.
    d. Hoy es (day).
    e. Vivo en (place).

3. a. el inodoro
    b. la puerta
    c. las herramientas
    d. la cocina
    e. el sillón
    f. el árbol
    g. el comedor
    h. la cama
    i. el espejo
    j. el tapete
    k. la sala
    l. el coche/el carro/el auto
    m. la flor
    n. el armario/el ropero

4. a. tío
    b. sobrino
    c. abuelo/abuelito
    d. prima
    e. padre/papá

5. a. Son las tres menos cuarto (*or* quince) de la tarde.
    b. Son las nueve y veinticinco de la noche.
    c. Es la una y cinco de la madrugada.
    d. Son las siete y media (*or* treinta) de la mañana.

6. a. viernes, el catorce de enero
    b. martes, el veintiocho de junio
    c. domingo, el primero de septiembre
    d. jueves, el trece de abril

7. a. cose; My grandma sews very well.
    b. asistimos; Julia and I attend many concerts.
    c. viajas; Where do you travel to in the summer?
    d. escriben; What do the students write?
    e. salgo; I leave (*or* go out) at 7:00.
    f. estudia; When does Sara study?
    g. abres; Why don't you open the window?
    h. comemos; Marcos and I eat at noon.
    i. aprenden; The girls learn a lot in school.
    j. soy; I'm from Mexico.

8. a. Guzmán
    b. Rivera
    c. Moreno
    d. Camacho

9. 1. i
    2. k
    3. h
    4. l
    5. g
    6. e
    7. c
    8. d
    9. a
    10. j

1. a. market
    b. city hall
    c. beach
    d. city
    e. downtown
    f. town

2. a. boss
    b. nurse
    c. lawyer
    d. journalist
    e. manager
    f. merchant

3. a. bajo
    b. viejo
    c. delgado
    d. difícil
    e. perezoso
    f. pequeño

4. a. están   The windows are open.
    b. somos   My brothers (siblings) and I are dark-skinned.
    c. está   My house is far from the pool.
    d. eres   You are very nice.
    e. es   Today is Thursday.
    f. estamos   Rafael and I are tired.
    g. está   The stadium is behind the school.
    h. son   My nieces are very pretty.

5. a. japoneses
    b. blanca
    c. habladoras
    d. grande
    e. francesa

6. a. a la   del
    b. a la   de los
    c. al   de la
    d. al   del

7. a. sesenta y nueve
    b. cuarenta y siete
    c. ochenta y tres
    d. noventa y cinco
    e. cincuenta y dos

8. a. No, nunca estudio historia. / No, no estudio nunca historia.
    b. No, no necesito nada.
    c. No, no voy a visitar a nadie.
    d. No, no hay ninguna silla.

9. a. Vive en el pueblo de Salinas.
    b. Preparan comida deliciosa.
    c. Se llama el Restaurante Sanzón.
    d. Caminan en el parque.
    e. El Sr. Ruiz trabaja en el correo.
    f. Es piloto.
    g. Viven en una ciudad.
    h. Viaja mucho en su trabajo como periodista.
    i. Es una fotógrafa excelente.
    j. Es veterinario.

10. a. Guatemala City
    b. San Jose
    c. Panama City
    d. San Salvador
    e. Managua
    f. Tegucigalpa

1. a. gray overcoat   d. brown shoes
    b. orange t-shirt   e. green tie
    c. black hat   f. red gloves

2. a. I move   e. he flies
    b. we lose   f. I fall
    c. they meet   g. you want
    d. you feel   h. she does

3. a. repiten; They repeat the new words.
    b. almuerzas; At what time do you eat lunch?
    c. juega; The soccer team plays very well.
    d. podemos; Victoria and I can't go out with you.
    e. resuelve; The man solves many problems.
    f. pienso; I think that swimming is boring.
    g. cuesta; How much does the yellow dress cost?
    h. Piden; Do you (guys/all) ask for money sometimes?
    i. entendemos; Clara and I don't understand the assignment (homework).
    j. empieza; The party starts at 8:00.

4. a. mis
    b. tu
    c. sus
    d. nuestros
    e. su

5. a. ¿Cuántos años tienes?
    b. La Srta. Castillo tiene razón.
    c. Tenemos ganas de comer.
    d. Tengo mucha hambre.
    e. Ellos tienen éxito.
    f. Ella tiene calor.

6. a. pongo   e. vienen
    b. dicen   f. salimos
    c. Conoces   g. Haces
    d. sé   h. traigo

7. a. I'm a fan of track (& field). / I'm a track (& field) fan.
    b. We don't like gymnastics.
    c. Do you like the purple skirt?
    d. They like sports.
    e. I like the pink cap.

8. a. Puerto Rico
    b. Dominican Republic
    c. Dominican Republic
    d. Cuba
    e. Puerto Rico
    f. Cuba
    g. Dominican Republic
    h. Cuba
    i. Puerto Rico

1. a. bananas   e. grapes
    b. eggs   f. ham
    c. green beans   g. butter
    d. seafood   h. apples

2. a. knees   e. eyes
    b. neck   f. finger
    c. shoulders   g. elbow
    d. feet   h. head

3. a. novecientos cincuenta y siete
    b. mil quince
    c. cuarenta y ocho mil setecientos seis
    d. quinientos noventa y cuatro mil treinta y dos
    e. tres millones seiscientos veinticinco mil

4. a. hacen; They're packing the suitcases.
    b. doy; I take a walk almost every day.
    c. vemos; Tito and I don't see the teacher.
    d. reconozco; I don't recognize the man.
    e. da; The post office faces the store.
    f. tienen; The boys' legs hurt (are sore).
    g. Conduce; Does Marcos drive well?
    h. Sales; Do you do well in English class?

5. a. the spoon   d. How may I help you?
    b. the tablecloth   e. the fork
    c. Something else?   f. the glass

6. a. F   f. F
    b. V   g. V
    c. F   h. V
    d. F   i. V
    e. V

7. Answers will vary; check that they are logical and grammatically correct.
    Examples:
    a. Almuerzo al mediodía.
    b. Mi postre favorito es helado.
    c. Sí, desayuno todos los días.
    d. Me gusta el maíz.
    e. Me gusta beber agua cuando tengo mucho calor.

8. 1. g   6. d
    2. e   7. g
    3. a   8. f
    4. c   9. b
    5. h   10. f

1. a. he gets dressed   e. they stay
    b. I dry   f. I brush
    c. we sit down   g. they look
    d. you fall asleep   h. we get dressed

2. Answers will vary; check that they are logical and grammatically correct.
    Examples:
    a. Me acuesto a las diez y media.
    b. Sí, me maquillo.
    c. No, no me pongo a dieta a veces.
    d. Prefiero levantarme tarde.

3. a. se despiertan; You (all/guys) always wake up at 6:00.
    b. peinarte; You need to comb your hair.
    c. se divierte; Silvia has a lot of fun with her friends.
    d. cepillarme; I'm going to brush my teeth.
    e. me pongo; I put on a sweater when I'm cold.
    f. nos lavamos; Carlos and I wash our hands before eating.

4. a. la pasta de dientes
    b. el maquillaje
    c. la secadora
    d. el champú
    e. la ducha
    f. el espejo

5. a. Hace mucho viento.
    b. No hace sol.
    c. ¿Está lloviendo ahora?
    d. Nieva mucho en enero.
    e. ¿Cuál es la temperatura?
    f. Es de (*or* Hace) siete grados bajo cero.

6. a. exactamente; exactly
    b. posiblemente; possibly
    c. totalmente; totally
    d. absolutamente; absolutely
    e. mal; badly

7. a. Me gusta esa camisa.
    b. ¿Quién es aquella mujer?
    c. ¿Vas a comprar estos zapatos?
    d. Esta película es aburrida.
    e. Esos libros son caros.

8. a. F   f. V
    b. F   g. V
    c. V   h. F
    d. F   i. V
    e. V   j. F

1. a. no   e. no   h. sí
    b. sí   f. no   i. no
    c. no   g. no   j. no
    d. sí

2. Answers will vary; check that they are logical and grammatically correct. Sample answers:
    a. Sí, me gusta pasear.
    b. Manejo mucho.
    c. Hago un viaje cada verano.
    d. Sí, tengo un permiso de conducir.
    e. Prefiero ir de compras.

3. a. The next stop is on Juarez Street.
    b. The subway station is to the left of the movie theater.
    c. Whose truck is that? (Whose is that truck?)
    d. Where can I change money?
    e. You need your passport to pass through customs.
    f. Can you tell me where the elevator is?
    g. My ticket is in my wallet.
    h. Should we leave a tip?

4. a. está abriendo; Pedro is opening the window now.
    b. estoy estudiando; I can't go with you because I'm studying.
    c. disfruto; I always enjoy my vacation(s).
    d. Cocinas; Do you cook a lot or a little?
    e. ponemos; Jorge and I set the table every day.

5. a. ¿La tienes?
    b. Eva siempre nos invita.
    c. No lo conocemos.
    d. Ellos generalmente la beben (*or* toman).
    e. Nos gusta visitarlos.
    f. No puedo ayudarte. *or* No te puedo ayudar.
    g. ¿Vas a llamarme? *or* ¿Me vas a llamar?

6. a. Barcelona   f. Portugal
    b. Madrid   g. Bay of Biscay
    c. Balearic Islands h. Mediterranean Sea
    d. Morocco   i. Atlantic Ocean
    e. France   j. Strait of Gibraltar

7. a. no   f. sí
    b. sí   g. sí
    c. no   h. no
    d. sí   i. no
    e. no   j. sí

8. Grade based on grammatical correctness, degree of difficulty, originality (be sure students don't just copy sentences found elsewhere in the test), variety (no repetitive sentences), and adherence to the assigned topic.

1.
   a. no
   b. no
   c. sí
   d. no
   e. sí
   f. no
   g. no
   h. sí
   i. sí
   j. no

2. Answers will vary; check that they are logical and grammatically correct.
   Sample answers:
   a. Casi nunca llevo joyas.
   b. Visito a mis vecinos poco.
   c. Sí, me gusta ir a la heladería.
   d. Sí, hay muchos muebles en mi dormitorio.
   e. No, no vivo cerca del correo.

3.
   a. Les, les
   b. Nos, les
   c. me, te
   d. Le, me

4.
   a. She teaches us French.
      Ella nos lo enseña.
   b. I'll bring you a pen.
      Te la traigo.
   c. Do you give presents to your sisters?
      ¿Se los das?
   d. Are you telling us the truth?
      ¿Nos la estás diciendo? *or*
      ¿Estás diciéndonosla?
   e. Are you going to give flowers to your grandmother?
      ¿Vas a dárselas? *or* ¿Se las vas a dar?

5.
   a. sin ti
   b. para ella
   c. antes de nosotros
   d. conmigo
   e. entre ellos
   f. debajo de él

6.
   1. c
   2. b
   3. d
   4. c
   5. a
   6. a
   7. b
   8. c
   9. d
   10. d

7. Answers will vary; check that they're logical and grammatically correct.
   Sample answers:
   a. Sí, siempre les digo la verdad a mis amigos.
   b. A veces le pido dinero a mi papá.
   c. Sí, mis amigos me dicen secretos.
   d. No, mis primos no me escriben mucho.

8.
   1. o
   2. j
   3. c
   4. b
   5. k
   6. h
   7. p
   8. m
   9. l

1.
   a. no
   b. no
   c. no
   d. no
   e. no
   f. sí
   g. sí
   h. sí
   i. no

2. Answers will vary; check that they are logical and grammatically correct.
   Sample answers:
   a. Mi clase más fácil es la historia.
   b. Veo la tele todos los días.
   c. No, no me voy a quedar en casa esta noche.
   d. Jugar deportes es más interesante.
   e. Ceno a las seis y media.

3.
   a. Alberto es menos paciente que Rodrigo.
   b. Teresa es tan alta como Marcos.
   c. Ellos son mayores que Pepe.
   d. El Sr. Mendoza es el entrenador más estricto.
   e. Eva es la mejor estudiante de la clase.

4.
   a. Tienen; Are you guys hungry now?
   b. Son; It's 2:30.
   c. está; The door is open.
   d. escribimos; Ana and I write letters to our grandparents.
   e. reconozco; I don't recognize that woman.
   f. me pongo; I almost never go on a diet.
   g. se sienta; Emilio sits to the left of Jorge.
   h. vamos; We go shopping sometimes.
   i. llegas; Why do you always arrive late?
   j. sé; I don't know what time the movie starts.

5.
   a. F
   b. V
   c. F
   d. F
   e. V
   f. V
   g. F
   h. V

6. Grade based on grammatical correctness, originality & variety (e.g., not using the same adjective or infinitive more than once, not using only the sample sentences), and adherence to the assigned topic and guidelines.

Sample:
Vivo en una casa. Me gusta mi casa porque es muy grande. Vivo con mis papás y mis hermanos. Mi casa tiene diez cuartos. No hay sótano. En mi dormitorio hay una cama, una cómoda y un librero. Mi casa está cerca de un parque. La cocina es blanca y tiene dos ventanas. Me gusta ver la tele y descansar en casa. Pongo la mesa y limpio el garaje.